KB195876

드라마 원작소설

극본 박경수 — 소설 신윤경

귓속말

1

I

깜깜한 새벽, 쏟아지는 폭우 속에 낡은 자동차 한 대가 한적한 국도를 달리고 있었다. 폭우 때문인지 다른 차량은 보이지 않았다. 차 안에서 신창호는 잔뜩 긴장한 얼굴로 운전을 하고 있었다. 낡은 윈도우브러시가 끼긱 하고 쇠 긁는 소리를 내며 앞 유리를 열심히 닦아내고 있었지만, 쏟아지는 빗줄기를 당해내지 못해 한 치 앞도 잘 보이지 않았다. 그때 휴대폰 벨 소리가 차 안에 울려 퍼졌다. 앞만 보고 운전하던 신창호는 거치대에 고정시켜놓은 휴대폰 화면에 뜬 발신자를 확인했다. 폭우 때문에 늦어지자 성식이가 전화를 한 모양이었다. 그는 스피커폰으로 전화를 받았다.

"성식아."

—선배, 장소 옮기자. 그놈들이 여길 알아냈어.

성식의 목소리는 매우 다급한 듯했다.

"너희 식구하고 여행 갔던 펜션 알지? 낚시터 앞 사거리에서 우회전해서……."

순간 뒤에서 달려오던 승용차가 요란하게 경적을 울리며 급가속하더니, 중앙선을 넘어 신창호의 차 왼쪽을 스치듯이 추월해 앞으로 나아갔다. 그 속도에 놀란 신창호는 급브레이크를 밟았다. 신창호의 차는 빗길에 미끄러지며 두 바퀴를 돌고 국도 옆 논두렁에 빠지기 직전에 가까스로 멈췄다. 그는 안도의 한숨을 내쉬며 저만치 사라지는 승용차를 힐긋 보았다. 이 시간, 이 폭우 속에 저렇게 달려가는 걸 보면 아주 급한 일이 있는 모양이었다.

—아아악!

그때 스피커폰에서 김성식의 날카로운 비명이 들렸다.

"성식아! 성식아!"

뚜뚜…… 전화가 끊긴 채 종료음만 들려왔다.

신창호는 뭔가 불길한 일이 생겼음을 직감하고 다급하게 출발했다.

낚시터는 아수라장이 되어 있었다. 바닥에 나뒹구는 간이 의자와 낚시 도구들. 반으로 부러진 낚싯대, 그 끝에 묻은 핏자국이 폭우에 씻기고 있었다. 신창호는 황망한 얼굴로 보다가, 저만치 물 위에 떠 있는 김성식의 시신을 발견하고 물속으로 첨벙첨벙 걸어 들어갔다.

신창호는 김성식의 시신을 붙들고 한참을 넋 놓고 있다가 휴대폰을 꺼내 '112'를 눌렀다.

"사람이…… 사람이…… 죽었……."

신창호는 휴대폰에 대고 절규하다 그만 발을 헛디뎌 휴대폰을 놓치고 말았다. 휴대폰이 떠내려가는데도 신창호는 개의치 않고 김성식의 얼굴을 어루만지며 울부짖었다.

"성식아…… 집에…… 가자……. 미안하다. 내가…… 너무…… 늦었어, 성식아."

신창호가 온몸으로 비를 맞으며 시신을 끌고 나오는데, 멀리서 사이렌 소리가 들려왔다. 잠시 후 도착한 순찰차에서 경찰들이 내렸다. 그런데 낌새가 이상했다. 경찰들의 총구가 김성식의 시신을 끌고 나오는 신창호를 향하고 있었다. 신창호는 자신을 겨누고 있는 경찰들의 권총을 보고 멈칫했다.

"살인 사건 발생. 현장에서 범인 체포. 현행범으로 이송하겠다."

신창호는 뭔가 일이 꼬였다는 걸 직감했다. 그는 자신을 향해 다가오는 경찰들을 멍하니 쳐다보았다. 경찰들이 다가와 그를 끌고 가는데 콰광! 하고 천둥소리가 울렸다. 그 소리에 신창호는 하늘을 올려다봤다. 왠지 자신의 인생에 뭔가 날벼락이 닥쳐올 것 같은 예감이 들었다.

*

방산 비리!

영주는 해직 기자인 아버지가 1년 넘게 방산 비리에 매달려왔다는 걸 두 달 전쯤 알게 되었다. 범인을 검거할 때마다 생명에 위험을 느끼는 형사과 경찰이다 보니 영주는 방산 비리의 심각성을 누구보다 잘 알고 있었다. 처음에는 아버지를 도울 생각으로 비밀리에 조사를 시작했다. 그런데 조사를 하면 할수록 석연치 않은 구석들이 많았다. 분명 뭔가 개운치 않은데도 그 꼬리가 쉽게 드러나지 않았다. 영주는 고심 끝에 경찰서가 가장 조용해지는 새벽녘에 기밀실에 몰래 잠입했다. 손전등 하나에 의지해 기밀실에 있는 서류들을 하나씩 모두 뒤졌지만, 원하는 내용을 쉽사리 찾을 수가 없었다. 하는 수 없이 책상 위에 널브

러진 진술서와 기소장 뭉치들을 덮으려던 영주는 갑자기 기소장들의 마지막 페이지들을 빠르게 들춰보았다.

'태백!'

이상하게도 모든 기소장의 법정대리인이 법률회사 '태백'이었다. 영주는 검지로 책상을 툭툭 치며 깊은 생각에 잠겼다. 그렇게 한참을 앉아 있던 영주의 얼굴에 환한 웃음이 번지며 책상을 치던 손가락도 움직임을 딱 멈췄다. 밤새 쏟아지던 비가 그쳤는지 창밖으로 여명이 밝아오고 있었다.

형사들과 피의자들로 소란스럽고 분주한 형사과 사무실로 영주가 서류 한 장을 들고 다급하게 들어왔다.

"방산 비리 사건 꼬리 밟았어. 김형사님, 우리 애들 검찰로 보내서 자료 받아오고, 이형사!"

비닐을 뜯고 막 볶음밥을 먹으려던 이형사가 쳐다보자, 영주는 옆에 놓인 짬뽕 국물을 가리키며 단호하게 한마디했다.

"말아 먹어. 하나, 둘."

외투를 걸치며 출동 준비를 하는 영주 옆으로 현수가 다가왔다.

"우리 팀이 백업할게. 가용 인력 여섯 명이야. 이 정도면……."

"아빠가 1년 넘게 취재한 사건이야. 내가 두 달 매달렸고. 숟가락 얹지 말고 설거지나 도와줘. 아홉, 열."

영주가 숫자를 세며 나가자, 볶음밥을 짬뽕 국물에 말아 먹던 형사들이 남은 밥을 들이마시고 뒤를 따랐다. 현수는 고개를 절레절레 흔들며 미소 띤 얼굴로 영주의 뒷모습을 바라보았다.

영주가 경찰 서너 명을 거느리고 경찰서 복도를 위풍당당하게 걸어가고 있는데 휴대폰이 울렸다. 영주는 발신자가 엄마인 걸 알고 잠시 망설이다 전화를 받았다.

—느그 아부지 또 도망가뿟다!

늘 그렇듯 마늘장아찌 담그는 날이면 아버지는 사라졌고, 엄마는 마늘을 다 깐 뒤에 영주에게 전화했다.

"그렇겠지. 마늘장아찌 담그는 날이잖아."

—얄궂제? 시상 무서분 거 없는 양반이 마늘 까는 거는 질겁한데이.

투덜대고 있었지만, 사실 엄마가 전화한 진짜 이유는 아빠와 연락이 되지 않아서란 걸 영주는 잘 알고 있었다.

—새벽에 마늘 띠어온 거는 우째 알고 나가가 전화도 안 받는다 아이가.

영주는 엷은 미소를 지으며 엄마의 투정 섞인 걱정을 듣고 있었다. 누가 잡혀오는지 경찰서 정문이 소란스러웠다. 거물급 인사인지 취재기자들이 북적이고 있었다. 잠시 후 경찰들의 손에 이끌려 한 남자가 차에서 내렸다. 영주는 호기심에 기자들 사이에 둘러싸인 남자를 무심코 흘깃 쳐다보고는 눈이 휘둥그레지며 걸음을 멈췄다.

'아니 저 사람은…….'

손에 수갑이 채워진 채 형사들의 호송을 받으며 들어오는 남자는 바로 신창호, 그녀의 아버지였다. 고개 숙인 채 끌려오던 신창호는 다급히 뛰어온 영주가 앞을 가로막자, 그제야 천천히 고개를 들었다. 고개를 든 신창호의 모습은 초췌하기 그지없었으며 눈빛은 초점을 잃은 듯 멍해 보였다. 두 사람은 눈이 마주쳤지만 뭐라 한마디 말도 못하고 스쳐 지나갔다.

—연락되믄 마누라 혼자 마늘 열 접 다 깠으이, 들어와서 뜨신 밥이나 드시라 캐라.

전화기에서는 엄마의 말소리가 계속 새어나왔지만, 영주는 그 말이 하나도 귀에 들려오지 않았다.

—영주야! 영주야아!

영주는 엄마가 부르는 소리를 들으며 휴대폰을 든 손을 힘없이 떨어뜨렸다. 잠시 멍하니 서 있던 영주는 뒤돌아 비에 흠뻑 젖은 채 끌려가는 신창호의 뒷모습을 의문에 찬 눈빛으로 쳐다보았다.

"아…… 빠……!"

어제 밤을 새운 탓일까. 영주는 마치 환영을 보기라도 하는 듯 믿을 수 없다는 눈으로 아버지를 바라보기만 했다.

*

동준은 거울 앞에 서서 법복의 옷매무새를 가다듬었다. 판사실 소속 공익근무요원 노기용은 그 모습을 걱정스럽게 바라보았다.

"우리나라 공무원 중에요, 대짜 붙는 자리가 딱 세 개입니다. 대통령! 대법원장! 그리고 대법관! 오늘 판결할 놈이 대법관 사위입니다. 그러니까 살살 하시고…… 거 인생 좀 쉽게 삽시다, 판사님!"

노기용은 아무래도 걱정이 되어 견딜 수가 없었다. 동준의 성품을 너무나 잘 아는 터라 꼭 오늘 무슨 일을 낼 것만 같았다.

"판사가 쉽게 살면 안 되지. 인생 쉽게 사는 놈들 벌주라고 나라에서 옷도 주고 봉급도 주는데."

"여기 왼쪽 눈, 요건 존경하는 눈빛이고요. 오른쪽 눈, 요건 걱정하는 눈빛입니다."

노기용은 두 눈을 한쪽씩 찡긋하며 말했다. 동준은 그 넉살에 씩 웃으며 노기용의 어깨를 툭 쳐주었다.

똑똑똑.

노크 소리에 동준과 노기용이 서로 마주 보는데, 장현국 대법관이 들어왔다. 순간 동준은 인상을 살짝 찌푸렸지만, 이내 표정을 감추고 대법관에게 고개 숙여 인사했다. 대법관은 노기용이 같이 있는 게 불편한지 아무 말 없이 창가로 가서 창밖을 바라보았다. 노기용은 눈치를 채고 입 모양으로 동준에게 "살살"이라고 말하며 나갔다.

사실 장현국은 이동준 판사 사무실까지 오는 내내 마음이 편치 않았다. 그는 복도를 걸어오는 내내 판사들의 시선을 한 몸에 받아야 했다. 그가 법원 복도에 나타나자 법복을 입고 지나가던 모든 판사들이 일제히 부동자세로 정중하게 인사를 했다. 그는 자신에게 고개 숙여 인사하는 판사들의 눈초리가 불편하기 그지없었다.

'어쩌다 재판이 이놈에게 걸린 건지…….'

그는 자신을 일개 판사 사무실까지 직접 오게 만든 이동준이 괘씸했지만, 어쩔 수 없는 일이었다. 이동준이 어떤 인물인지는 너무나 잘 알려져 있었다.

"30년 전에 이 방을 내가 썼어. 그때 태어난 딸애가 곧 엄마가 되지. 출산이며 산후조리며, 남편 손길이 필요해."

일단 뜸을 들인 뒤 대법관은 돌아서서 동준을 똑바로 쳐다보았다.

"판례를 봤네. 이 정도면 집행유예로……."

"판례는 만들어가는 겁니다."

동준은 한 치의 틈도 허용하지 않았다.

"내 사위한테 실형을 선고할 생각인가?"

"법정에서 판결문으로 대답 드리겠습니다, 대법관님."

동준은 정중하게 고개 숙이며 말했다. 그런 동준을 보는 대법관의 눈초리가 살짝 올라갔다.

장현국은 그럴 거라 예상했지만, 대법관 사위에게 이 정도로 강하게 자신의 소신을 지킬 거라고는 생각지 못했다.

방청석에 앉은 장현국은 판사석에 앉은 동준을 뚫어지게 바라보았다. 이번 재판이 쉽지는 않겠지만, 설마 대법관 사위에게 실형을 내릴 만큼 동준이 아둔하지는 않을 거라 생각했다.

"피고 황인호에게 특정 경제범죄 가중처벌법을 적용, 법정 최고형인 징역 7년, 추징금 240억을 선고한다."

동준이 선고를 하자, 십여 명이 앉아 있는 방청석이 웅성거렸다. 피고석에 앉아 있던 사복 차림의 황인호가 놀란 눈으로 대법관을 바라보았지만, 그는 사위에게 눈길 한번 주지 않았다. 대신 그는 굳은 얼굴로 동준을 뚫어져라 쳐다보았다.

"피고 황인호는 경영하던 중견 기업을 고의 도산시키는 과정에서 회사 자금을 착복하고, 백여 명이 넘는 종업원의 임금을 미지불한 채 해고하였다. 파산한 회사는 정리할 수 있지만, 파산한 인간은 내일도 살아가야 하기에……."

동준은 잠시 말을 멈추고 대법관을 쳐다보았다. 두 사람이 눈빛이 허공에서 날카롭게 부딪쳤다.

동준은 좀전에 자신의 사무실에서 장현국과 나눈 대화를 떠올렸다.

"한강병원 의료사고 몇 건이 대법원에 계류돼 있어."

그 말에 동준의 미간이 꿈틀했다. 동시에 책상 위에 놓인 휴대폰이 진동하기 시작했다. 발신자는 아버지였다.

"어제 저녁을 같이 했지. 말이 통하는 분이시더군."

대법관은 발신자가 누구인지 이미 알고 있다는 표정으로 동준을 바라보았다.

"자네가 마음만 바꾸면 병원 문제도…… 전화부터 받게."

동준은 잠시 휴대폰을 바라보다 결심한 듯 천천히 종료 버튼 눌렀다.

"다들 마음을 바꾸니까 세상이 안 바뀌는 겁니다, 대법관님!"

동준은 마음을 정한 듯 대법관을 똑바로 쳐다보며 담담하게 판결문을 읽어나갔다.

"종업원의 생존권을 위협하고 자금을 횡령한 죄는 중형 선고에 불가피하다 할 것이다. 또한 증거인멸의 우려가 짙고 반성의 기미가 없기에, 피고 황인호를 법정 구속한다."

탕탕탕.

판결을 알리는 법봉 소리가 법정 안에 울려 퍼졌다.

장현국은 팔짱을 낀 채 판사석 '법(法)' 자 마크 아래 앉은 동준을 이글거리는 분노의 눈빛으로 쳐다보았다.

*

—김성식 기자 살인 사건의 용의자 신창호 씨는 10년 전 SBC 방송국 기자로 재직 중 해직된 것으로 알려졌습니다. 전과 2범의 신창호 씨는 불규칙한 수입으로 생계의 어려움을 겪었던 것으로 드러나, 금전이나 원한 관계로 인한…….

형사들 몇몇이 텔레비전 앞에 모여 수군거리며 뉴스를 보고 있었다. 영주 아버지가 구속됐다는 소문은 순식간에 경찰서에 퍼졌다. 형사들은 영주의 눈치를 보며 쉬쉬했지만 궁금한 건 어쩔 수 없었다. 형사들은 뉴스를 보다 영주가 굳은 얼굴로 서 있는 것을 보고 다급하게 리모컨을 찾았다. 순간 영주는 입술을 깨물며 밖으로 뛰쳐나갔다. 현수가 그 뒤를 따라 나갔다. 영주가 순식간에 경찰서 브리핑룸 앞까지 달려가 문고리를 잡는데, 현수가 그 손을 잡았다.

"방송국 파업 현장을 끝까지 지킨 양심이 전과가 되고, 취재원 보호하겠다는 신념이 전과가 되고. 그래서 전과 2범이야, 우리 아빠."

현수는 브리핑룸 문을 열고 들어가려는 영주를 말렸다.

"영주야, 수사 결과 보강해서 정식 라인으로 제출하면……."

"아빠 사건 내일이면 우리 손 떠나 검찰로 넘어갈 거야. 현수야, 가르쳐줄래? 일개 살인 사건인데 본청이 개입하고 있어. 동선도 증거도 조작되고 있어. 우리 아빠를 구해낼 다른 방법이 있으면…… 가르쳐줄래?"

현수는 영주의 간절한 눈빛에 어쩔 수 없다는 듯 잡았던 손을 놓았다. 영주는 문을 열고 저돌적으로 들어갔다.

불 꺼진 방 안에는 경찰 간부 십여 명이 앉아 있고, 수사관이 신창호의 얼굴을 화면에 띄운 채 김성식 살인 사건과 관련해 브리핑을 진행하고 있었다.

"피해자 김성식은 SBC 보도국 기자이며 신창호의 후배입니다. 신창호는 새벽 5시 20분, 파주 인근의 낚시터에 도착, 김성식을 살해한 것으로 추정되며……."

팟!

브리핑룸에 갑자기 불이 들어오자 모두들 눈살을 찌푸리며 뒤를 돌아봤다. 영주는 그 누구와도 눈을 마주치지 않은 채 브리핑하고 있는 수사관 앞으로 거침없이 걸어갔다.

"형사1계장 신영주입니다. 아시겠지만…… 용의자 신창호는 저희 아버지입니다."

갑작스런 상황에 경찰 간부들은 어리둥절했지만, 영주는 전혀 개의치 않고 앞에 놓인 노트북에 USB를 꽂았다. 영주를 따라 들어와 벽 쪽에 서 있던 현수가 불을 끄자, 화면에 김성식 기자 가족과 영주네 가족이 함께 찍은 다정한 사진이 나타났다.

"지난 달 저희 가족과 김성식의 가족이 함께 떠난 여행 사진입니다. 즉 원한 관계는 아니며 살해 동기 또한 없습니다."

영주는 화면을 바꿔 신창호가 운영하던 팟캐스트 목록을 화면에 띄웠다.

"신창호는 팟캐스트를 운영하며 방산 비리를 추적하고 있었습니다. 김성식은 SBC에서 보도 불가 방침이 내려진 관련 증거를 신창호에게 건네려다가……."

"현재 신창호 외에 다른 용의자는 없어."

경찰서장은 시큰둥하게 반응하며 영주의 말을 가로막았다.

"있습니다. 이익을 얻는 자가 범인입니다."

영주는 이번에는 건물 사진을 화면에 띄웠다.

"태백. 우리나라 최대 로펌입니다. 소속 변호사만 팔백 명, 전직 총리, 장차관, 국회의원으로 구성된 고문단이 백여 명에 이르는 초대형 법률회사입니다."

영주는 기소장들을 하나씩 화면에 올리다 마지막에 최일환의 사진을 띄웠다.

"방산 비리와 연관된 모든 변호는 태백에서 전담했으며, 대표 변호사 최일환은 방산 비리로 수감 생활을 한 뒤 풀려난 고위직들을 고문으로 채용했습니다. 최일환은 김성식과 신창호의 취재로 위협을 느끼고 있었으며……."

"알았어. 자료들 수사팀에 넘겨. 검토해보지."

경찰서장이 골치 아프다는 듯 영주의 말을 잘랐다.

"오늘 저녁 JBC에서 방송한 뒤 수사팀으로 전달하겠습니다."

"수사 자료를 유출했단 말인가? 규율 문란 행위야. 발본색원해서……."

경찰서장은 자료가 언론에 유출됐다는 말에 몹시 놀라며 흥분했다.

"유출 경로보다 유출된 내용의 진위를 확인하는 게 우선입니다. 이번 수사, 처음부터 다시 하셔야 할 겁니다, 서장님."

영주는 자신에게 다짐하듯 힘을 주며 천천히 되새기듯 말했다.

취조실에 들어서던 영주는 남루한 차림으로 앉아 있는 아버지를 보자 울컥했지만 애써 감정을 꾹 눌렀다.

"아저씨 상은 잘 치렀어. 장지까지 따라갔고. 엄마는 하루 세 번씩 관절 약 꼭꼭 드시고 있으니까 걱정할 필요 없고, 아빠 봄 이불 샀어. 아직 날이 찬데 엄만 맘이 급한가봐."

"이번 주 상견례는……."

신창호는 영주를 보자마자 다급히 물었다. 자기 자신보다 딸의 상견례가 더 걱정되었다. 평생 자신의 신념을 지키느라 딸에게 짐만 되었던 아버지였다. 딸에게 뭐 하나 번듯하게 해준 게 없었다. 대학 등록금도 내주지 못했다. 영주가 경찰이 되어 힘들게 번 돈을 제 안 빚 갚는 데 쓰게 했다. 물론 영주가 원했던 일이지만, 신창호는 딸을 생각하면 마음이 너무 쓰라렸다. 그런데 자신이 결혼까지 가로막게 됐다는 생각에 몹시 괴로웠다.

"미뤘어. 현수가 집에는 잘 말씀드렸대."

영주는 엷은 미소로 아버지를 안심시켰다. 신창호는 그제야 얼굴이 조금 펴졌다.

"실은…… 태백 만지고 있어, 나."

"영주야!"

"국산 잠수함 프로젝트, 헬기, 방탄복까지, 방산 비리 옆에는 꼭 태백이 있더라. 아빠가 취재한 자료 넘겨주면 내가 보강해서……."

"안 돼!"

영주의 말에 신창호는 기겁했다. 그는 영주의 손을 만지며 필사적으로 말렸다.

"네가 수사한 자료 넘겨주면 내가 보강하마. 넌 네 일이나 해."

구치소에 들어오고 나서야 성식과 자신이 하려 했던 일이 얼마나 위험한 일인지 알게 되었다. 지금까지 팟캐스트를 하면서 불의에 저항했던 일들과는 차원이 달랐다. 이 일은 무수히 많은 사람들과 다양한 권력과 돈이 걸린 복잡한 문제였다. 신창호는 이 일에 딸이 절대 끼어들게 할 수 없었다. 이 문제를 건드리는 건 판도라의 상자를 여는 것과 같이 치명적인 일이었다.

"내 일이야. 나 경찰이고."

"성식이가 떠났어. 사람까지 죽였다, 그놈들이. 영주야, 나는…… 무섭다."

영주는 아빠가 두려워하는 게 뭔지 너무나 잘 알았다.

"네가 다칠까봐."

"아빠……."

영주는 신창호의 간절한 마음이 그대로 느껴졌다. 그때 취조실 문이 벌컥 열리며 신창호를 연행하기 위해 수사관 두 명이 들어왔다. 그중 한 명은 영주와 사이가 좋지 않은 배계장이었다.

"국과수 결과 나왔어. 김성식의 시신에서 신창호의 DNA가 발견됐어."

배계장이 영주에게 비릿한 웃음을 지었다.

"그건 물에서 시신을 빼낼 때……."

"신창호의 신발에서 혈흔도 발견됐어."

배계장이 신창호를 일으켜 세우며 맞받아쳤다.

다급해진 영주는 배계장의 손을 막으며 소리쳤다.

"살해 동기가 없어. 기소는 무리야."

배계장이 들고 있던 서류 한 장을 탁자에 툭 던졌다.

"채무 관계야. 작년 10월 3000만 원이 김성식의 계좌에서 신창호의 계좌로 이체됐어. 배운 양반이 돈 3000에 사람을 죽이나."

배계장과 수사관이 신창호를 일으켜 끌고 나가는데, 영주는 황망하게 쳐다볼 뿐 아무 말도 할 수 없었다.

"곧 나갈 거야. 있는 죄는 키우지만 없는 죄는 못 만든다. 영주야, 네 엄마한테는 아무 걱정 말라고……."

신창호는 끌려가면서도 영주에게 당당한 모습을 잃지 않으려 애썼다. 그뒤로 쿵 하고 문이 닫혔다.

혼자 남겨지자 영주는 생각을 모아보려고 애를 썼다. 하지만 도대체 무슨 일이 벌어지고 있는 건지 아무리 생각을 집중하려 해도 잘 정리가 되지 않았다. 자신에게 닥친 이 모든 일들이 마치 꿈만 같았다. 아주 기분 나쁜 꿈! 그러다 불현듯 한 사람이 떠올랐다. 엄마!

영주는 엄마가 운영하는 반찬 가게 앞에 차를 세웠다. 엄마와 마주할 생각에 잠시 심호흡을 하고 차에서 내리는데…… 가게 유리창을 통해 엄마의 모습을 보고 발걸음을 멈추고 말았다. 영주는 망연자실한 얼굴로 앉아 텔레비전 화면을 넋 놓고 바라보고 있는 엄마를 보고 차마 안으로 들어갈 용기가 나지 않았다.

—해직 기자 신창호 씨의 살해 동기가 밝혀졌습니다.

가게 안으로 들어서는데, 뉴스에서 신창호의 살해 동기가 나오고 있었다. 영주는 의자에 앉아 있는 엄마에게 다가갔다.

—팟캐스트를 운영하며 자금난에 시달리던 신씨는 후배인 김성식에게 빌린 3000만 원을 갚지 못하게 되자 상환을 독촉하는 김성식과 다투던 중 우발적으로 살해한 것으로…….

조작이었다. 분명 조작일 텐데 언론에서는 떠들어대고 있었다. 영주는 리모컨으로 텔레비전을 꺼버렸다.

"엄마, 아빠 통장하고 계좌 빨리 찾아줘. 조작이야. 아빠 알잖아. 남한테 돈 얘기 못하는 사람이야."

영주는 신창호의 통장을 통해 조작이라는 걸 밝혀낼 생각으로 엄마를 다그치는데, 엄마는 꺼진 텔레비전 화면만 보며 멍하니 앉아 있었다.

"엄마!"

"내가…… 내가……."

순간 영주는 뭔가를 알아차렸다. 영주는 아버지 일이어서 잠시 형사의 감을 잊고 있었다. 이 일을 꾸민 누군가가 가족의 통장을 조사하지 않았을 리가 없었다. 영주는 엄마의 입에서 어떤 소리가 나올지 두려웠다.

"내가 빌렸데이. 보증금 올리달라카는데 니 시집갈 돈 헐 수는 엄꼬,

너거 아부지 알믄 벼락 칠 끼고. 그캐가 내가…….”

영주는 눈을 질끈 감았다.

“우야노, 영주야, 우리 먹고살라꼬 빌린 돈이 너거 아부지 죽게 만들란갑다. 우야노…….”

영주는 점점 더 늪에 빠져드는 기분으로 깊은 한숨을 내쉬었다.

뭔가 조직적으로 일사분란하게 움직이고 있었다. 누군가 완벽하게 퍼즐을 맞춰가고 있었다. 성식이 아저씨와 아빠가 1년 넘게 조사하고 있었다면, 이미 누군가에게 어느 정도 노출됐을 것이다. 영주는 어디서부터 어떻게 손대야 할지 막막했다.

*

이호범은 장현국 대법관 사위의 재판 소식을 듣고 동준을 한강병원으로 호출했다. 그는 의사 가운을 입은 채 입구에서 팔짱을 끼고 못마땅한 얼굴로 동준을 기다리고 있었다.

이호범은 동준을 대동하고 한강병원 로비를 지나 원장실로 향했다. 지나가던 간호사와 의사들이 그들 부자에게 정중하게 목례를 했다. 그들의 인사에 일별도 않고 걷던 이호범은 일일이 고개 숙여 답례하는 동준을 못마땅한 눈으로 쳐다봤다.

“고개 숙여야 할 사람한텐 안 숙이고. 쯔쯔.”

사람은 지위에 맞게 거드름도 피울 줄 알아야 한다고 그는 생각했다. 그래야 아랫사람들이 기어오르지 않고 고분고분 말을 잘 듣는 법이다. 그는 잘해주는 만큼 뒤통수를 치는 게 세상 이치라고 생각했다.

“대법관 사위 재판. 법대로 판결했습니다. 아버지 병원 의료사고도 법대로 판결받을 겁니다.”

동준은 이호범에게 단호하고 분명하게 말했다. 다시는 아버지가 자신의 재판을 두고 거래하지 못하도록 쐐기를 박을 생각이었다.

"제 재판으로 다시 한 번 거래를 하신다면 아버지도 법적인……."

이호범을 따라 원장실로 들어서던 동준은 안에 여러 사람이 앉아 있는 것을 보고 멈칫했다. 원장실 안에는 태백의 수장인 최일환과 그의 딸, 동준의 새어머니인 정미경이 소파에 앉아 있었다. 동준은 무슨 상황인지 가늠할 수 없어 쉽사리 자리에 앉을 수 없었다.

"앉게. 자네가 앉아야 이원장도 앉을 게 아닌가. 허허허."

최일환의 말에 자리에 막 앉으려던 이호범이 엉거주춤 다시 일어났다. 동준은 그 모습을 보고 쓴웃음을 지으며 자리에 앉았다. 강약약강! 아버지는 평생을 그렇게 살아온 사람이었다.

"20년 넘게 우리 집안 주치의였지? 가족처럼 지냈는데, 허허. 정말 가족이 될 줄은 몰랐네."

동준은 가족이라는 말에 얼굴빛이 확 변했다. 그제야 수연이 눈에 들어왔다. 마침내 동준은 이 자리가 어떤 자리인지 알 수 있었다.

"봄 안 넘기고 날 잡을게요. 5월이 좋겠죠."

태백과 혼사가 성사되기만 한다면 한강병원 입장에서는 천군만마를 얻는 것이었다. 동준의 새어머니인 정미경은 혼사를 서둘렀다.

"제 속으로 낳은 자식은 아니지만요, 우리 동준이, 제가 친자식처럼 키웠어요."

'친자식이라…….'

우아한 얼굴로 표정 하나 바뀌지 않고 또박또박한 발음으로 그런 말을 하는 정미경을 보자 동준은 속에서 뭔가가 치밀어 오르는 걸 느꼈다.

"아버지 아들이었던 적은 있지만 가족이었던 적은 없습니다."

동준은 감정을 숨긴 채 낮고 부드러운 목소리로 말하며, 책상 위에 놓인 이호범, 정미경, 이동민, 세 사람의 다정한 가족사진을 보았다. 최일환은 인자한 얼굴로 잠시 동준을 바라보다 대수롭지 않은 듯 차를 한 모금 마셨다.

"결혼하고 2, 3년 태백에서 일 배우다가 미국에서 MBA 하고 벽에 걸어놓을 자격증 몇 개 따서 들어오지."

"대표님 가족이 될 생각도 없습니다."

"동준아……."

이호범이 동준의 말을 가로막으려 했다. 최일환은 이해한다는 얼굴로 손을 들어 이호범을 제지했다.

"스무 살 넘어서야 호적에 겨우 이름 올린 놈을 사위 삼으면, 뒷배경이 없어 수족처럼 부리기 쉽겠다 생각하신 겁니까?"

동준은 거침없이 말했다.

"그래."

최일환은 여전히 부드러운 웃음으로 순순히 인정했다. 동준을 그 대답에 모멸감을 느끼고 더욱 거칠게 몰아붙였다.

"평판이 괜찮은 판사를 사위로 삼으면 태백에 도움이 될 거라 생각하신 겁니까?"

"맞아. 평판이 좋으니 구색도 맞고. 뒷배경 없으니 쉽게 부릴 수 있고. 혼자 크는 나무는 없어. 어차피 꿇어야 할 무릎이야. 나한테 숙이면 세상을 부리게 될 거야."

"법비!"

최일환은 순간 멈칫했지만 이내 인자한 미소를 지었다.

"법을 이용해서 사욕을 채우는 도적을 법비라고 합니다. 사람들이 그러더군요. 법률회사 태백은 법비라고! 비적 떼가 되려고 법을 배운 게 아닙니다."

"세상을 법대로 살 수가 있나……. 자넨 사는 법을 배워야겠군."

"수족이 필요하시면 다른 데서 구하세요. 전 판사로 살 겁니다."

동준은 더 이상 말해봐야 소용없다는 걸 깨달았다.

"판사도 임기가 있어. 10년마다 재임용이 되지. 30년 동안 재임용에서 탈락한 판사가 세 명인가 그렇지 아마."

'판사 재임용?'

동준이 무슨 뜻인지 몰라 최일환을 쳐다보는데 휴대폰이 울렸다.

동준은 발신자가 노기용인 것을 보고 전화를 받았다.

"기용아, 잠시 후에 내가 전화……."

―재임용 부적격 통보서. 이게 뭡니까, 판사님?

휴대폰 너머로 노기용의 다급한 목소리가 들려왔다.

동준은 멈칫하며 최일환을 바라보았다.

―이거 판사님 옷 벗기려는 거 아닙니까. 표창장으로 도배를 해도 모자랄 분한테. 이 자식들이. 후우.

노기용이 화가 나서 펄쩍 뛰는 모습이 휴대폰을 통해 고스란히 전달되었다.

동준은 충격으로 잠시 아무 말도 못하고 멍하니 있었다. 동준은 말없이 전화를 끊었다.

"재임용에서 탈락한 판사가 이제 네 명이 되겠군."

'이거였나?'

동준은 태백이 변호사를 영입하는 방법을 익히 들어 알고 있었다.

"재임용 부적격자는 법관 인사위원회에서 심사를 하지. 인사위원장이 장현국 대법관이야. 이번 재임용 대상, 그 친구가 정했지. 그 친구, 은혜는 잊어도 원수는 꽤 오래 기억하는 친구지."

동준은 인사위원장이 장현국 대법관이라는 말에 놀랐다.

"대법관에 맞서다가 재임용에서 탈락한 신념의 판사가 내 식구가 되면, 태백을 보는 세상 사람들 눈이 조금은 부드러워지겠지. 늪에 빠진 젊은 친구 손도 잡아주고 싶고. 어때 법비의 손을 잡을 텐가?"

"잡아요. 어차피 거래인데. 좋은 남편은 필요 없고 귀찮게 굴지만 말아요."

동준이 할 말을 찾지 못하는 사이 수연이 시큰둥하게 말을 던졌다. 만사가 귀찮다는 표정이었다. 결혼을 무슨 계약서 쓰듯 말하는 수연과 최일환을 동준은 묵묵히 바라보다 결심이 선 듯 자리에서 일어났다. 동준은 고개 숙여 최일환에게 인사하고 수연에게 미소 지으며 말했다.

"좋은 거래처 만나 성혼하길 바랍니다."

"동준아!"

이호범이 부르는데도 동준은 뒤돌아보지 않고 밖으로 나가버렸다.

"죄송합니다, 대표님. 제가 잘 타일러서 이 혼사 성사시키겠습니다."

"자식 이기는 부모 있나? 세월이 가르치고 세상이 길들여주겠지. 우리 딸애처럼 말이야. 허허허."

모든 걸 포용할 수 있다는 얼굴로 웃는 최일환과 달리 수연은 귀찮은 표정으로 천장을 보며 한숨을 쉴 따름이었다.

*

신창호의 재판이 열리는 법정에서 검사가 논고를 하고 있었지만, 영주의 귀에는 하나도 들리지 않았다. 방청석에 앉은 영주의 시선은 검사가 아니라 법관석의 동준에게 꽂혀 있었다. 현수는 이동준이 믿을 만한 판사라고 했다. 지금까지 이동준이 내린 판결을 보면 절대로 주위 권력에 휘둘리지 않을 거라고 했다. 과연 그 말을 믿어도 될지 영주는 의심이 들었다. 법관석의 동준은 고개를 살짝 숙인 채 서류를 보는 것 같았다.

사실 동준이 보고 있는 서류는 '인사위원회 일정상의 이유로 소명을 생략하고 서류 제출로 대체함'이라는 내용이 적힌 '소명 거부서'였다.

집 앞에서 대법관이 짓던 미소의 의미가 이거였다니!

동준은 아침에 대법관의 집 앞을 찾아갔었다. 그는 아침부터 차 안에서 장현국이 집에서 나오길 기다리고 있었다. 얼마 지나자 대법관은 아내와 임신한 딸에게 배웅을 받으며 대문 밖으로 나왔다. 임신한 딸은 배가 제법 나와 있었다. 동준은 그녀의 배를 보며 자신의 판결이 조금 과했나 싶은 생각이 잠깐 들긴 했지만 어쩔 수 없는 일이었다. 동준은 가족들이 들어가기를 기다렸다. 장현국을 향해 걸어가는데 바람에 장현국의 목도리가 날아와 그 앞에 떨어졌다. 동준은 그 목도리를 주워 들고 장현국 앞으로 다가갔다.

"법원조직법 제45조 2항. 법관 재임용의 결격 사유가 적시돼 있습니다. 하나. 신체 또는 정신상의 상해로 인해 판사로서 직무를 수행할 수 없는 경우. 하나. 근무 성적이 현저히 불량해 판사로서 정상적인 직무를 수행할 수 없는 경우. 하나. 판사로서의 품위를 유지하는 것이 현저히 곤란한 경우. 알려주십시오. 제가 어느 사유에 해당하는지."

장현국이 뜻 모를 미소를 짓더니 목도리를 두르며 말했다.

"법정에서 판결로 말하겠네. 나도…… 자네처럼."

동준은 분노가 치밀어 올랐다.

"인사위원회에 출석해서 소명하겠습니다. 개인적 감정으로 인한 부당한 처사라는 걸 인사위원들에게 항변하면 아주 곤란해지실 겁니다, 대법관님."

동준은 자신 있는 얼굴로 대법관을 날카롭게 쳐다보았다. 장현국은 그 눈빛을 그대로 받아들이며 미소를 지을 뿐이었다.

그때 그 미소의 의미가 소명 거부서라는 사실에 동준은 얼굴이 굳어질 수밖에 없었다. 신창호의 재판을 하는 내내 그의 신경은 온통 소명 거부서에 쏠려 있었다.

"피고 신창호는 팟캐스트를 운영하며 방산 비리를 추적한다는 미명하에 근거 없는 루머와 허위 사실을 유포, 다인의 명예를 훼손하였으며, 3000만 원의 상환을 독촉하는 후배 기자 김성식을 살해하는 반인륜적 범죄를 저질렀습니다."

검사의 논고를 듣던 동준은 고개를 들어 피고석의 신창호를 보았다. 증거며 동기가 모두 명확한 사건이었다.

"또한 피고는 10년 전 불법 파업을 주도하던 중 방송국의 경영난 악화를 걱정한 조합원들이 원직 복귀했음에도 끝까지 버티다 혼자 해직된 반사회적 언론인으로서……."

"왜……."

불쑥 튀어나온 동준의 짧은 호흡 같은 말에 검사는 논고를 멈추고 의아한 눈으로 그를 보았다.

동준은 불현듯 궁금해졌다. 그는 방송국 불법 파업이 뭘 의미하는지 잘 알고 있었다. 그는 신창호를 보며 숨을 고르고 말을 이어갔다.

"왜 혼자 복귀하지 않고 해직을 당했습니까? 피고."

의심 가득한 얼굴로 방청석에 앉아 동준을 쳐다보던 영주의 눈빛이 살짝 흔들렸다.

'저 사람, 뭔가 생각을 하고 있어.'

영주는 그가 아버지의 인생에 관심을 보이자 재판에 기대가 생기기 시작했다. 옆에 앉아 재판을 지켜보던 현수가 영주의 손을 꼭 잡아주었다.

"뛰어난 사회부 기자였고, 사측의 제안을 받아들였으면 지금은 보도국장, 본부장이 될 수도 있었을 텐데……."

"사측의 공금 유용을 덮어주는 조건이었습니다."

신창호가 허탈한 웃음을 지었다.

"좋은 일 하려고 기자가 됐는데, 기자 자리 지키려고 나쁜 놈 손 들어줄 순 없었습니다."

동준은 지금의 자신을 보는 것 같은 기분으로 신창호를 보았다. 동준은 정의로운 길을 가려고 판사의 길을 택했던 자신을 떠올렸다.

"거짓입니다. 당시 해직 사유는 인사 명령 불복입니다."

검사가 단호하게 신창호의 말을 반박했다.

"평생 펜 들고 기자만 하던 놈입니다. 드라마 세트 공사장에 가라는데, 정당한 인사 명령입니까, 검사님?"

신창호의 대답에서 조용한 분노가 느껴졌다. 검사는 잠시 멈칫하더니 자리로 돌아가 여러 가지 서류를 챙겼다.

"또한 피고는 수많은 명예훼손 사건으로 고소를 당했습니다."

검사가 서류를 들고 고개를 돌리는 순간, 동준의 눈에 비친 검사의 얼굴은 장현국 대법관으로 바뀌어 있었다.

장현국의 모습을 한 검사가 서류를 들고 피고석으로 다가가 준엄하게 말했다.

"자넨 대한민국 사법부의 명예를 훼손했어."

피고석의 신창호가 고개를 드는데…… 동준의 눈에 비친 그 얼굴은 신창호가 아닌 자기 자신이었다.

"제가 훼손한 건, 사위를 지키기 위해 거짓 재판을 요구한 어리석은 장인의 자존심입니다. 제가 지킨 건 법 앞에 만인이 평등하다는 상식입니다."

"후회하네. 자넬 사법연수원에서 가르쳤던 걸. 자네도 후회하게 될 거야."

장현국의 목소리는 노여움으로 떨렸다.

서로를 바라보는 동준과 장현국의 눈에서 불꽃이 튀었다.

"피고!"

그 말에 동준은 정신이 들었다. 동준은 가까스로 정신을 차리고 쓸쓸함이 밴 목소리로 신창호에게 물었다.

"후회하지 않습니까? 해직 이후로 생활이 어려웠던 것 같은데요."

"그놈들이 원하는 게 제가 후회하는 건데요."

신창호는 고개를 세차게 가로저었다. 절대 그럴 수도, 그래서도 안 된다고 자신을 설득하듯이 세차게 고개를 가로저었다. 동준은 그 마음을 알 것 같은 연민 어린 표정으로 신창호를 바라보았다.

"피고의 변론 기일을 연장합니다."

"판사님!"

너무나 명확한 사건이었다. 그런데 판사가 변론 기일을 연장하자 검사가 강하게 항변했다. 하지만 동준은 개의치 않았다.

"변호인, 신창호 피고의 변론 증거와 서류, 보충해서 제출해주세요. 시간을 갖고 검토하겠습니다."

방청석에 앉아 있던 영주와 현수가 안도의 한숨을 내쉬었다. 영주는 동준에 대한 의심을 모두 거두고 기대하는 눈빛을 보냈다.

동준은 대법관 사위 재판 이후 동료 판사들이 자신을 불편해한다는 걸 깨달았다. 복도에서 마주쳐도 못 본 척 그를 외면했다. 동준은 답답한 마음에 방금 자신을 외면하고 지나간 판사를 부르려고 멈춰 서는데 휴대폰이 울렸다. 차를 주차해둔 지하 주차장에서 사고를 낸 운전자의 전화였다.

동준은 귀찮은 일이 생기자 살짝 짜증이 났지만 일단 지하 주차장으로 내려갔다. 다행히 범퍼끼리 살짝 부딪친 정도의 가벼운 접촉 사고였다.

"연락처 주시고, 보험회사 통해 처리합시다."

"피고 신창호의 딸 신영주입니다."

상대편 운전자라고만 생각했던 여자의 입에서 '피고의 딸'이라는 말이 나오자 동준의 얼굴에 불편한 표정이 역력했다.

"알아요. 재판부가 관계인 접촉 못한다는 거."

동준의 표정을 읽은 영주는 다급해졌다.

"원칙대로 합시다. 추가 증거는 변호인 통해서……."

동준은 여느 때 같았다면 조금은 친절할 수도 있었겠지만, 지금은 신경이 너무 날카로운 상태였다. 동준의 딱딱한 태도에 영주는 살짝 기분이 상했지만 내색하지는 않았다.

"원칙대로 했다가…… 저희 아버지 여기까지 왔어요, 판사님!"

동준은 너무나 간절해 보이는 영주의 눈빛을 차마 외면하기 어려웠다. 동준은 시계를 힐긋 보더니 고개를 끄덕였다.

법원이 내려다보이는 커피숍에 앉기가 무섭게 영주는 탁자 위에 서류들을 올려놓았다.

"김성식 기자 사망 추정 시간은 05시 10분. 아빠 휴대폰 통화 내역이에요. 그 시각에 아빠는 국도 위에 있었어요. 낚시터에 도착한 건 05시 40분. 사망 30분 뒤에 도착한 걸로 추정되는데……."

영주는 여러 서류들을 비교하며 다급히 설명을 이어나갔다.

동준은 설명을 듣고 있기는 했지만 피해자 가족과 같이 있는 게 영 불편했다. 하지만 예의를 갖춰 원칙적이고 사무적으로 영주를 대했다.

"부검을 통한 사망 추정 시간은 한 시간 전후의 오차가 있습니다. 통화 내용을 확보하는 데……."

"휴대폰은 낚시터에서 사라졌어요. 아빠는 늪에 빠졌고요."

"신창호 씨를 늪에서 구하려면 휴대폰부터 물에서 건져야 입증할 수 있을 겁니다."

동준은 아무리 봐도 자신이 해줄 수 있는 게 없었다. 이건 동준에게 와서 얘기할 사항이 아니라 변호사와 상의할 내용이었다. 영주는 기대와 달리 냉정하고 지나치게 객관적인 동준의 태도에 울컥했다.

동준의 잘못은 아니지만 순간 날 선 소리가 튀어나오고 말았다.

"입증은 검찰이 할 일이죠. 언제부터 피해자가 무죄를 증명해야 하는 세상이 됐나요?"

자신에게 와서 이러는 영주가 사실은 불편했지만, 동준은 판사로서 최대한 해줄 수 있는 조언을 담담하게 해주었다.

"인근 사유지 CCTV 기록. 그리고 이건 불법 취득한 증거물로 보이는데…… 제출하진 마시고……."

영주는 이미 자신도 알고 있는 내용을 영혼 없이 말하는 것 같아 동준에게 서운한 감정이 들었다.

“어쩌죠? 이 세상의 힘, 권력, 모두 나쁜 놈들이 갖고 있던데.”

동준은 영주의 말에 마시려던 찻잔을 내려놓았다. 영주는 북받쳐 오르는 감정을 애써 추스르며 말을 이었다.

“보기 싫어도 만나야죠. 그놈들이 나한테 필요한데. 정말 필요한데…….”

영주의 말이 동준의 마음에 와서 박혔다. 동준은 찻잔을 든 채 잠시 영주를 바라보며 할 말을 골랐다. 어떤 말을 해야 상처받은 영주를 위로할 수 있을지 고민했다.

“보이지 않는 증거를 추정해서 판결을 내릴 수는 없습니다. 하지만 보이는 증거는 외면하지 않겠습니다. 약속드리죠.”

원칙적인 말이었지만 영주는 왠지 그 말을 믿을 수 있을 것 같았다.

2

동준은 법률회사 태백 건물 앞에 서서 영주의 말을 떠올렸다.

'어쩌죠? 이 세상의 힘, 권력, 모두 나쁜 놈들이 갖고 있던데.'

'보기 싫어도 만나야죠. 그놈들이 나한테 필요한데. 정말 필요한데…….'

동준은 고개를 들어 하늘을 찌를 듯 치솟은 태백의 사옥을 한참 바라보다 뭔가 결심한 듯 안으로 들어갔다.

고급스런 소파와 소품들로 꾸며놓은 면담 대기실은 일단 면담을 청한 사람의 기를 죽이기에 충분했다. 영어 잡지를 보거나 CNN 뉴스가 나오는 텔레비전을 보며 앉아 있는 몇몇 중년 사내들 역시 평범해 보이지는 않았다. 동준은 어디에 앉아야 할지 망설이다가 면담 순서대로 앉아 있음을 눈치채고 말석으로 가 앉았다.

문이 열리고 송태곤이 들어왔다. 그와 동시에 문 앞에 앉아 있던 중년 남자가 자기 차례라는 듯 일어났다.

"아이고, 죄송합니다, 장관님."

동준은 어디선가 낯익은 목소리가 들려 고개를 돌리자 송태곤의 얼굴이 보였다.

'아하…….'

송태곤이 태백에 있을 거라고는 생각지 못했는데, 그의 얼굴을 보자 동준은 얼굴을 찌푸렸다.

"대표님이 드립 커피를 대접해드리라고 하셨는데, 아, 융을 쫘악 깔아서 드립하는데, 쫄쫄, 아직 반도 안 찼네. 10분 뒤에 모시러 오겠습니다, 장관님."

장관이라는 사람이 알았다는 듯 자리에 앉자, 송태곤은 말석에 앉아 있는 동준을 보며 삐딱한 눈으로 오라는 듯 손을 까딱했다.

"대법관한테 굴비 한 짝 보냈다. 내 옷 벗긴 놈, 나 대신 옷 벗겨주신다니, 명절날 세배도 갈 생각이다."

송태곤은 최일환의 집무실로 동준을 안내하는 내내 동준의 신경을 긁는 얘기를 했다. 이런 곳에서 송태곤을 만난 것 자체가 짜증나고 불쾌한 일이었지만 동준은 꾹꾹 눌러 참았다.

"선배."

"선배는 무슨. 넌 판사님이고 난 일개 스폰서 검사지. 편하게 불러."

송태곤이 계속 삐딱하게 나오자 동준도 받아쳤다.

"변호사 자격증 없는 걸로 아는데."

"라이센스는 없어도 원천 기술은 있잖냐."

송태곤이 동준에게 명함을 내 보였다. '법률회사 비서실장 송태곤'이라 쓰여 있었다.

"네 판결 덕분에 고생했다. 징역 3년, 자격 정지 10년."

동준은 최일환의 집무실이 있는 복도에 들어선 순간 그 광경에 깜짝 놀랐다. 진시황의 병마용갱을 연상시키는 대형 병마 조각들이 길게 늘어서 있었다. 제자백가 중 법가를 숭상했던 진시황은 법의 절대 권력을 실현했던 인물이다. 동준은 최일환의 철학을 알 것 같아 쓴웃음이 나왔다. 병마 조각들을 지나 집무실 앞에 서자, 송태곤은 문 옆에 있는 길고 높은 협탁 맨 위의 서랍장을 열고, 동준에게 스마트폰을 꺼내 서랍에 넣으라고 손짓했다.

"스폰서 검사라고 치면 내 이름이 연관 검색어로 뜬다. 사법고시도 2등밖에 못했는데 비리 검사는 1등했다. 네 덕에 이혼도 당했다. 댕큐다, 동준아."

동준은 송태곤의 지시로 스마트폰과 손목시계를 서랍 안에 넣으며 생각했다.

송태곤이 비리 검사인 건 맞지만, 모든 언론에서 나서서 온 나라가 시끄러울 정도로 떠들어댈 사건은 아니었다. 동준은 당시에 소신껏 판결했지만 참으로 난감하고 당황했었다. 그리고 그 사건이 왜 그리 커졌는지 의문이었다.

송태곤은 동준이 시계와 스마트폰을 넣자 서랍을 닫고, 그 앞에 동준의 손을 잡아 엄지 지문을 댔다.

"녹음, 녹취하는 놈들이 있어요. 목마를 때 우물에서 마신 물, 갈 때 침 뱉는 자식들."

송태곤이 문을 열어주자 동준은 위압감이 느껴지는 최일환의 집무실로 들어갔다.

소파에 앉은 최일환이 누군가와 통화 중이어서 동준은 잠시 서서 기다렸다. 최일환이 동준을 알아보고 가까이 오라고 손짓했다.

"10년 넘게 판사 노릇 했는데, 거 젊은 친구한테 말할 기회는 줘야지. 소명 날짜는 좀 더 미루고……."

최일환은 휴대폰을 손으로 막고 동준에게 속삭이듯 말했다.

"일주일이면 되겠나?"

동준은 그제야 자신과 관련된 통화임을 알고 의아한 표정을 지었다.

'어떻게 미리 알고……!'

동준은 자신의 속내를 들킨 것 같아 기분이 좋지 않았다.

"그래, 다음 주로 하지."

최일환은 웃으며 전화를 끊고 동준에게 앉으라고 손짓했다. 하지만 더 이상 있고 싶지 않은 자리여서 용건을 빨리 끝낼 요량으로 동준은 앉지 않았다.

"제가 찾아온 이유를 어떻게……."

"자네가 법비라고 하지 않았나? 도적 떼한테는 말이야, 마을마다 귀띔을 해주는 사람들이 있어."

"주신 소명 기회 잘 쓰겠습니다. 고맙습니다."

"미안하네. 소명하는 자리에 나가게 해서."

예의 바르게 인사하고 나가려는 동준에게 최일환은 뜬금없이 미안하다는 말을 했다. 동준은 그 말의 의미가 정확히 파악되지 않았다.

"장현국 대법관이 인사위원장인 건 얘기했었고."

장현국의 이름이 나오자 동준은 발끈했다.

"열한 명의 인사위원이 있습니다. 인사위원장 개인의 사적인 감정으로 결론이 나진 않을 겁니다."

동준은 그래도 법을 집행하는 기관의 인사위원회가 한 사람에 의해 좌지우지될 만큼 썩지는 않았다고 확신했다.

그 말에 최일환이 피식, 실소를 흘렸다.

"이대명 변호사, 자네가 탈세 재판했지? 배정만 대표 딸, 입학 비리 실형 선고한 것도 자네고."

최일환이 줄줄이 읊어대는 이름들을 들으며 동준은 그저 황당할 따름이었다.

"안치영, 서기수, 최진구, 박상진, 강지호, 조순호, 황규백, 이성민이 아버지 캐디 성추행도 자네가 법정 최고형을 선고했었지?"

최일환의 말을 다 듣고 나서야 동준은 무슨 의미로 이런 말을 하는지 알아차렸다. 자기도 모르게 침을 삼켰다. 생각지도 못한 일이었다. 그제야 동준은 다급히 소파에 앉으며 항변하기 시작했다.

"인사위원회 규정이 있습니다. 어떻게 그런 사람들로 구성이……."

"김구 선생이 친일 경찰한테 잡혀서 사흘 밤낮을 고문당했어. 『백범일지』에 이렇게 썼지. 친일파도 밤잠을 안 자고 일하는데, 나도 더 열심히 독립운동을 해야겠다. 악은 성실하다! 장현국 대법관, 아주 부지런한 친구야."

동준은 할 말을 잃은 채 그저 막막한 기분으로 탁자 아래서 두 손을 매만졌다.

"이원장한테 전화 왔었어. 5월 중순에 날을 잡자더군. 자네를 설득하겠다고."

최일환은 자상하고 부드러운 어조로 결혼 얘기를 꺼냈다. 동준은 메마른 표정으로 최일환을 쳐다보았다.

"왜…… 접니까?"

최일환은 동준의 물음에 아무 답도 하지 않고 의미를 알 수 없는 엷은 미소를 짓더니, 옆에 놓인 서류 봉투를 동준 앞으로 놓았다.

"오랜만에 판결문을 써봤네. 살인 사건 신창호 재판."

'허…….'

동준은 이제야 모든 걸 알겠다는 듯 쓴웃음을 지었다.

"그 재판 내가 하지. 자네는 법봉만 두드리게."

'청부 재판!'

동준이 세상에서 제일 경멸하는 일이었다. 있을 수도 있어서도 안 되는 것이 청부 재판이라는 확고한 신념이 있었다.

"이거였습니까? 제가 필요한 이유가."

"자신을 과소평가하는군."

동준은 자신이 그 정도의 인간으로밖에 비쳐지지 않았다는 생각에 심한 모욕감을 느꼈다.

"제가 청부 재판을 받아들일 놈으로 보이셨습니까? 전 이런 짓 절대 안 합니다."

"과대평가하지도 말고."

열변을 토하는 동준과 달리 최일환은 여전히 침착한 어조로 말을 이어갔다.

"재임용 탈락은 피할 수 없어. 이동준 판사, 자네는 늪에 빠졌어. 신창호를 밟고 올라오게."

최일환은 서류를 톡톡 치며 속삭이듯 말했다. 그 속삭임이 너무 부드러워 동준의 눈빛이 아주 잠깐 흔들리는 듯했다. 하지만 동준은 흔들릴 것 같은 마음을 다잡으며 최일환의 집무실을 나왔다.

문을 나온 동준은 손가락을 대고 서랍을 연 뒤 스마트폰과 시계를 거칠게 챙겨 빠르게 걸어갔다. 맞은편에서 오던 송태곤이 동준을 발견하고 히죽거리며 다가왔다.

"동준아, 오랜만에 보니까 반갑긴 하다."

"다음에는 더 오랜만에 봅시다, 송태곤 씨."

날 선 동준의 말에 송태곤의 인상이 확 구겨지는 듯했지만, 곧 입가에 묘한 미소가 번졌다. 동준은 송태곤을 뒤로하고 빠른 걸음으로 태백을 빠져나가며 깊은 생각에 잠겼다. 도대체 신창호 재판에 무슨 내막이 있기에 태백의 최일환이 움직이는 걸까? 동준은 궁금해지기 시작했다.

*

영주는 조금 떨어진 곳에서 화난 얼굴로 낮게 통화하는 현수를 무거운 얼굴로 바라보다가 한숨을 쉬었다. 들리지는 않았지만 무슨 통화를 했을지 짐작할 수 있었다.

통화가 간단히 끝날 것 같지 않아 영주는 고개를 돌려 저수지를 바라보았다. 햇빛을 받은 호수는 금빛으로 빛나고 있었다. 호숫가 낚시터 가장자리에는 물속에 몇 달은 있었던 듯한 운동화, 뜰채 등 범람의 흔적들이 가득했다. 그것들을 발로 톡톡 건드리고 있는데, 현수가 통화를 끝내고 다가왔다.

"부모님이 벌써 며느리 걱정만 하신다. 너 밥은 잘 챙겨 먹는지. 맘은 안 다쳤는지."

"고마워. 거짓말."

현수는 당황한 얼굴로 영주를 바라보았다. 영주는 현수의 거짓말을 모른 척하고 싶지 않았다. 그는 정말 좋은 친구이자 애인이었다. 그런 그가 거짓말하게 하고 마음 쓰게 하고 싶지 않았다.

"어머님 다녀가셨어. 아버님 교장 승진해야 하는데 사돈이 유죄면 곤란하니 비켜달라고."

며칠 전 현수 어머니가 영주를 찾아왔다. 사실 처음부터 그녀는 영주를 탐탁지 않게 여겼다. 바깥사돈이 해직 기자 출신이라는 건 아들의 미래를 생각하면 그리 도움이 될 것 같지 않았다. 그래도 영주가 워낙 괜찮은 아이인지라 결혼을 반대하지는 않았는데……. 이번 사건이 터지고 나자 남편의 승진도 그렇고 아들의 미래도 그렇고 도저히 이 결혼은 안 되겠다고 여긴 것이다.

영주는 아무 말 없이 현수 어머니의 말을 들으며 현수와의 인연이 끝나간다는 걸 느꼈다.

"영주야, 그래서 설마 너……."

"식장에서 기다려. 아빠 손 잡고 들어갈게."

서로를 보는 영주와 현수의 눈빛이 쓸쓸했다.

"사건 당일에 폭우가 심했어. 휴대폰은 낚시터 하류로 떠내려갔을 거야."

"일대가 3만 평이야. 나무가 7000그루. 우리 둘이서 찾는 건……."

"찾게 만들 거야. 나만큼, 어쩌면 나보다 더 휴대폰이 필요한 그놈들이…… 찾아내겠지."

뭔가 계획이 있는 듯 영주는 낚시터를 둘러싼 숲을 둘러보며 깊은 생각에 잠겼다.

*

"아버지는 팩트만 기사로 썼어요. 확인된 사실도 두 번 세 번 크로스체크를 했고요. 휴대폰에 자동 녹음 기능을 설정해서 모든 통화를 녹음했죠. 휴대폰에 아버지와 김성식 기자, 두 사람이 나눈 대화가 저장

돼 있어요."

증인석에 앉아 증언을 하는 내내 영주는 피고석의 신창호에게서 눈을 떼지 않았다. 신창호는 그런 딸을 애틋한 눈으로 바라보았다.

"휴대폰만 찾으면 사건 당시 아버지가 낚시터에 도착하지 않았다는 증거가 될 거예요."

영주는 천천히 말을 하며 방청석에 있는 사람들의 얼굴을 재빠르게 훑었다. 분명 누군가는 반응을 보일 거라 믿었다. 아니나 다를까, 방청석 뒤쪽에 앉은 사람들 중 얼굴에 상처가 있는 한 남자가 난감한 표정으로 마른세수를 했다. 영주는 그 남자를 예의 주시하며 재판장석에 앉은 동준에게 변론 기일 연장을 요청했다.

"보이는 증거, 가져다 드리겠습니다. 판사님!"

"피고 측은 재판을 지연시키기 위해 두 번이나 기일을 연장했습니다. 재판의 적체 해소를 위해 빠른 판결을 해주십시오."

영주의 말이 끝나기가 무섭게 검사가 자리에서 일어나며 단호한 태도를 보였다.

"속도보다 중요한 건 방향입니다. 빨리 가는 것보다 어디로 가느냐가 중요합니다. 진실 규명을 위해 기일 연장 신청 받아들이겠습니다."

동준이 변론 기일을 연장하자, 검사는 다 된 재판이 자꾸 미뤄져 짜증이 났지만 애써 표정을 감추며 법정 밖으로 나가버렸다.

동준은 판사석을 내려오려다 영주를 뒤돌아보았다. 두 사람이 눈빛이 마주쳤다. 영주는 동준을 신뢰의 눈빛으로, 동준은 영주를 건투를 비는 눈빛으로 바라보았다. 한편 방청석에 앉아 있던 백상구는 사나운 얼굴로 법정을 나갔다.

*

"어제 저녁을 같이 했네. 말이 통하는 분이야. 자네가 마음만 바꾸면 병원 문제도……."

동준은 신창호의 알리바이를 증명하기 위해 영주가 택한 방법을 떠올리며 아버지 이호범을 찾아갔다. 아버지가 자신의 증인만 되어준다면…….

책상에 앉아 서류를 뒤적이는 이호범 앞에 서서 동준은 이호범, 정미경, 동민, 세 사람의 사진을 씁쓸한 눈으로 보았다.

"고등학교 때 자전거 사고로 정맥이 파열된 적이 있습니다. 그때 혈관 수술 일인자였던 아버지는 빈혈로 쓰러진 동민이를 치료하느라 못 오셨죠."

"네 엄마가 우리 병원으로 바로 왔으면 내가 직접 하는 건데."

이호범은 동준의 말이 조금은 거슬렸는지 불퉁하게 말했다.

"연락했잖아요, 내가."

동준은 그때 일이 떠오르자 가슴이 쓰린지 목소리가 살짝 떨렸다.

"어쩌면…… 다리를 못 쓰게 될지도 모른다고."

이호범은 조금은 미안한 마음에 동준을 힐긋 보고는 털어버리듯 서류로 다시 시선을 옮겼다.

"네가 필요로 할 때 아비가 못 간 건 그날뿐이야. 대학 입학식, 졸업식, 임용식, 언제나 아비가……."

"제가 대법관 사위 판결하기 전날. 3월 12일. 대법관 만나셨죠."

그 말에 서류를 만지던 이호범의 손이 그대로 멈췄다. 그는 아들이 뭘 원하는지 알았다.

"대법원에 계류 중인 의료사고 무마를 조건으로 대법관은 사위의 선처를 요구했을 거고요. 당시 상황과 대화 내용에 대해 진술서를 써 주세요."

동준은 아버지 이호범이 채워주기를 간절히 바라며 백지 진술서를 책상 위에 내려놓았다.

"지금 저한테는 아버지가 필요합니다, 아버지."

이호범은 책상 위에 놓인 진술서를 한참 보더니 고개를 들었다. 동준의 눈빛에 간절함이 묻어났다. 이호범은 평소와 달리 살짝 갈등이 생겼지만, 지금은 무시할 수밖에 없는 상황이었다.

"곧 대통령 주치의가 바뀐다는 소문이 있어. 청와대 비서실장, 수석들. 다 최일환 대표 사람이야."

이호범이 무슨 말을 할지 동준은 바로 알아차렸다.

"결혼해라. 네가 최대표 식구가 되면, 이 아비는 VIP한테 청진기를 댈 수 있어. 그분이 추진할 의료 민영화도, 의료 지원 계획도 먼저 알게 될 거야."

"아버지……."

"나한테는 그런 아들이 필요하다, 동준아."

진술서 용지를 동준에게 돌려주는 이호범의 표정은 너무도 담담했다. 미약하게나마 걸었던 기대마저 무너지자, 동준은 다시 길을 잃어버린 기분이었다.

*

한적한 시골 마을 낚시터에 시커먼 사내들이 북적였다. 낚시터 입구에는 관광버스 두 대가 떡하니 버티고 서 있었고, 그 앞에 검은 승용차

한 대가 있었다. 험상궂은 얼굴의 사내들이 버스에서 내리자마자 낚시터 인근 숲속을 샅샅이 뒤지고 다녔다. 백상구는 그 모습을 승용차 옆에 서서 지켜보며, 뭔가 귀찮고 짜증나는 얼굴로 누군가와 통화 중이었다.

한편 영주와 현수는 저만치 떨어진 언덕에서 줌카메라로 그 모든 상황을 지켜보고 있었다.

영주는 카메라에서 한시도 눈을 떼지 않고 낚시터 인근 숲속을 뒤지는 수하들을 살펴보았다. 멀리서 한참을 줌카메라로 백상구 일행을 지켜보던 영주가 현수를 보며 회심의 미소를 지었다. 백상구의 수하 중 한 명이 진흙이 잔뜩 묻은 휴대폰을 백상구에게 건너는 모습이 카메라에 잡혔다.

잠시 후 그들 일행이 모두 차를 타고 출발하자 영주와 현수도 그 뒤를 밟기 시작했다.

백상구와 수하 둘이 탄 승용차 뒤로 관광버스 두 대가 뒤따르고 있었다. 한적한 시골길을 달리고 있는데, 옆 차선으로 영주가 탄 차가 따라붙었다. 그렇게 한참을 달리다 시내로 들어서는데 백상구의 차가 교차로를 지나는 순간 신호가 바뀌면서 뒤따르던 두 대의 관광버스가 급정거했다. 그런데 영주는 백상구의 차를 따라잡으려고 액셀을 꾹 밟았다. 요란하게 경적을 울리며 달려오는 차들과 가까스로 충돌을 피하며 교차로를 빠져나가 백상구의 차를 간신히 따라잡았다.

백상구의 차를 따라잡은 영주는 핸들을 틀어 차 측면을 쿵 하고 박았다. 그러자 백상구의 차가 갓길에 불법 주차된 트레일러에 부딪치며 멈췄다. 차에서 내리는 영주와 현수를 보고 교통사고라 생각한 백상구의 수하가 "눈은 견본으로 달고 다니나!" 하며 큰소리쳤다. 순간 영주는 그 수하를 몇 차례 가격해 단련된 격투 실력으로 제압했다. 그러는 사이 또 다른 수하와 현수가 격한 몸싸움을 벌였다. 수하 하나를 제압한 영주가 차의 뒷문을 여는데…… 퍽! 하고 백상구의 발길이 영주를 가격했다. 백상구의 발길질에 쓰러진 영주의 눈에 저만치 관광버스 두 대가 달려오고 있는 것이 보였다. 영주는 벌떡 일어나 백상구와 격전을 벌였다. 백상구는 만만찮은 상대였다. 점점 다가오던 버스가 직전 교차로에서 신호를 받고 멈추자, 차에서 수십 명의 수하들이 우르르 내리더니 100미터가량 떨어진 거리에서 달려왔다. 영주는 그 모습을 보고 죽을힘을 다해 백상구를 제압했다. 영주는 몸을 숙여 팔로 백상구의 목을 누른 채 한 손으로 몸을 뒤져 휴대폰을 꺼냈다. 동시에 현수도 싸우던 수하를 제압하고 운전석에 올라타 급히 후진해서 영주에게 달려갔다. 어느새 달려와 자신을 붙잡는 수하들을 뿌리치고 영주는 다급하게 차에 올랐다. 뒤이어 수십 명의 수하들이 몰려온 순간 현수가 차를 출발시켜 그들에게서 벗어났다. 영주는 가쁜 숨을 몰아쉬며 뒤를 돌아보았다. 달려오던 수하들이 지친 듯 멈춰 섰다. 그제야 영주는 손에 쥔 흙 묻은 휴대폰을 바라보았다. 아버지를 구할 유일한 증거였다. 영주는 그 휴대폰을 손에 꼬옥 쥐며 안도의 한숨을 내쉬었다.

*

동준은 엄마의 요양원에 오면 언제나 마음이 편해졌다. 아무리 복잡하고 힘든 일이 있어도 이곳에 오면 잠시 잊을 수 있었다. 동준은 차에서 내리지 않고 따스한 햇살 속에 서 있는 요양원을 바라보았다.

두 평 정도 되는 좁은 원장실 안에는 안명선과 직원 두 명이 산더미 같은 서류를 뒤적이느라 정신이 없었다. 안명선은 돋보기를 살짝 들어

동준을 보더니 입가에 엷은 미소를 띠었다.

“의료보험공단에서 심사를 나온다는구나.”

안명선은 아들이 오자 돋보기를 벗고 서류를 옆으로 챙겨놓았다.

“그러게 원장님, 다른 약도 좀 쓰세요. 의료보험 적용되는 약만 쓰니까 환자들은 좋지. 우리는 공단에 의료비 과다 청구한다고 의심이나 받고.”

안명선과 함께 일하던 직원이 서류를 챙기며 친근하게 투덜댔다.

“엄마, 의료보험공단에 들렀다 오는 길이야.”

“동준아…….”

안명선은 혹시나 하는 마음에 걱정이 앞섰다. 동준은 엄마가 뭘 걱정하는지 너무나 잘 알고 있었다.

“판사로서 만난 거 아냐. 기초생활수급자에 요양비로 견디면서 남는 돈 모아 손주들 오면 용돈 주는 재미로 사는 어른들, 치료비 아끼게 해드린 게 죄가 되는지 물었어. 한 사람의 시민으로서.”

동준의 설명을 듣고서야 안명선은 안심이 되었다.

“뭐라고 하든?”

“대답할 말이 없지. 그러니 심사도 없을 거고.”

동준은 엄마를 보며 빙그레 웃어 보였다. 안명선도 동준을 따라 웃었다. 엄마의 부드러운 웃음에 동준은 괜스레 기분이 좋아졌다.

“엄마, 산책하자.”

두 사람은 요양원 정원을 산책했다. 따사로운 햇빛이 그들을 비추고 있었다.

“법이 별로야. 약효는 같은데 어떤 건 보험이 되고 안 되고, 서너 배는 차이가 나. 네가 애썼구나. 동준아, 네 방 도배해놨다.”

동준은 엄마의 뜬금없는 말이 무슨 의미인지 알 수 없었다.

"법원 앞 원룸에 사는 거, 끼니며 난방이며 신경 쓰였는데 엄마 옆에 있으면……."

동준은 그제야 엄마의 말뜻을 이해했다. 벌써 누군가 엄마에게 알린 게 분명했다.

"엄마, 나 여기 안 들어와. 내일 인사위원회에 가서 지난 10년 동안의 판결, 상고심 유지율 소명하면 괜찮을 거야."

안명선이 걸음을 멈추고 걱정스런 눈빛으로 동준을 바라보았다.

"네 아버지한테 전화 왔었다. 어렵다고 들었어."

아버지란 말에 동준도 걸음을 멈추고 엄마를 바라보았다.

"결혼 얘기 하시더라. 대단한 집안인가."

동준은 결혼이란 말에 정색하며 변명하려 했지만 잘 되지 않았다.

"엄마 난……."

"내가 그랬어. 당신처럼 자라지 않아서 우리 아들한테 고맙다고. 요 앞에 작은 변호사 사무실 내고, 엄마가 해주는 밥 먹고 같이 살자."

안명선은 아들의 마음이 어떨지 너무 잘 알고 있었다. 또한 이호범의 뜻대로 되리라는 것도 알고 있었다. 안명선은 잠시나마 아들의 마음을 편하게 해주고 싶었다.

"어떡하니, 우리 아들. 엄마가 해주는 밥, 맛없다고 어릴 때부터 투정하곤 했는데."

엄마를 만나니 동준은 복잡했던 마음이 조금은 풀리는 것 같았다.

엄마의 따듯한 눈빛을 보며 굳어 있던 동준의 마음도 조금씩 녹는 듯했다.

*

"2017년 법관 재임용 부적격자인 판사 이동준의 소명을 시작한다."

대법원 법관 인사위원회실에는 대법관 장현국을 중심으로 열한 명의 위원들이 연단 위에 앉아 있었다. 동준은 그 아래 소명석에 앉았다. 동준은 연단 위에 앉아 있는 위원들의 표정에 살짝 위축되었지만 애써 그런 기분을 지워버렸다.

"소명 자료가 아직 제출이 안 됐군. 이 자리에서 제출할 건가?"

앞에 놓인 자료를 들춰보다 장현국 대법관이 동준에게 물었다.

"소명 자료, 제출하지 않겠습니다. 소명도 하지 않겠습니다."

동준은 장현국 대법관을 똑바로 바라보았다.

대법관은 동준의 의도를 살피는 눈으로 다시 물었다.

"묵비권은 혐의의 잠재적 인정으로 볼 수도 있네. 재임용 탈락을 수용하겠다는 뜻인가?"

동준은 잠시 인사위원들을 쭉 둘러보다 입을 열었다.

"심판받아야 할 사람들이 심판하는 이 자리를 인정하지 않겠다는 뜻입니다."

그 말에 위원들이 술렁거렸다.

"여기 계신 분들, 본인, 가족, 친지가 저의 재판을 거쳐간 분들입니다. 2심이 진행 중인 분들도 계십니다. 제가 법복을 벗고 판사의 자리를 떠나게 된다면, 여러분의 2심 재판에 증인으로 출석하겠습니다."

몇몇 위원들이 놀란 표정으로 대법관 장현국을 일제히 쳐다보았다. 그가 뭔가 결정을 내려주기를 바라는 얼굴이었다.

"이대명 변호사가 탈세를 무마하기 위해 저한테 어떤 제안을 했는지, 배정만 협회장이 딸의 입학 비리를 덮기 위해 저에게 주겠다고 한 게 무엇인지 증언하겠습니다."

"이동준 판사, 위원들을 겁박하는 건가."

장현국이 동준을 준엄하게 꾸짖었다. 그러나 동준은 전혀 개의치 않았다.

"저를 판사석에 둘지, 여러분의 재판에 증인으로 세울지 결정하십시오."

위원들은 동요했지만 장현국은 표정 변화 없이 묵묵히 동준을 내려다보았다. 동준은 다른 위원들과 달리 너무도 침착한 장현국 대법관을 보며 뭔가 이상하다고 느꼈다.

"법정 구속돼서 재판이 진행 중인 자의 증언을 자네라면 믿겠나."

대법관의 말투가 마치 후배에게 질문하듯 자상했다. 동준은 질문의 의미가 무엇인지 잘 파악이 되지 않았다.

"모친이 운영하는 요양원의 의료비 과다 청구 심사를 무마한 정황이 포착됐네."

"……아."

동준은 이제야 장현국의 속셈을 알아차렸다. 뒤통수를 얻어맞은 기분이었다. 뭐라 항변하려는데 선뜻 말을 고를 수 없었다.

"판사의 직위를 이용해 공단 직원에게 압력을 행사했어."

"아…… 압력 행사가 아니라 질의를 했습니다. 가난한 환자들의 의료비 부담을 줄여주려 했을 뿐입니다."

동준은 뜻밖의 상황에 당황해 말이 잘 나오지 않았다.

"변명으로는 괜찮군. 법정에서 받아들여질지는 모르지만. 재임용 탈락 즉시 검찰에서 구속 기소할 거야."

장현국은 통쾌한 얼굴로 동준을 비웃었다. 동준에게 감정이 좋지 않은 몇몇 위원들도 입가에 묘한 미소가 번졌다.

"부정청탁 및 금품 등 수수의 금지에 관한 법률! 김영란법으로 구속되는 첫 번째 공직자가 되겠군. 이동준 판사! 사법부의 치욕으로 오래 기억될 거야."

대법관의 말 한마디 한마디가 동준의 가슴에 와 꽂혔다. 연단 위에 있는 그들의 존재가 너무 높아 보였고, 자신은 너무나 아래에 있었다. 동준은 무력감과 분노로 그들이 모두 밖으로 나갈 때까지 꼼짝도 할 수 없었다. 이런 상황을 전혀 예상치 못한 어리석은 자신을 원망했다.

*

전자 부품들이 수북이 쌓인 어둡고 좁은 밀실 안에서 칠순 노인이 책상에 앉아 휴대폰 수리를 하고 있었다. 노인 옆에는 영주가 초조한 표정으로 앉아 있었다. 영주는 숨죽인 채 노인이 수리하는 모습을 지켜봤다. 영주는 요즘 처음으로 법대를 가지 않고 경찰이 된 걸 다행으로 여겼다. 경찰이 아니었다면 이런 귀신같은 솜씨를 가진 사람들을 절대 찾아내지 못했을 것이다.

"물 먹은 부품 갈고 메모리 살려내느라 용썼어. 작업비는 알아서 챙겨줘."

노인은 생색을 내더니 녹음 파일을 켰다.

띠이…… 통화 연결음이 들리는 동안 영주는 긴장되어 침을 삼켰다. 통화 연결음이 너무나 길게 느껴졌다. 이윽고 잡음이 섞인 통화 내용이 들리기 시작했다.

—어, 성식아.

—선배, 방탄복 성능검사 비밀문서, 터뜨리자. 젠장. 내가 몇 달이나 팠는데. 빨대 심어서 문자까지 캐왔는데, 데스크가 엎으라잖아. 선배, 팟캐스트에서 이거 터뜨리면 내가 후방에서 서포트할게.

—성식아, 나…… 그만할란다. 마누라한테나 딸애한테나 볼 면목이 없다.

—선배…… 선배, 기자잖아.

—몇 십 년 해도 세상 하나 못 바꾸는 기자 노릇 그만하고. 성식아, 이제 아비 노릇 할란다. 우리 영주 시집가는데 혼수라도 해줘야지. 일자리나 알아봐주라. 월 300만 벌 수 있으면, 성식아, 우리 영주 혼수 남들만큼은 못해도 시댁에 흉 안 잡힐 만큼은 어떻게…….

—선배!

통화를 들으며 영주의 눈에 눈물이 그렁그렁 맺히더니 이내 왈칵 쏟아지고 말았다.

*

대법원을 힘없이 걸어나오던 동준은 뒤를 한번 돌아다보았다. 우뚝 솟은 대법원 건물이 자신을 무겁게 짓누르는 것 같았다. 그동안 수시로 드나들던 건물이었는데 오늘처럼 위협적으로 느껴진 적은 없었다. 그때 휴대폰이 진동으로 울렸다. 신창호의 딸 신영주였다. 난감한 얼굴로 잠시 서 있던 동준은 천천히 통화 버튼을 눌렀다.

"이동준입니다."

동준과 영주는 법원 정문 앞에 있는 조용한 카페 2층에 자리 잡았다. 마주 앉은 두 사람은 테이블 위에 놓인 휴대폰에서 흘러나오는 녹음 내용을 듣고 있었다.

—선배, 이거 방산 비리 뇌관이야. 우린 터뜨리기만 하고 뒤처리는…….

—어디야?

—우리 자주 갔던 낚시터. 기다린다, 선배.

띠이. 신호음과 함께 다음 통화 내용이 시작되었다.

—성식아.

—선배, 장소 옮기자. 그놈들이 여길 알아냈어.

—너희 식구하고 여행 갔던 펜션 알지? 낚시터 앞 사거리에서 우회전해서…….

—아아악!

—성식아, 성식아!

휴대폰이 끊긴 듯 뚜뚜 하는 종료음이 들렸다. 녹음은 거기서 끝났다. 동준과 영주 사이에 잠시 침묵이 흘렀다.

"더 필요할까요, 김성식 기자 사망 당시 아버지가 현장에 없었다는 증거."

동준 앞에 '눈에 보이는 증거'가 놓여 있었다.

동준이 영주를 복잡한 얼굴로 바라보는데 전화벨이 울렸다. 최일환이었다. 동준은 잠시 머뭇거리다 통화 버튼을 눌렀다.

—대법원장 승인이 났어. 자네, 재임용 탈락이 확정됐네.

예상했던 일이지만 막상 얘기를 들으니 가슴이 철렁했다.

—판사 옷 벗는 건 못 막았지만 죄수복 입는 건 막아줄 수 있네. 피고 신창호, 그 사람한텐 1심일 뿐이야. 2심도 있고 3심도 있지. 하지만 자네 인생은 1심으로 결정될 거야.

그때 동준의 눈에 법원 정문 앞으로 호송차 한 대가 나오는 모습이 보였다. 교차로에 들어선 호송차는 신호를 받아 잠시 멈춰 섰다. 호송차 안에는 죄수 한 명이 고개 숙인 채 앉아 있었다. 호송차 안의 죄수가 고개를 들어 동준을 보았다. 그런데…… 동준의 눈에 그 죄수의 얼굴이 자신처럼 보였다. 죄수복의 동준이 커피숍의 동준을 쓸쓸한 얼굴로 바라보았다.

—이번 재판, 자네가 두드릴 마지막 법봉이야. 자네 인생을 위해, 두드릴 텐가.

그때 죄수복의 동준이 커피숍의 동준을 보며 슬픈 눈으로 고개를 끄덕였다.

그렇게 하라는 듯이. 천천히 한 번, 두 번 끄덕였다.

동준은 버티던 마지막 안간힘이 무너진 기분으로 낮게, 조금은 떨리는 소리로 말했다.

"……그렇게…… 하겠습니다."

죄수복의 동준은 잘했다는 듯, 그렇게 할 수밖에 없었다는 듯 커피숍의 동준에게 고개를 끄덕여주었다. 동시에 신호가 바뀌며 호송차가 출발했다. 동준은 휴대폰을 천천히 내려놓으며 고개를 숙였다. 동준은 영주를 바라볼 용기가 없어 외면한 채로 물컵만 들여다보았다.

"보이는 증거는 외면하지 않겠다는 말씀 믿고 찾아왔어요, 판사님."

동준은 어쩔 수 없이 영주를 보며 고개를 끄덕였다. 안도하는 영주를 보자 동준은 가슴 한편이 날카로운 뭔가에 찔린 듯 아파왔다.

*

영주 엄마는 새벽부터 가게 한쪽에 놓인 조리대에 큰 솥을 올려놓고 추어탕을 끓였다.

솥에서 김이 피어올라 실내는 따뜻하고 평온해 보였다. 영주가 내실에서 신발을 신고 나오자, 영주 엄마는 환한 얼굴로 딸을 맞았다. 영주 엄마는 신이 난 얼굴로 국자를 들고 추어탕 간을 맞췄다.

"너거 아부지가 추어탕을 못 무가 겔혼하고 이거 맛 들이는데 석삼 년은 걸렸다 아이가."

"딴 집은 엄마가 아빠 입맛 따라가는데 우리 집은 다 엄마 입맛에 맞추고 살아요오."

"내 입맛은 그래 잘 맞추는 양반이 세상 입맛은 못 맞차가……. 오전에 판결 나믄 낮에는 나온다 캤제."

"같이 가자, 엄마. 아빠 나오는 것도 보고."

"요도 치아야 되고 창고도 정리할 끼 태산이데이."

"그건 나중에 해도 되잖아."

"아따 상그럽고로(귀찮게) 하네. 너거 아부지 나와가 창고 더러분 거 보믄 내가 말리도 치울라 할 꺼 아이가. 다 치아놔야 너거 아부지 추어탕 잡숫고 뜨신 방에서 암것도 안 하고 쉴 양반이데이. 와 이래 엄마 말을 안 듣노."

영주는 엄마의 깊은 속을 알 것 같아 더 이상 권하지 않았다.

"아이다, 영주야. 엄마 말 안 들어도 개안타. 세상 입맛은 잘 맞차주고 살아래이."

영주는 오랜만에 신이 나서 떠드는 엄마를 보니 웃음이 절로 나왔다.

"근데 영주야, 빠마 다 풀렸제? 미용실 가가 머리도 해야 될 낀데. 근데 와 그래 보노?"

"이뻐서……. 얼굴 말고."

영주는 오랜만에 엄마를 보며 활짝 웃었다.

영주는 설레는 얼굴로 현수와 함께 방청석에 앉아 재판이 시작되기를 기다렸다. 영주는 피고인석에 앉아 있는 신창호에게서 눈을 떼지 못했다. 판사석 뒤의 문이 열리고 동준이 들어왔다. 서기가 "일동 기립." 하고 말하자 모두 일어났다가, 동준이 앉자 "착석." 하고 말했고 모두 앉았다.

동준은 고개를 들지 않은 채 선고문을 읽어 내려갔다.

"피고 신창호는 2017년 3월 13일 새벽, 김성식을 살해한 혐의로 기소되었다. 검찰은 형법 제250조 1항 살인으로 기소하였고, 변호인은 동시간 살해 장소에 피고가 부재했음을 추정, 무죄를 주장하였다."

영주는 무죄 판결을 확신하는 미소로 신창호에게 고개를 끄덕였다.

동준은 잠시 말을 멈추고 침을 삼켰다. 차마 입 밖으로 그 말을 내뱉을 수 없을 것 같았다.

"하나 변호인의 주장은 확증이 없고, 채무 관계로 볼 때 살해 동기는 충분하다 할 것이다."

영주는 자신의 귀를 의심했다. 동준이 무슨 말을 하는지 이해가 잘 되지 않았다.

동준은 잠시 눈을 감았다 떴다.

"피고 신창호에게 형법상 살인, 시신 유기 미수를 적용, 징역 15년을 선고한다."

탕! 신창호가 고개를 떨궜다. 탕! 그 소리에 영주가 놀라 일어났다. 동준은 마지막 법봉을 두드리기 전에 고개를 들어 영주를 바라보았다. 탕! 동준은 자신이 지은 죄악을 단죄하듯 마지막 법봉을 두드렸다.

그날 밤 동준은 최일환을 찾아갔다. 동준은 신창호의 흙이 그대로 묻어 있는 휴대폰을 최일환의 집무실 테이블 위에 올려놓았다. 최일환은 스마트폰에서 빼낸 메모리칩을 재떨이 위에 놓았다.

"축의금은 안 받고 화환도 거절할 생각이야. 호화로운 결혼식은 서민들에게 박탈감을 느끼게 하지. 박탈감을 느끼지 않게 하면서 서민들을 박탈하는 거. 앞으로 자네가 할 일이야."

최일환은 라이터용 석유를 재떨이에 부었다.

"신혼 살림은 따로 낼 필요 없네. 집에 데리고 있으면서 몇 년 가르칠 생각이니."

최일환은 접대용 고급 라이터의 상부를 열어 동준에게 건넸다.

"이원장이…… 아니지, 이제 사돈이지. 사돈이 좋아하시겠군. VIP의 주치의가 됐으니……."

동준은 굳은 표정으로 최일환이 건네는 라이터를 받았다.

"지워. 자네가 어떻게 살아왔는지. 기억도. 기록도. 다."

동준은 떨리는 손으로 라이터를 켜서 재떨이에 불을 붙였다. 팍 하고 불이 붙었다. 메모리칩이 작은 횃불처럼 타올랐다. 동준은 미동도 않은 채 그 작은 횃불을 하염없이 바라보았다.

*

경찰 정복을 입은 징계위원들 앞에 영주와 현수가 앉아 있었다.

현수는 고민이 있는 듯 영주를 보다가 낮은 한숨과 함께 고개를 아래로 떨궜다.

"경위 신영주는 수사 기록을 언론에 유출했으며, 증거를 수집한다는 미명하에 선량한 시민을 폭행한 사실이 인정되므로……."

경찰징계위원회의 한 위원이 영주의 행적을 줄줄이 읊어댔다.

"스마트폰을 확보했습니다. 그 사람이 가지고 있었어요. 아버지가 잃어버린……."

영주가 정황을 설명하자, 그녀의 행적을 읊어대던 그 위원이 가로막았다.

"경찰, 검찰, 법정, 어디에도 자네가 스마트폰을 증거로 제출한 기록은 없어."

"박현수 계장과 함께 갔습니다. 봤어요, 박현수 계장이."

영주는 도움을 청하는 눈으로 현수를 보았다. 당연히 그가 자신의 행적을 밝혀줄 거라 믿어 의심치 않았다. 하지만 현수는 떨리는 주먹을 꾹 쥐고 영주를 외면한 채 말했다.

"저…… 저는…… 무모한 수사를 말리러 갔을 뿐입니다."

"현수야."

"증거는…… 없었습니다. 동료로서…… 과잉 불법 수사를 만류하지 못했습니다. 죄송합니다."

영주는 충격에 빠져 현수를 보았다. 도무지 믿기지가 않았다.

"경위 박현수를 감봉 3개월에, 경위 신영주를 파면에 처한다."

영주는 자신의 징계 내용을 듣지도 않고 믿을 수 없는 얼굴로 자신을 외면하는 현수를 바라보았다.

정복을 입은 영주는 메마른 얼굴로 들어와 책상 앞에 앉아 있는 현수를 향해 걸어갔다. 영주는 현수의 책상 위에 총기, 수갑, 신분증을 내려놓았다.

"영주야……."

"살아야지. 혼자라도."

영주는 쓸쓸한 미소로 답했다.

"스마트폰 확보했다고 내가 말해도…… 달라질 건 없어. 나까지 같이 파면당할 순……."

"같이 웃기만 하는 인생이 있니? 너는 같이…… 울어줄 줄 알았어."

"……미안하다. 근데 영주야……."

"5년은 친구였고 5년은 연인이었는데…… 미안하단 말은 너무 가볍다. 그렇지?"

현수는 영주의 눈빛을 받아낼 자신이 없어 고개를 돌려 외면했다.

영주는 눈물이 터져 나오려는 걸 참으며 경찰서를 나왔다. 정문을 나서는 순간 눈에서 눈물이 쏟아졌다. 영주는 북받치는 서러움에 제대로 숨을 쉬기도 힘들었다.

타는 냄새로 가득한 반찬 가게에 들어서던 영주는 일단 가스레인지로 가서 불을 껐다. 솥 안의 추어탕은 거의 다 졸아들고 있었다. 엄마는 타는 냄새도 알아채지 못한 채 넋을 놓고 의자에 앉아 가족 앨범을 보고 있었다. 그녀는 중학교 졸업식 날 찍은 가족사진을 보고 있었다.

"니 중학교 졸업할 때, 아따 상도 마이도 받았네. 우등상은 내가 들고, 교육감 표창장은 너거 아부지가 들고. 그날 묵은 짜장면이 1500원인가 그랬는데……."

영주는 목이 메어 아무 말도 할 수 없었다.

"영주야…… 그기…… 15년 전이데이. 15년이…… 이래 긴 세월이데이."

그 순간 영주는 울컥했다. 아버지가 감옥에서 살아야 할 15년이란 시간의 무게가 느껴졌다. 영주는 엄마를 위로하러 다가가다 멈칫했다.

벽면 쪽에 나란히 진열된 반찬통 아래 깔아둔 신문의 삐져나온 부분에 동준의 얼굴이 보였다. 영주는 그 신문을 빼내 기사를 봤다. '신념의 판사 이동준, 태백의 사위 된다.' 영주는 충격으로 잠시 아무 생각도 할 수 없었다.

'방산 비리와 연관된 모든 변호는 태백에서 전담했으며…… 최일환은 김성식과 신창호의 취재로 위협을 느끼고 있었으며…….'

영주의 질끈 감은 눈이 부들부들 떨렸다. 영주 엄마는 떨리는 손으로 영주의 중학교 졸업 사진을 만졌다.

"요런 아가 니만큼 돼야 너거 아부지가 나온다 이 말이가……. 창고도 치았고 ……빠마도 했는데, 너거 아부지…… 우야노……."

영주는 엄마의 넋두리를 뒤로한 채 떨리는 얼굴로 신문을 든 채 내실로 들어가, 어찌해야 할지 모를 분노와 충격에 휩싸인 채 방 안을 서성거렸다.

"영주야, 너거 아부지 데꼬 온나. 니 경찰 아이가."

'이제 경찰도 아니다.'

영주는 엄마에게 대답하듯 고개를 가로저었다.

"혼자 안 되믄 현수보고 도와달라 캐라, 영주야……."

'현수와는 헤어졌어.'

영주는 엄마에게 답하듯 고개를 가로저었다.

"언 놈이고. 옥에 처넌 놈이 누고? 우예 해야 너거 아부지 데꼬 나오겠노."

엄마의 짐승 같은 울음소리를 들으며 방 안을 서성이던 영주는 걸음을 멈추고 거울을 보았다. 그녀의 얼굴이 서서히 굳어지기 시작하더니, 더 이상 어떤 표정도 읽을 수 없을 만큼 딱딱해졌다. 그렇게 영주는 가게 내실에서 엄마의 오열을 고스란히 받으며 한참을 서 있었다. 엄마의 오열이 사그라들자 충혈된 눈으로 거울을 보던 영주는 손에 쥔 신문을 구겼다. 동준의 얼굴이 영주의 손에서 일그러졌다.

*

조용하고 고급스런 분위기의 술집에 열 명가량의 남자들이 떠들썩하게 술을 마시고 있었다. 가운데 앉아 묵묵히 잔을 비우고 있는 동준은 꽤 취한 듯했다. 사내들 중 한 명이 동준의 빈 잔에 술을 따라주며 말했다.

"동준아, 수임료 받아서 십일조 내고 월세 내면 땡이다. 젠장. 조물주가 뜯어가고 건물주가 챙겨가서 점심때 6000원짜리 백반 먹고 산다. 태백에 자리 좀 알아봐주라. 너 가까이 내가……."

동준은 대답도 않고 술만 마셨다. 옆에서 떠들던 또 다른 남자가 동준의 침묵이 못마땅한지 한마디했다.

"니 결혼 축하하려고 연수원 동기들 다 모였는데 한마디해라, 인마."

"진작 모이지."

그 말에 일순 조용해지며 친구들이 동준을 쳐다보았다. 동준은 취기에 자조 섞인 얼굴로 친구들을 한 명씩 쳐다보았다.

"고맙다, 김일경 판사야. 재임용 심사 때 연판장…… 네가 거절한 덕분에 나 결혼한다. 어이. 조기영 검사, 김영란법으로 나 내사했더라. 네 덕에 나 장가가. 야, 강태훈 변호사야."

분위기가 어색해지자 친구 하나가 술잔을 들고 호들갑을 떨었다.

"자자, 이동준의 결혼을 축하하며, 이 멤버 리멤버!"

"이 멤버 리멤버!"

“고맙다, 이 자식들아.”

동준은 실소를 머금으며 빈 잔에 술을 따라 단숨에 마셔버렸다.

엉망으로 취한 동준은 친구들에게 부축받으며 차 앞에 겨우 서 있었다. 저만치서 모자를 눌러쓴 채 다가온 여자가 ‘9970’이라고 차 번호를 말했다. 친구들은 동준의 주머니에서 꺼낸 차 열쇠를 여자에게 건네주고 동준을 차에 태웠다.

“동준아, 내일 식장에서 보자. 우리 평생 같이 가자, 동준아!”

친구들이 문을 닫아주자 차가 출발했다. 뒷좌석에 앉은 동준은 취기에 눈이 감기려다 백미러를 보는 대리 기사와 눈이 마주쳤다. 게슴츠레한 동준의 눈이 점점 감기며 시선이 흐려졌다. 잠이 든 듯 동준이 눈을 감자, 대리 기사는 액셀을 꾹 눌러 밟으며 밤의 도로를 달리기 시작했다.

3

창밖에는 폭우가 쏟아지고 있었다. 천둥과 번개를 동반한 폭우에 호텔 창밖은 아직도 밤처럼 어둑어둑했다.

동준은 상반신을 탈의한 채 이불을 반쯤 덮고 호텔 침대에서 잠을 자고 있었다. 옆에 놓인 휴대폰이 계속 울렸다. 동준은 잠결에 손을 뻗어 전화를 받았다.

—지금 어디니? 예식이 열한 시인데…….

휴대폰에서 어머니의 목소리가 들리자, 동준은 힘겹게 몸을 일으키며 시계를 보았다. 일곱 시였다. 동준은 '여기가 어디지?' 생각하며 주위를 살피다 벽에 걸린 텔레비전을 보고 얼굴을 찌푸렸다. 화면에 남녀의 정사 장면이 묵음으로 나오고 있었다. 동준은 호텔에서 틀어주는 영상으로 생각하고 리모컨을 찾으며 주변을 둘러보다 바닥에 떨어진 모자를 발견하고 의아한 표정을 지었다.

—원룸에도 없고, 엄마한테 와서 자라니까 오지도 않고. 엄마 미용

실 예약 8시니까 들렀다가 식장으로 바로…….

그 시각, 샤워 가운을 걸친 영주는 젖은 머리로 거울 앞에 서서 엄마와 통화를 하고 있었다.

—영주야, 엄마 지금 밥 묵고 있다.

"……엄마."

—니가 해논 밥에다 니가 끓이논 국 데아가 밥 묵고 있다. 니가 아부지 데꼬 온다 캤제, 영주야.

"어. 밥 먹고 관절 약도 꼭 먹어."

영주는 금방이라도 울음이 쏟아질 것 같았지만 겨우 숨을 고르며 엄마와 통화했다.

—오야 오야, 다리 나사가 너거 아무지 나오믄 달리가야 안 되겄나.

"그래야지, 엄마……."

영주는 거울 속 자신을 보며 마음을 가다듬듯 후우 하고 심호흡을 했다. 영주는 걸치고 있던 가운을 여미고 거울을 바라봤다. 그러고는 날 선 얼굴로 문을 열고 나갔다.

동준은 엄마의 얘기를 들으며 리모컨을 텔레비전 쪽으로 향했다. 순간 동준은 설마 하는 얼굴로 그 자리에 그대로 멈춰 섰다.

텔레비전 속 남자가 고개를 돌리는데 만취한 자신의 모습이었다. 동준은 소스라치게 놀라 입을 다물지 못한 채 화면을 뚫어질 듯 보았다. 그때 욕실 문이 열리면서 샤워 가운을 입은 여자가 수건으로 머리를 감싸며 나왔다. ……그녀는 신영주였다! 동준은 조금 전보다 더 놀란 눈으로 영주를 바라보았다. 동준은 충격으로 숨도 쉬기 힘들 지경이었다.

—너 결혼한다고 요양원 환자들이 축가를 부르겠대서 말리느라 하루 꼬박 걸렸어. 엄마 미용실 들렀다 외할머니 모시고 갈게.

“어, 그래요…….”

동준은 서둘러 엄마와의 통화를 끝냈다.

“결혼 축하드려요, 이동준 판사님!”

영주는 날 선 얼굴로 동준을 보며 한마디씩 꼭꼭 씹듯이 말했다.

충격에 빠진 채 영주를 보던 동준은 다시 확인하려는 듯 텔레비전으로 시선을 향했다.

“판사가 선처를 호소하는 피고의 딸을 유인, 겁탈했다면 어떻게 될까? 그 남자의 앞날은.”

“신영주 씨.”

“입 닥아.”

순간 저 멀리서 번개가 치더니 천둥소리가 들렸다. 그 천둥의 여운이 가실 즈음 영주가 서늘한 목소리로 말했다.

“우리 아빠 데려와야겠어요, 이동준 판사님.”

깊은 정적이 흐르는 호텔 방에 영주가 물을 따르는 소리만 울려 퍼졌다. 영주는 물컵을 들고 소파로 가서 앉았다. 동준은 샤워 가운을 걸치고 고개를 숙인 채 영주에게 물었다.

“……왜.”

영주는 동준을 흘깃 쳐다보았다.

“왜 나지? 신창호 사건 조작에 가담한 경찰이 수십 명이야. 검찰은 동조했고, 언론은 침묵했어. 그런데 왜 나만…….”

“당신을…….”

영주는 살짝 자조적인 미소를 지었다.

“믿었으니까. 당신이 살아온 인생을 믿었고, 보이는 증거는 외면하지 않겠다는 약속을 믿었으니까.”

동준은 마음이 시리고 미안했다. 하지만 벗어나야만 했다. 그는 마른세수를 하고 깊은 한숨을 쉬었다.

"이 영상의 강제성은 입증할 수 없을 겁니다. 대가성은 기각될 거고. 어쩌면 당신이 무고죄로……."

"장현국 대법관!"

동준은 그 이름에 멈칫했다.

"법조 담당 경찰한테 들었어요. 이동준 씨를 각별하게 생각한다던데, 그분이 이 영상을 받으면 어떻게 될까?"

동준은 잠시 대법관을 떠올리자 막다른 골목에 몰린 기분이었다.

"무서워? 15년 감옥에 있을 우리 아빠보다? 겁나? 어젯밤 이 방에 들어서던 나보다?"

영주는 어젯밤을 생각하며 몸서리를 쳤다. 영주는 잊어버리려는 듯 물을 단숨에 입안에 털어 넣었다.

"비서를 한 사람 추천하죠. 당신 옆에 두고 쓸 사람으로. 이름은 조연화. 조치해줘요."

동준은 도대체 이 여자가 무슨 짓을 하려는 건지 알 수가 없었다.

"신영주 씨, 이 영상을 공개하면 당신 미래도……."

"훗, 몰랐네. 나한테 남은 미래가 있는 줄은. 걱정은 내가 해줄게, 이동준 씨."

눈에 서릿발이 선 영주를 보며 동준은 그 기세에 눌려 눈을 감아버렸다. 일단 지금은 결혼식장으로 가야 할 시간이었다.

*

동준은 다른 사람의 결혼식에 하객으로 온 것 같은 기분이었다. 수연도 마찬가지였다. 웨딩드레스를 입고 신부 화장을 했지만 아무 감흥도 없었다. 두 사람은 마치 화보 촬영을 하듯 결혼사진을 찍었다. 메마른 얼굴로 사진사의 지시를 따르던 동준은 고개를 돌려 수연을 바라보았다. 수연은 남의 결혼식에 온 듯 무심한 표정이었다. 이번에는 옆에 선 아버지와 어머니, 수연 옆에 선 장인과 장모를 보았다. 그들을 보며 동준은 영주가 했던 말을 떠올렸다.

'동영상이 공개되면 당신 부모님, 당신 아내, 그리고 장인과 장모, 그 중에 당신 손을 잡아줄 사람이 있을까?'

동준의 입가에 씁쓸한 미소가 번졌다. 그저 이 모든 상황에서 한시 빨리 벗어나고 싶을 뿐이었다.

명목은 신혼여행이었지만 혼자 여행을 한 동준은 일주일 뒤 떠밀리듯 태백으로 출근해야 했다. 아침 일찍 최일환의 저택으로 태백의 변호사 황보연이 동준과 수연을 데리러 왔다. 자동차 조수석에는 황보연이, 뒷좌석에는 동준과 수연이 앉았다.

"태백에는 팔백 명의 변호사가 근무하고 있어요. 회계사, 세무사, 변리사, 보조 직원까지 전체 직원은 천이백 명입니다. 글로벌, 송무, 특허 및 저작권 등 십여 개 팀이 있습니다. 수익의 대부분은 기업 M&A에서 나오고 있어요."

황보연이 몸을 뒤로 돌려 동준에게 태백의 대략적인 구조를 설명했다. 하지만 동준은 황보연의 설명에 집중하지 않고 손에 쥔 휴대폰만 만지작거렸다.

사실 동준은 기다리는 전화가 있었다. 신혼여행 기간 내내 동준은 신창호 재판과 관련된 생각만 했다. 물론 영주의 협박이 만만치 않기도 했지만 가슴 한구석에 미안함이 있었다. 어쩔 수 없는 선택이었지만 바로잡고 싶었다. 결국 동준은 친구 변호사에게 2심 재판을 부탁했다. 처음에 친구는 신창호 사건 자료를 검토하더니 거절했다. 검찰 측 증거가 너무 완벽하다는 거였다. 그는 이 사건은 도저히 뒤집을 수 없을 거라 했다.

"신창호 사건 2심에서 무죄 받아올 변호사, 국내에 없을걸."

"네가 하면…… 주가 조작 사건 관련자 스무 명, 입 맞추고 위증 지휘해서 무죄 받아낸 네가 이 사건 변호하면……."

동준이 변호사 친구들 중 고심 끝에 그를 선택한 이유였다. 신창호 재판은 처음부터 조작으로 시작된 사건이었다. 정당한 방법으로는 재판에서 이길 수 없다고 생각한 동준은 결국 다른 방법을 선택하기로 마음먹었다.

"자식…… 칭찬을 기분 나쁘게 하네. 태백이 커버하고 있어. 태백 쪽 자료만 볼 수 있으면 길이 생길 것도 같은데……."

'태백이라…….'

동준은 난감했다.

"판결문 네가 썼지? 보내주라. 이 사건 삼킬지 뱉을지 검토하고 전화할게."

동준은 제발 그가 이 사건을 맡아주기를 바라며 전화를 기다리는 중이었다.

"최근 2년간 태백의 수임 현황, 사건 내역, 관련 자료, 팀장급만 접근 가능한 기밀 보고는 오늘 오후에……."

황보연 팀장은 동준이 듣건 말건 설명을 이어갔다. 수연은 동준을 힐긋 보더니 더 이상 듣기가 귀찮은 듯 황보연의 말을 잘랐다.

"내일 하자. 오늘은 케어 받아야겠어. 신혼여행 트러블인가?"

"당깁시다. 가능하면 오늘 오전으로."

전혀 듣고 있는 것 같지 않던 동준이 갑자기 일정을 당기려 하자, 수연이 짜증 섞인 표정으로 쳐다보았다.

"태백 현황 파악. 빨리 끝내라는 장인어른 지시가 있었어요."

수연은 그 말에 피식 웃었다.

"남편이 생긴 줄 알았는데, 아빠가 둘이 됐네."

동준과 수연이 사소한 신경전을 벌이는 사이 차가 회사 앞에 도착했다. 황보연과 기사가 차에서 빠르게 내려 각각 뒷문을 열어주려 하는데, 동준을 빤히 쳐다보던 수연이 손을 들어 제지했다.

차 안에 두 사람만 남게 되자 수연은 비아냥거렸다.

"재밌어요? 신혼부부 놀이. 난 별론데."

동준은 도발적인 말투로 말하는 수연을 그저 말없이 바라보았다.

"얼굴 두 번 보고 결혼한 사이. 신혼여행 가선 각방 썼고. 말 섞기도 어색한데 한 침대에는 못 눕지."

동준은 자신이 감내해야 할 일이라 생각하며 한숨을 쉬었다.

"연예인 열애 기사에 나오죠. 조심스럽게 서로를 알아가는 사이라고. 우리가 그런 사이 아닌가. 조심스럽게 서로를 알아가는 사이. 그럼 조심해야지."

"당신이 말했어. 이 결혼, 거래라고."

수연이 맞는다는 듯 고개를 끄덕였다.

"경계는 받지. 모욕은 사양하고. 클라이언트한테 이런 식으로 대하나?"

"존경할 수는 없잖아. 내 금수저에 묻은 밥풀 떼 먹으러 온 남자를."

수연이 할 말을 마친 듯 동준을 똑바로 쳐다보며 손을 들자 황보연이 문을 열었다. 수연은 뒤도 돌아보지 않고 차에서 내렸다. 동준은 그런 수연을 보며 자신이 선택한 삶이고 견뎌야 하는 시간이라고 스스로를 위로했다. 동준은 눈앞에 우뚝 선 웅장한 건물을 잠시 보다가 심호흡을 하고 천천히 차에서 내렸다.

건물 로비로 들어서자 출근하던 사람들이 일제히 수연에게 정중히 인사하며 지나갔다.

"우리가 어떻게 만났지?"

수연은 생각난 듯 황보연에게 물었다.

"음악회에서 우연히 만났다고 기사 냈어요. 1년 연애했고요……."

"그럼 우리 다정해야겠다."

수연은 뒤따르던 동준을 기다려 팔짱을 끼고 다정한 포즈를 취하며 걸어갔다.

황보연에게 안내받으며 자신과 수연의 집무실이 있는 팀장층에 들어선 동준은 그 구조에 조금 놀랐다. 그 층에 있는 모든 방이 유리방으로 이루어져 있었다. 버티컬을 걷어 올리면 언제든 그대로 노출되는 구조였다. 언제든 다른 방을 엿볼 수도, 반대로 자신이 감시받을 수도 있었다. 또한 빙 둘러선 유리방들 가운데는 비서들이 근무하는 공간이었다.

"여긴 팀장급 변호사들의 집무실이 모여 있어요. 기업으로 치면 구조본부나 기획조정실 같은 곳이죠. 대표님 계신 곳이 두뇌라면 여긴 태백의 심장 같은."

"빨리 끝내자. 내 방은 저기, 이쪽이 당신 방. 여긴 비서들."

수연의 말에 비서들이 우르르 일어났다.

"한번에 인사해."

비서들은 일제히 정중하게 인사를 했다. 고개 숙여 인사 받던 동준의 눈이 커졌다.

인사를 마친 비서들이 앉으며 생긴 공간으로 투피스 정장 차림의 영주가 동준을 향해 걸어오고 있었다.

'조연화……?'

동준은 설마 호텔 방에서 말했던 조연화라는 비서가 신영주일 거라고는 생각지도 못했다.

그때 동준의 휴대폰이 울렸다. 두 번 울려도 전화를 받지 않자 수연이 동준을 빤히 쳐다봤다. 동준은 다가오는 영주를 바라보며 숨이 막힐 듯한 기분으로 전화를 받았다.

"이동준입니다."

—동준아, 신창호 사건 뱉으련다. 네가 쓴 판결문에 빈틈이 없다.

'내가 쓴 판결문…….'

동준은 쓴웃음이 나왔다. 아무리 세월이 흘렀어도 최일환은 베테랑이었다.

동준은 어느새 자기 앞에 다가와 서 있는 영주를 심장이 내려앉는 기분으로 보며 수화기 너머 친구의 목소리를 듣고 있었다.

—신창호, 그 사람 2심에서 무죄로 나올 확률 제로야. 질 싸움은 안 할란다.

동준은 자기 앞에 서 있는 영주를 뚫어질 듯 보며 휴대폰을 내렸다. 동시에 동준은 자신도 모르게 조금 뒤로 물러섰다.

"안녕하세요, 이동준 변호사님."

동준은 대답도 못하고 심장이 멎는 기분으로 영주를 바라보았다.

"비서로 일하게 된 조연화예요. 잘 모실게요, 변호사님!"

생긋 미소 짓는 영주의 모습에 동준은 심장이 내려앉는 것 같았다.

"여기 변호사가 수백 명이에요. 형사 사건 담당하는 변호사도 수십 명입니다. 당신을 알아보는 사람이 있을지도 몰라요. 내 옆에 있으면 위험합니다."

자신의 집무실로 다급히 들어온 동준은 문이 닫히자마자 영주를 보며 말했다.

"누구한테?"

영주의 목소리가 싸늘했다.

"2심 변호사를 알아봤습니다. 당신 아버지 무죄를 입증할……."

"증거를 없앤 건 당신이죠. 좋았겠다. 아빠 휴대폰 선물받았을 때 처갓집에 결혼 선물로 바칠 생각에 얼마나 들떴을까?"

동준은 깊은 한숨을 내쉬며 책상으로 가서 앉았다. 영주는 동준의 책상 앞으로 자리를 옮겨 비서가 상사에게 보고하는 자세를 취했다.

"내가 법 앞에서 울고 있을 때 당신은 뒤에서 웃고 있었겠죠. 엄마가 아빠를 애타게 기다리고 있을 때 당신은 결혼 날짜를 기다렸을 거고, 아빠가 차가운 독방에서 하루를 보낼 때 당신은 신혼여행을 꿈꿨겠네. 이런 생활을. 궁금하다. 정말 한 번이라도 미안하다는 생각을 한 적이 있는지."

동준은 무표정한 얼굴로 나지막이 말을 쏟아내는 영주가 섬뜩했다.

문득 동준은 '이 여자, 어떤 짓도 할 수 있을 것 같다.'라는 생각이 들었다.

"말로 씻을 수 있다면 했을 겁니다. 미안하다고. 재임용에서 탈락되고 누명을 쓰고 구속돼도……. 그래도 싸워볼까? 난 잘못한 게 없다고. 당신 아버지처럼."

영주는 차가운 눈빛으로 동준의 푸념을 들었다.

"그러다 20년, 30년 뒤에 나도 당신 아버지처럼 되면 어쩌지……. 판사 자리, 변호사 등록, 다 버릴 수 있는데……. 없었습니다. 사과는 나중에 하겠습니다. 신창호 씨 나온 뒤에."

영주는 뭔가 사연이 있었음을 느꼈지만 알고 싶지 않았다. 지금은 강해져야 했다.

"2심에서 놓치면 3심에서 빼내겠습니다. 재판으로 안 되면 사면이든 보석이든 알아볼게요. 시간이 필요합니다. 신영주 씨, 지금 당장은……."

"입시 부정에 가담한 교수가 있어요."

영주는 동준의 말을 잘랐다. 계속 듣고 있으면 마음이 약해질 것 같았다.

"그 덕에 학과장이 됐죠. 한 번이라고 생각했어요. 아무도 모를 한 번의 타협. 근데 어쩌지? 입시는 해마다 돌아오는데."

동준은 영주가 무슨 말을 하려는지 알 것 같았다.

"첫해에는 가담만 했던 사람이, 공모를 하고 주도를 하고, 총장 취임식 날 내가 체포했어요. 열 명 아니 백 명도 말해줄 수 있어. 당신 같은 사람."

정의를 꿈꾸며 자신은 절대 타락하지 않을 거라 확신했던 사람들. 하지만 결국 시간이 흐르고 난 뒤 그들은 퇴색되고 빛바랜 자신의 인생을 맞곤 했다. 영주는 경찰로서 조사하며 그런 사람들을 무수히 보았다.

"난 그렇게는……."

"관심 없어요. 당신이 어떻게 살든."

영주는 싸늘한 표정으로 손에 들고 있던 출력물을 동준의 책상에 펼쳤다.

"사건 당일 새벽, 낚시터로 가는 국도의 CCTV를 조사했어요."

영주는 대여섯 장의 각기 다른 화면에 찍힌 차량들 중 하나를 가리켰다.

"서울 외곽을 빠져나와서 국도를 탔어요. CCTV로 간 거리로 추정하면 시속 150킬로미터 이상으로 과속했고 낚시터 앞 사거리에서 좌회전. 그 길 끝에는 낚시터 뿐이에요. 차 번호 확인했어요. 4579. 새벽에 폭우까지 와서 탑승자는 알 수가 없네. 이 차, 태백에서 사용하는 공용 차량이에요."

동준이 신혼여행 간 사이 영주는 이 모든 것을 준비했다. 아버지를 구해야겠다는 생각이 얼마나 절실했는지 알 것 같아 동준은 미안한 생각이 들었지만, 당장 자신이 해줄 수 있는 게 없었다.

"알아봐요. 그날 새벽에 누가 이 차를 운전했는지. 나한테는 어려운 일이지만 당신에게는 쉬운 일이잖아."

동준이 난감한 표정을 지으며 영주를 쳐다보는데 수연이 들어왔다. 순간 동준과 영주는 멈칫하며 얼굴에 당황한 표정이 역력했다. 영주는 재빠르게 책상 위에 두었던 사진들을 서류철 속에 넣었다.

수연은 집무실을 둘러보더니 영주 앞으로 걸어가 그녀를 빤히 쳐다봤다.

"누구지? 조연화 씨는? 당신 친척? 아님 친구 부탁? 어디서 내려온 낙하산인지는 알아야지."

영주는 미처 대답을 준비해두지 못해 당황한 눈으로 수연을 바라보았다.

"한강병원 기획실에서 픽업했어요. 아버지가 추천했고."

한강병원이라는 말에 수연이 인상을 살짝 찌푸렸다. 한편 영주는 안도하며 비서가 상사에게 하듯 서류철을 정중하게 동준에게 건넸다.

"이건 빠른 시일 내에 처리하실 일들입니다."

동준이 고개를 끄덕이자 영주는 수연에게 가볍게 목례를 하고 밖으로 나갔다.

"회사가 시댁이 됐네. 아빠가 데려온 당신. 시아버지가 보낸 비서."

수연은 영주의 뒤통수에 대고 못마땅하다는 듯 혀를 끌끌 차더니, 고개를 돌려 동준을 빤히 쳐다보며 말했다.

"아빠가 오래요. 당신하고 같이."

수연과 나란히 집무실을 나오던 동준은 급하게 달려오던 한 남자와 살짝 부딪쳤다. 무슨 다급한 일이 있는지 그는 돌아보지도 않고 계속 달려갔다.

"조경호 변호사! 당신이 조심해야 할 사람 중 하나."

수연은 장난기 섞인 표정으로 빙긋 웃으며 동준을 쳐다보았다. 동준은 저만치 달려가는 조경호의 뒷모습을 한참 동안 쳐다봤다.

*

"남편이 돌아가셨으면 전문 경영인을 모셔야지, 살림만 하던 주부가, 어, 회계장부도 못 보는 사람이 경영을 맡으니까 이 사단이 난 거 아닙니까. 이런 회사를 국민의 혈세를 들여서 살려야 합니까? 증인, 말해보세요."

정일은 10년 동안 관리해온 청룡전자가 경영 부실로 국정조사를 받을 위기에 처하자, 회장을 모시고 미리 연습을 시키고 있었다.

남자는 손에 든 서류를 흔들며 증인석에 앉아 있는 회장을 준엄하게 질타했다.

"놀래라. 살살하자."

회장은 이런 국정조사에 대비해 예행연습까지 해야 한다는 사실에 짜증이 났다.

"강변, 그냥 사재 좀 털고 한 1분 울고 끝내면 되지 않을까?"

정일은 아직도 사태 파악을 못하고 안일한 생각을 하고 있는 회장에게 화가 치밀었지만 감정을 숨긴 채 다가가 그녀를 달랬다.

"국정조사는 리허설을 할 수 있지만, 청룡전자가 무너지면 못 살립니다, 회장님."

"꼭 2선으로 물러나야 돼? 사장, 전무 두엇쯤 자르는 선에서……."

"채권단이 청룡전자 문제를 협의 중입니다. 자금을 지원할 명분을 줘야 합니다."

정일은 부드럽지만 단호하게 회장의 말을 잘랐다. 정일은 현 상황을 전혀 인지하지 못하는 회장의 철없는 제안을 더 이상 들어줄 생각이 없었다. 회장은 도무지 내키지 않는 얼굴로 정일을 쳐다보았다.

"평균 3년! 2선으로 후퇴한 재벌 오너가 다시 경영 전면에 등장하는데 필요한 시간입니다."

회장은 길다는 듯 고개를 가로저었다. 정일은 잠시 생각을 하더니 복귀할 수 있는 시간을 2년으로 줄였다. 그제야 회장은 정일의 제안을 받아들였다. 그러면서도 뭔가 아쉬움이 남는지 한마디 했다.

"우리 아들도 변호사 시켜야겠다. 물러날 때 돈 먹고, 다시 앉혀준다고 따블로 먹고. 다시 시작하자."

지시가 떨어지자 국정조사장의 의원들 역할을 연기하는 남자들이 회장을 질타하는 목소리가 여기저기서 들렸다. 회장은 고개 숙여 눈물을 흘리며 떨리는 목소리로 경영 일선에서 물러나겠다고 말했다. 정일은 회장의 연기가 마음에 드는지 소리 없는 박수를 쳤다.

"회사는 살려주세요. 청룡전자는 개인의 것이 아니라 대한민국과 국민의 소중한 자산입니다."

회장의 연기가 그럴듯했는지 정일의 입가에 미소가 번지는데, 문이 벌컥 열리며 조경호가 뛰어 들어왔다. 그 바람에 리허설이 끊기자 회장은 눈살을 찌푸리며 조경호를 흘겨보았다. 하지만 조경호는 개의치 않고 정일에게 다가가 귓속말을 했다. 조경호는 청룡전자 채권단 회의에서 자금 지원이 부결됐다는 소식을 전했다. 그 말에 정일은 최일환을 만나기 위해 밖으로 뛰쳐나갔다. 조경호가 그 뒤를 따라 나갔다.

"일곱 개 시중 은행장이 전부 자금 지원을 거부했어. 위에서 쎈 놈이 눌렀어. 누구지? 정일아……."

"청룡전자 자금 상황 체크해. 며칠이나 버틸 수 있는지."

정일은 최일환의 집무실 앞에서 휴대폰과 시계를 협탁 안 서랍에 넣으며 조경호에게 지시했다.

"일주일도 힘들 거야. 2금융권에서는 회사채 조기 상환을 요구하고 있어."

그 말에 정일은 지문을 찍으려다 잠시 멈췄다. 우려했던 심각한 상황이 벌어지고 말았다.

정일은 잠시 심호흡을 하고 조경호와 함께 집무실로 들어가, 소파에 앉아 있는 동준과 수연을 발견하고는 멈칫했다. 뭔가 예감이 좋지 않았다. 상석에 앉은 최일환 옆에 서 있던 송태곤이 정일에게 묘한 웃음을 지었다. 정일은 최일환의 집무실 분위기가 심상치 않음을 느끼며 자리에 앉았다.

"청룡전자 자금 지원이 거부됐습니다. 재경부, 금감원 통해서 채권단을 움직여야 합니다."

"김회장 그 친구, 청계천에서 공구상으로 회사를 시작했어. 청계천에서 용이 났다고, 회사 이름도 청룡전자라고 지었지, 아마……."

다급한 정일과 달리 최일환은 앞에 놓인 분재에 물을 뿌려 정성스레 닦으며 여유롭게 말했다.

"청룡전자 해외 매각 건을 논의 중이야."

그 말에 정일의 눈에서 불꽃이 튀었다. 청룡전자를 10년 동안 관리한 자신을 배제하고 그런 논의를 했다는 데 몹시 기분이 상했다.

"청계천에 물이 말랐으면 외국에서라도 물을 끌어와야지. 참, 동준아, 강팀장이랑은 초면이지?"

"이동준입니다."

동준은 정일에게 가볍게 목례하며 인사했다.

"강정일입니다."

정일은 동준을 보지도 않은 채 자신의 이름을 말하고는 최일환을 다시 설득하기 시작했다.

"청룡전자는 자금난만 해결하면 기초 체력이 충분합니다. 해외에 매각하는 건 국부를 유출하고 국익에 반하는 행위입니다. 법조인의 양심상 받아들일 수 없습니다."

"국민 혈세 수천억 들이부어서 회사 경영을 소꿉놀이로 생각하는 미망인의 치마폭에 안겨주는 건 괜찮나? 법조인의 양심상 말이야."

최일환은 여전히 분재 잎을 닦으며 감정이 절제된 어투로 말했다.

이제야 이 상황을 어렴풋이 알 것 같았다. 정일은 이번 일에 최일환이 개입했고, 모든 결정은 이미 끝났다는 걸 알아차렸다.

"청룡전자, 중병은 아니고 골절상 정도야. 동준아! 고쳐서 값 잘 쳐서 팔아와. 정일아, 서류 다 넘겨줘라. 메모지 한 장까지 잘 챙겨서."

"청룡전자는 정일이가, 강팀장이 10년 동안 관리한 클리이언트입니다. 해외 매각을 해도 강팀장 손으로 하는 게……."

강정일 옆에 서서 묵묵히 듣고 있던 조경호가 항변했다.

순간 최일환은 분재를 닦던 손을 멈추고, 긴 화분에 심긴 두 그루의 나무를 보았다.

"화분이 크다고 두 놈을 심었더니 둘 다 자라는 게 시원찮아. 이거 딴 화분에 옮겨 심어."

최일환이 무슨 말을 하는지 의미를 알아차린 송태곤이 정일을 보며 말했다.

"뿌리가 깊습니다. 옮기다 상하면 어떻게 할까요."

"버려!"

지금까지의 차분한 말투와 달리 최일환의 목소리는 날카로웠다. 최일환의 날 선 말투에 대표실 전체가 칼에 베인 듯 서늘한 분위기가 흘렀다.

정일은 최일환의 의도를 알아차리고 마른침을 삼켰다. 동준은 처음 겪는 낯선 상황이 몹시도 불편했다. 어디다 눈을 둬야 할지 몰라하며 수연을 바라보자, 그녀는 집무실 안 분위기는 아무렇지도 않은 듯 다리를 꼬고 앉아 고개를 삐딱하게 기울인 채 귀고리를 만지고 있었다.

"청룡전자 미망인, 해외 매각 거부하고 버틸걸, 아빠."

"제가 설득하겠습니다. 해외 매각 받아들이게 하고, 이동준 변호사한테 인계하겠습니다."

수연의 말이 떨어지기가 무섭게 정일은 회장을 설득하겠다고 발 벗고 나섰다.

그제야 최일환의 얼굴에 보일 듯 말 듯한 엷은 미소가 감돌았다. 그 표정을 읽은 정일은 자리에서 일어나 깍듯하게 고개 숙였다.

"자금 문제 해결 못해서 심려 끼친 점. 죄송합니다, 대표님."

조경호는 고개 숙인 정일을 못마땅하게 바라보았다. 정일은 사과를 마치고 집무실에서 조용히 나갔다. 그 뒤를 조경호가 따라나서며 낮게 말했다

"뭐 할까. 술이나 빨까? 하루 제치고 바람 쐬자. 바닷가 좋겠다."

"바빠. 해외 매각 설득하고, 메모지 한 장까지 챙겨야지."

"야, 이 상황에서 고개가 숙여지냐?"

조경호가 어이없는 눈으로 정일을 바라보았다.

"숙여야지. 지금은."

정일은 아직은 발톱을 드러낼 때가 아니라는 걸 너무나 잘 알고 있었다.

동준은 좀전에 집무실에서 일어난 모든 상황이 잘 받아들여지지 않았다. 무엇보다 수만 명의 일자리가 걸린 대기업을 한 방에 날리는데, 마치 동네 구멍가게 팔아넘기듯 하는 걸 보고 경악했다. 자신과는 너무 다른 그들을 보며 동준은 이질감을 느꼈다.

"실적은 좋아지겠고 소문은 나빠지겠네. 강팀장이 1년 넘게 차린 밥상, 부마가 결혼 선물로 삼켰다고."

정일과 조경호가 집무실에서 나가는 것을 보며 수연은 최일환을 살짝 비꼬았다. 하지만 최일환은 수연의 말에 반응하지 않았다.

"동준아, 강정일 팀장하고 이번 일 같이 해라."

그 말에 동준과 수연은 동시에 최일환을 쳐다보았다.

"송비서."

"저녁에 팀장 회의 소집하겠습니다. 이동준 변호사가 대표님을 강력하게 설득해서 대표님이 맡긴 일에 강팀장을 다시 합류시켰다고……."

"소문이 날 거다. 태백에서 날 설득할 수 있는 사람은 이동준뿐이라고. 귀 얇은 놈들은 너한테 줄을 설 거고, 심지 굳은 놈들도 흔들리겠지."

동준은 최일환과 송태곤의 환상적인 호흡에 소름이 돋았다. 이제야 동준은 최일환의 내공과 테크닉이 어느 정도인지 아주 조금은 알 것 같았다.

"저녁 회의에 최팀장도 오는 게……."

송태곤이 수연에게 권했다.

"나도 쇼타임 보고 싶은데. 어쩌지? 오늘 보안 점검이라."

태백에서는 매달 팀장급 변호사가 건물 보안 상태를 점검하는데, 마침 오늘이 수연이 점검하는 날이었다. 동준은 '보안 점검'이란 말에 불현듯 떠오르는 일이 있었다. 동준은 수연 대신 보안 점검을 하겠다고 자원했고, 최일환은 흔쾌히 허락했다.

"봤냐? 팀장 새끼들. 부마가 실세라 생각하는지 방금 회의 마치고 우리 먼저 나올 때 일어서지도 않더라."

조경호가 기분이 상한 듯 투덜거렸다. 오늘 열린 팀장 회의는 여느 때와 분위기가 많이 달랐다. 회의 때마다 잘 보이기 위해 노력하던 변호사들이 오늘은 정일에게 눈길조차 주지 않았다. 정일은 최대한 표정을 관리하다 회의가 끝나자 조경호와 함께 곧바로 자신의 집무실로 와

버렸다.

"내버려둬. 엔진이 없는 놈들이니까. 좋은 대학이라는 배에 사법고시 합격이라는 돛대만 단 놈들. 바람 부는 대로 움직이는 거지. 자기 힘으로 항로를 바꿀 수 없는 놈들."

정일은 아무렇지도 않은 척 말했지만 말투에 감정이 실려 있었다.

"아, 그리고 우린 청룡전자 해외 매각에서 손 뗄 거야."

최일환은 정일에게 이동준과 함께 청룡전자 해외 매각을 추진하라고 지시했다. 그런데 손을 떼겠다니……. 정일의 말에 조경호는 펄쩍 뛰었다.

"왜? 반이라도 먹자. 1년 넘게 청룡전자에 매달렸어. 수임료만 백억대야. 그거 이동준이 저놈이 다 먹는 꼴 난 못 본다. 숙이자. 지금은 숙인다며. 어! 우리 팀 변호사만 오십 명이다. 그놈들 성공 보수, 인센티브 챙겨줘야지."

"그래야지. 그 전에 판을 더 키워야지."

정일은 의미심장한 미소를 지으며 유리벽 너머에서 심각한 표정으로 노트북을 들여다보는 동준을 바라보았다.

회의에 참석하는 대신 보안 점검을 맡은 동준은 보안과에서 올해 상반기 CCTV 자료를 모두 받아왔다. 용량이 너무 크고 보안 점검 사항도 아니라 곤란하다는 직원을 설득해 자료를 얻어냈다. 동준은 자신의 집무실로 돌아와 노트북을 켜고 3월 13일 지하 주차장 폴더를 클릭했다. 그는 긴장한 표정으로 4579 차량을 비추는 화면을 찾았다. 바로 그 차량 앞을 비추고 있는 CCTV 화면이었다. 영상을 빠르게 재생시키다가 누군가 저 멀리서 다가오는 모습이 보이자 정상 속도로 맞췄다. 저만치 조그맣게 보이던 사람이 다급히 걸어오더니 그 차량 앞에 섰다. 비로소 그 사람의 모습이 확실히 보였다. 그 사람은 다름 아닌 수연이었다. 순간 동준은 아연실색하며 마우스로 화면을 잠시 정지시켰다. 동준은 심호흡을 한 번 하고 영상을 재생시켰다. 화면 속 수연은 다급하게 차에 올라타더니 엄청난 속도로 주차장을 빠져나갔다. 동준은 믿을 수 없단 얼굴로 영상을 몇 번이나 재생하며 확인했지만 틀림없이 수연이었다. 동준은 영주의 말이 떠올랐다.

'살해 추정 시각, 국도를 달린 차는 두 대뿐. 아빠의 차와 4579! 낚시터 앞 사거리에서 좌회전. 그 길 끝에는 낚시터뿐이에요.'

'그렇다면 수연이 김성식 기자 살인 사건과 연관이 있다는 말인가.' 동준은 충격에 휩싸여 손으로 머리를 감싼 채 깊은 생각에 잠겼다. 밖에서 노크 소리가 들렸지만 동준은 듣지 못했다. 몇 번 더 노크 소리가 나더니 정일이 안으로 들어왔다.

"2분만 빌립시다. 감사에 1분. 양해에 1분."

동준은 그제야 정신 차리며 노트북을 덮고 자리에서 일어나 정일을 맞았다.

"태백에서 불가능한 일이 두 가지 있습니다. 하나는 나중에 알게 될 거고, 하나는 대표님 설득하는 건데. 고맙네. 우리 팀까지 챙겨줘서."

머리가 복잡한 동준은 지금 정일과 말을 섞고 싶은 생각이 없었다.

"내일 팀 미팅에서 얘기합시다. 지금은 검토할 게 많아서 이만."

동준은 정일을 이 방에서 빨리 내보내고 싶었다.

"난 빠졌으면 하는데."

동준은 대화가 쉽게 끝날 것 같지 않아 살짝 짜증이 났다.

"청룡전자 내부 상황은 그 팀이 잘 알고 있어요. 강정일 변호사가 필요합니다.”

“그러니까 양해를 구하는 거지. 청룡전자 살려보려고 만지던 손으로 염을 할 수 있나. 의사가 장례식장에서 관 뚜껑에 못질은 못하겠네.”

동준은 정일의 진짜 의도가 뭔지 정확히 알 수가 없었다.

“해외 매각, 실패하길 바라는 겁니까?”

“바라는 대로 살아지나, 인생이. 신념의 판사 이동준이 법비가 되는 세상인데…….”

정일이 실소를 머금으며 놀리듯 말하자 동준의 미간이 꿈틀거렸다.

“미안. 이건 농담. 그리고 이건 보안카드. 전자 결재 할 때마다 비번이 바뀝니다. 여기 있는 번호를…….”

정일은 말로 설명하다 도저히 안 되겠다 싶었는지 책상 쪽으로 다가갔다.

“노트북 좀 씁시다. 보여드리죠. 첨에는 나도 헷갈려서.”

정일이 노트북에 손대려 하자 동준은 긴장한 얼굴로 다급히 말했다.

“해외 매각, 혼자 해보죠.”

그 말에 노트북을 만지려던 정일의 손이 멈췄다. 동준은 당황한 얼굴을 감추려고 정일에게 어색한 미소를 지어 보였다.

“전자 결재도 뭐, 해외 매각보단 쉽겠죠. 혼자 하겠습니다.”

정일은 알겠다는 듯 미소 지으며 보안카드를 책상 위에 올려놓고 동준 옆으로 다가왔다.

“담에 좋아하는 걸로 한번 사죠. 술이든 다른 거든……. 아, 신혼이라 안 되겠네.”

정일이 나가자 동준은 긴 한숨을 내쉬며 마른세수를 했다. 빠져나올 수 없는 거대한 미로에 갇힌 느낌이었다.

*

"우리 죄를 사하여 주시옵고, 우리를 시험에 들게 하지 마옵시고."

윤정옥은 이호범과 정미경을 초대한 식사 자리에서 기도를 올렸다.

결혼식 이후 최일환이 처음으로 마련한 자리였다. 동준은 수연과 함께 양가 어른들과 식사하는 게 불편하기 그지없었다.

"다만 악에서 구하시옵소서. 나라와 권세와 영광이 아버지께 영원히 있사옵나이다. 아멘."

윤정옥의 기도가 끝나자 식탁 위에 차려놓은 음식을 먹으며 대화를 시작했다.

"병원에 윤목사님이 오셨어요. 줄기세포 치료를 원하셨는데 국내에선 곤란해서 일본 쪽 전문병원을 소개해드렸어요."

정미경이 우아한 미소를 지으며 윤정옥에게 말했다.

"장인어른 말이야. 그렇게 천국에 가고 싶어하는 분이 얼마나 늦게 천국에 가시려고. 허허."

가족 모임이라 최일환은 가벼운 농담을 했다.

"오빠한테 담임목사직 넘기면 하나님 사업이 마무리되겠죠. 아브라함은 이삭을 낳고, 이삭은 야곱을 낳고, 믿음은 피를 통해 이어져요."

'피' 얘기를 하다 윤정옥은 수연을 보며 낮은 탄식을 했다.

"머리도 유전되면 좋을걸."

"그러게. 사법고시 네 번 떨어지고 미국 보냈는데, 거기서 변호사도 못 되고. 유학을 4년 했는데 나 영어도 못해요. 낮에는 빌라에서 자고, 밤에는 한인 클럽만 다녔는데, 뭐."

수연은 엄마의 말에 전혀 개의치 않은 채 식사하면서 가볍게 말했다.

윤정옥은 그런 수연을 못마땅한 얼굴로 바라보며 한마디했다.

"수연아, 시부모님 계신 자리야."

수연은 엄마의 제지를 받자 이호범에게 생긋 미소 지었다.

"미안해요. 아, 근데 조연화 씨 데려가줘요. 내 옆에 시댁에서 보낸 직원 있는 거, 불편해요."

동준은 갑자기 수연의 입에서 조연화라는 이름이 튀어나오자 깜짝 놀라며 이호범을 쳐다보았다.

이호범은 잠시 동준을 보다가 뭔가 눈치챈 듯 고개를 끄덕였다.

"조연화라……. 필요할 때까지 옆에 두고 써라. 네 사람도 하나쯤 있어야지."

수연은 이호범의 말이 마음에 안 드는 듯 입을 다물고 다시 식사를 했다.

어른들과의 식사가 끝나자 동준과 수연은 침실이 있는 2층으로 올라갔다. 계단에서 동준은 수연의 옆모습을 보며 묻고 싶었던 질문을 꺼냈다.

"글로벌 팀에 변호사가 서른 명이던데……."

동준은 흘리듯 넌지시 수연에게 물었다.

"정말 싫다, 머리 좋은 놈들. 바로 물어요. 법도 모르고 영어도 못하는 애가 글로벌 팀장 일을 어떻게 하느냐."

수연은 질색하며 침실로 들어갔고, 동준은 그 뒤를 따랐다.

동준과 수연의 침실에는 커다란 협탁을 사이에 두고 침대가 두 개 놓여 있었다. 수연은 화장대로 다가가 귀걸이와 액세서리를 풀었다.

"외국 클라이언트 만날 땐 통역을 써요. 법적인 문제는 황보연 변호사가 마크해주고. 난 의전만 하죠. 예쁜 옷 입고 미소 짓고, 사인하고 악수도 하고. 결혼도 의전이었네."

"최수연 씨, 당신이 하는 일이 알고 싶은데."

동준은 CCTV 영상 속 지하 주차장에서 다급하게 차를 타고 출발하던 수연의 모습을 떠올렸다.

"내 일이 있나. 다 아빠 일이지. 아빠가 꼭 해야 하는 일. 그런데 남이 알면 안 되는 일. 그게 내 일이죠."

동준은 김성식 살인에 최일환이 직접적으로 연관되어 있음을 직감적으로 느끼고, 황망한 얼굴로 수연을 빤히 쳐다보았다. 수연은 귀찮다는 표정을 짓더니 등을 보이며 돌아섰다.

"옷 갈아입어야겠다."

수연은 그 말의 의미를 이해하지 못하고 자신을 보며 그대로 서 있는 동준이 답답하다는 듯 한마디 덧붙였다.

"이동준 씨, 아직 속옷 입은 거 보여줄 사이는 아니잖아요, 우리."

수연은 동준에게 나가라는 고갯짓을 했다.

"청룡전자 매각 직전에 연락해라. 재단을 통해 저가에 주식 사서 매각 발표 뒤에 팔면 병원 수익이 개선될 거야."

이호범은 저택 정원에 서서 동준에게 지시했다. 동준은 터질 것 같은 분노를 꾹꾹 누르며 이호범에게 물었다.

"아버지라면 물어봐야죠. 조연화가 누군지, 왜 내 옆에 있는지……."

이호범은 아무 말도 하지 않았다.

"제가 묻겠습니다. 최일환 대표, 어떤 사람입니까? 20년 넘게 주치의였다면서요. 어디까지…… 무슨 짓까지 할 사람이냐고요? 저 사람."

"네가 물어야 할 건, 동준아. 네가 어떤 사람인지, 네가 어디까지, 무슨 짓까지 할 수 있는 사람인지 그걸 물어야 할 거다."

동준은 뜻밖의 말에 순간 당황해 아무 말도 할 수 없었다.

"재임용에서 탈락하고 누명을 써서 구속돼도 네 생각에 버틸 수 있는 사람이 아니었다, 넌."

동준은 정곡을 찔린 것처럼 가슴이 뜨끔했다. 뭐라 항변하려 했지만 말을 찾지 못했다.

이호범은 아들에게 수연과의 결혼을 권하면서 반신반의했었다. 아들이 수연과의 결혼을 받아들일지 확신이 서지 않았다. 누구나 정의를 꿈꾸지만 자신의 신념을 지키면서 살기는 쉽지 않은 법이다. 하지만 아들은 자신과는 다를 거란 생각에 결혼을 받아들이지 않을지도 모른다고 여겼다. 그러면 어쩔 수 없다고 생각했는데, 아들은 결국 태백을 택했다. 다행이라 생각하면서도 한편으로는 왠지 씁쓸했었다.

"장현국 대법관이 대법원장이 된다는구나."

그 말에 동준은 눈가가 미세하게 떨리며 입술을 깨물었다.

"너 자신한테 물어봐라. 네가 태백에서 나와서 장현국 대법관에게 맞설 수 있는 사람인지."

동준은 자신이 무너지는 걸 느꼈다. 자신은 그럴 수 없는 사람이었다. 동준은 벤치에 털썩 주저앉으며 손으로 얼굴을 감쌌다.

이호범은 그런 아들을 보다가 자신이 착용하고 있던 넥타이핀을 빼 아들의 손에 꼭 쥐어주었다.

"2캐럿짜리 원석을 깎아서 9할은 버리고 만든 거라는구나. 뭘 버려야 할지, 뭘 남겨야 할지는 네가 결정해라. 그런 뒤에 연락해라."

아버지에게 들어본 적 없는 따뜻한 말에 동준은 조금 놀란 눈으로 이호범을 바라보았다.

"청룡전자 매각이 성사되기 직전에."

아버지에게 혹시나 하는 기대를 잠시 품었던 동준은 허탈한 웃음을 지었다.

이호범은 동준의 어깨를 툭 두드려주곤 정미경이 기다리고 있는 차를 향해 걸어갔다. 동준은 쓸쓸한 얼굴로 아버지의 뒷모습을 바라보다 자신 앞에 우뚝 서 있는 최일환의 저택을 보았다. 벗어나고 싶은, 하지만 벗어날 수 없는 최일환의 성채를 동준은 두려운 눈으로 물끄러미 바라보았다.

*

죄수복을 입은 신창호의 모습을 보자 영주는 울컥했지만 애써 웃음을 지어 보였다. 신창호는 면회용 탁자 위에 나무로 만든 작은 인형을 올렸다. 나무판 위에 세 가족의 모습을 서툴게 새긴 인형이었다.

"교도소 안에 목공실이 있어. 네 엄마 생일 선물로 만들었다. 네 엄마 닮았지."

영주는 못나게 만든 인형을 가리키며 엄마라고 하는 아버지를 보며 엷은 미소를 띠면서 고개를 끄덕였다.

"너 시집보내고 환갑 되기 전에 가까운 데로 외국 여행 가기로 했는데, 네 엄마, 결혼하고 신혼여행도 못 갔어."

"엄마보다 딸이 먼저 신혼여행 간다고 툴툴대면서도 좋아했는데……."

"내가 네 엄마한테 약속 지킨 게 없구나, 영주야."

"아빠 곧 나올 거야, 내년에는 엄마 생일 같이 보낼 거고. 아니, 외국

여행 내가 보내줄게."

신창호가 영주를 보며 빙그레 웃는데 갑자기 기침이 터져 나왔다. 신창호는 손으로 기침을 막으려 했지만 그럴수록 기침은 더욱 심해졌다. 영주가 놀라서 "아빠!" 하고 부르며 다가가는데, 가까스로 기침을 멈췄지만 신창호의 손에 피가 묻어났다. 영주는 너무 놀란 나머지 아무 말도 못하고 아버지를 바라보았다.

"……영주야, 나한테…… 그런 시간이 남았을까."

영주는 처음으로 아버지의 얼굴에서 두려움을 읽고 가슴이 먹먹했다.

"식도에 가벼운 출혈이 있었네. 뭐 신경 쓸 필요는 없고."

의무실장은 영주에게 별것 아니라는 듯이 말했다. 하지만 커튼 안쪽 침대에 누워 있는 신창호는 계속 기침을 했다.

"기침이 심해요. 각혈의 원인은 폐경색, 기관지 확장증, 폐렴, 어쩌면…… 폐암."

그 말에 의무실장은 영주를 재수 없다는 표정으로 쳐다봤다.

"경찰대에서 의료 기본을 배웠어요. 외부 진료 허가해주세요."

의무실장은 경찰이라는 말에 표정이 더욱 안 좋아지더니 휴지를 뜯어 팽 하고 코를 풀었다.

"거, 교도소가 학교인 줄 아나, 아프면 조퇴하게."

그 말에 영주는 참았던 화가 폭발했다.

"여긴 엑스레이 기기도 없는데 청진기 하나로 끝낸 진단을 믿으란 말인가요?"

"법대로 하슈. 외부 진료 신청해봐야 열에 아홉은……. 어이, 진통제나 센 걸로 한 대 놔줘."

의무실장은 코 푼 휴지를 쓰레기통에 버리며 교도관에게 지시하더니 돌아앉아버렸다.

신창호의 기침은 잦아들지 않았고, 영주는 어찌해야 할지 막막하기만 했다.

영주는 반찬 가게 유리창 앞에서 걸음을 멈췄다. 엄마가 밥솥에서 밥 한 공기를 정성스레 푸고 있었다. 밥솥에서 김이 피어올라 가게 안이 따뜻해 보였다. 그 모습을 영주는 먹먹한 눈으로 바라보았다. 엄마는 오늘도 밥공기를 꼭꼭 싸서 아랫목에 묻어둘 것이다.

"나간 사람 밥은 아랫목에 챙기나야 배도 안 곯고 요 밥 무러 퍼뜩 오는 기라."

영주 엄마는 목각 인형을 요리저리 뜯어보더니 영주 인형을 만지며 말했다.

"아따, 내는 요래 곱게 맨들어놓고, 딸내미는 못난이를 맨들어놨노."

영주는 아버지의 의도와 정반대로 이해하는 엄마를 보며 피식 웃음이 나왔다.

'아빠가 이런 엄마를 봤으면 뭐라 했을까?'

아버지가 이 자리에 없다는 사실에 영주는 마음이 아팠다.

"영주야, 오늘은 요서 같이 자자. 방은 쪼매난데 너거 아부지 빈자리가 와 이리 크노."

엄마는 아빠가 교도소에 들어간 이후로 혼자서 잠을 잘 이루지 못했다. 그럴 때마다 영주는 엄마 옆에 있어주었다.

"영주야, 너거 아부지 어데까지 왔노."

엄마는 눈 감은 채 잠에 취하기 직전의 목소리로 영주에게 물었다.

영주가 어릴 적에도 엄마는 아버지가 들어오지 않는 날이면 이렇게 물었다.

엄마는 아버지가 어디까지 왔는지 머리를 짚어보라고 했다. 그럴 때마다 영주가 뒤통수를 짚으면 이마를 살짝 쥐어박으며 말했다.

"아따, 가스나. 이마를 짚어야 퍼뜩 오고 뒤통수 짚으믄 천천히 온다꼬 몇 번을 말했노. 니는 기자하고 겔혼하지 마래이. 출장 안 가는 직업이 뭐가 있노? 그런 놈 만나래이."

영주는 어릴 적 기억이 떠올라 마음이 한구석이 아려왔다. 잠들어가는 엄마를 꼬옥 안아주며 영주는 답답한 듯 한숨을 쉬었다.

*

동준은 집무실에 앉아 책상 위에 펼쳐 놓인 신문을 보며 깊은 생각에 잠겨 있었다.

'장현국 대법원장 임명' 기사와 함께 실린 장현국의 얼굴을 묵묵히 보던 동준은 옆에 놓인 2캐럿짜리 넥타이핀을 집어 들었다.

넥타이핀을 손에 올려놓고 한참을 보던 동준은 거울 앞으로 다가가 넥타이에 그 핀을 천천히 꽂았다. 넥타이핀을 꽂은 거울 속 동준의 표정이 뭔가 결심한 듯 단단해 보였다. 그때 노크 소리가 들리더니 영주가 들어왔다. 동준은 넥타이핀을 매만지며 거울 속에 비친 영주를 쳐다보았다.

"아침 10시 청룡전자 매각과 관련한 법률 검토 회의. 11시 고문단 접견. 오후에는 내 심부름 좀 해야겠어요. 지하 주차장 CCTV 영상은 확인 못했다고 했죠?"

영주는 일정표를 동준에게 내밀었다. 동준은 무표정한 얼굴로 책상으로 걸어가며 영주에게 받은 일정표를 확인했다.

"김성식 살인범을 찾을 다른 루트가 있어요. 오후에 스케줄 비워뒀으니까……."

"오후 2시 채권단 미팅. 예정대로 진행합시다."

일정표를 확인한 동준은 단호하게 영주의 말을 잘랐다.

"이동준 씨!"

"스케줄 어레인지하고 책상 비우세요."

갑자기 달라진 동준의 태도에 그 의도를 알 수 없어 영주는 얼굴을 찌푸렸다. 하지만 동준은 어떤 감정도 드러내지 않고 무표정하게 말을 이어갔다.

"신영주 씨! 다른 부서로 발령 낼 겁니다. 원하는 데 있으면 말해요."

순간 영주는 당황했지만 곧 반격을 시작했다. 영주는 엷은 미소를 지으며 동준의 눈앞까지 다가가 낮은 목소리로 말했다.

"잊었나보네. 내가 뭘 가지고 있는지."

영주는 책상 위에 펼쳐진 신문 기사와 함께 실린 장현국의 얼굴을 가리켰다.

"보여줄까요? 이분한테. 어떻게 될까? 이동준 씨는."

영주는 야릇한 미소를 지으며 동준을 쳐다보았다. 하지만 그의 눈빛은 미동도 하지 않았다.

"어떻게 되지? 신영주 씨는. 나 말고 또 있나? 당신 아버지 구해낼 사람이."

동준은 낮은 목소리로 영주의 감정을 자극했다. 두 사람의 눈빛이 허공에서 날카롭게 부딪쳤다. 잠시 영주와 기싸움을 하던 동준은 장현국 대법원장 기사 옆에 실린 '북한, 핵무기 경량화에 총력'이라는 기사를 손으로 짚었다.

"핵은 보유할 때 공포를 주지. 사용하면 서로가 공멸한다는 거 알 텐데. 살인범 추적은 멈춥니다. 2심에서 안 되면 대법원 확정판결 뒤에 병보석으로 꺼내오겠습니다."

영주는 동준의 대응과 그 단호함에 당황했다. 온몸에 힘을 주고 방어 태세를 갖추고 있는데, 예상치 못한 방향에서 훅 하고 한 방 맞은 기분이었다. 힘겹게 버텨오던 의지가 한순간에 무너지자 영주는 자신도 모르게 동준에게 매달렸다.

"아빠가 안 좋아요. 교도소에선 가벼운 내장 출혈이라면서, 기다리면 낫는다지만……."

"그럼 기다려요."

영주는 병색이 짙은 신창호의 얼굴이 떠오르자 마음이 다급해졌다.

"당신 계획대로 하면 이 사건 해결하는 데 1년, 어쩌면 2년 넘게 기다려야……."

"그것도 기다리세요, 신영주 씨."

동준의 태도는 칼끝처럼 날카로웠다. 그때 동준의 휴대폰이 울렸다. 영주는 더 이상 어떤 말도 하지 못한 채 전화를 받는 동준을 멍하니 바라보았다.

다급한 호출을 받은 동준은 수연을 대동하고 최일환의 집무실로 향했다.

"국민연금 쪽에서 매각 반대 의사를 밝혔다네."

심각한 상황인 게 분명한데 수연은 심드렁했다.

"국민연금에서 보유한 청룡전자 주식이 얼마 정도 됩니까?"

"기관투자자 중 최대. 국민연금에서 반대하면 해외 매각 캔슬."

수연의 표정은 마치 자신과는 전혀 상관없는 가십거리를 말하는 듯 가벼웠다.

"아따, 이기 누고? 수연이 아이가."

뒤에서 누군가 부르는 소리에 동준과 수연이 동시에 뒤를 돌아보자 강유택이 둘둘 만 족자를 한 손에 든 채 이를 쑤시며 걸어오고 있었다.

"시집가더만 얼굴이 폈네."

동준은 누구냐는 표정으로 수연을 보았다. 수연이 잠시 곤란한 표정을 짓다 강유택에게 인사를 하려 하는데 강유택이 말을 이었다.

"인사는 드가가 하자. 일환이 줄라꼬 족자도 가왔다 아이가. 자슥이 좋아해야 할 낀데."

강유택은 할 말을 다 하고는 두 사람을 앞질러 최일환의 집무실로 성큼성큼 걸어갔다. 동준은 거침없는 강유택의 뒷모습을 의문 가득한 얼굴로 쳐다보았다.

강유택이 탁자 위에 쫙 펼친 족자에는 한자로 '太白'이라고 크게 쓰여 있었다.

"아따, 야무지게 썼네. 저거 치아뿌고 이거 걸어래이. 30년 전에 니캉 내캉 법 장사 시작할 때 저거도 내가 써준 거 아이가."

강유택은 최일환의 집무실 소파에 몸을 깊숙이 파묻은 채 '태백'이라는 두 글자가 쓰여 있는, 벽에 걸린 액자를 가리키며 호들갑을 떨었다. 하지만 강유택의 족자 선물이 뭘 의미하는지 잘 알고 있는 최일환은 얼굴에서 표정을 지운 채 아무 말도 하지 않았다. 동준은 조용히 앉아 두 사람을 관찰하며 어떤 관계인지를 유추해보려 했다. 한편 조금 떨어진 곳에서 어딘가로 계속 전화를 하던 송태곤은 이상한 분위기를 감지하고 최일환 옆으로 다가왔다.

"저 필체로 로고 및 CI 작업을 진행했습니다. 바꾸려면 비용이……."

송태곤이 말을 채 끝내기도 전에 강유택이 쳐다보지도 않고 지갑을 그에게 던졌다. 그 무례함에 동준은 어이가 없었다.

"쓰고 남으믄 니가 묵고, 모자라믄 전화 때리라."

송태곤은 엉겁결에 지갑을 받고는 난감한 표정으로 최일환을 보았다. 그는 속내를 숨긴 채 옅은 미소를 지으며 고개를 끄덕였다.

최일환의 지시가 떨어지자 송태곤은 강유택에게 지갑을 정중하게 내밀었다.

"진행하겠습니다, 강유택 회장님."

송태곤은 다시 저만치 떨어져 심각한 얼굴로 휴대폰 통화 버튼을 눌렀지만 상대가 전화를 받지 않는지 표정이 일그러졌다.

"글이 좋네……. 유택아, 국민연금공단 이사장이 향우회 후배지?"

최일환은 슬쩍 흘리듯 강유택이 가져온 글을 칭찬하더니 본론으로 들어갔다.

"내가 향우회 회장 할 때 총무 보던 놈이다 아이가. 향우회 돈도 허투루 안 쓰더이 국부도 유출되믄 안 된다꼬 청룡전자 절대 몬 판다꼬 그 난리를 지기네."

그때 문이 열리며 강정일이 다급하게 들어와 소파에 앉으며 말했다.

"청룡전자 매각, 국민연금공단에서 반대한다고 들었습니다."

갑자기 정일이 등장하자 최일환의 눈썹이 꿈틀했다. 동준은 그 모습을 놓치지 않았다. 동준은 뭔가 최일환이 원하는 방향으로 흘러가지 않고 있다는 것을 느낄 수 있었다.

"이미 해외 우선 협상자 선정 끝났죠?"

정일의 물음에 동준은 고개를 끄덕였다.

"매각이 무산되면 안 됩니다. 이사장 설득해주세요, 아버지."

정일은 강유택을 보며 간절하게 부탁했다.

'아. 버. 지?'

동준은 그 말에 놀란 눈으로 두 사람을 쳐다보았다.

강유택은 후배에게 아쉬운 소리를 할 수는 없다며 딴청을 부렸다. 강정일은 좀더 강하게 강유택을 설득했다.

"대표님 사위인 이동준 변호사가 맡은 첫 사건입니다. 무산되면 타격이 클 겁니다."

"아이고, 니는 걸음마 배우는 사위한테 와 벌써 험한 일을 시키노? 보행기 태와가 끌고 댕기믄서 살살 가르치야지."

그때 송태곤이 다가와 최일환의 귀에 대고 낮은 목소리로 국민연금공단 이사장과 연락이 안 된다고 속삭였다. 그 말에 최일환의 표정이 어두워지는데, 옆에서 강유택의 휴대폰이 요란하게 울렸다. 강유택은 수신자를 확인하더니 능청스럽게 최일환을 쳐다보며 통화를 했다.

"어, 이사장아. 그래, 거서 한 꼬뿌 하믄서 기다리래이. 저녁때 가꾸마."

통화 내용을 듣던 최일환의 표정이 돌처럼 딱딱해졌다.

"사위한테는 꽃길만 걷게 해래이. 험한 일은 정일이한테 맡기고."

강유택은 걱정스럽다는 표정을 과하게 지으며 최일환을 쳐다보았다. 최일환은 그 말의 의미를 잘 알고 있었다.

"동준아, 줘라."

최일환은 굳은 얼굴로 짧고 굵게 말했다.

동준은 대기업 해외 매각을 두고 뺏고 뺏기는 이 상황이 도무지 납득이 되지 않았다. 동준이 황당한 얼굴로 정일을 쳐다보는데, 그의 입가에 설핏 미소가 스치는 걸 보았다. 동준은 이제야 뭔가 조금 알 것 같았다.

한편 이제 모든 상황이 정리됐다고 생각한 강유택은 옆에 놓인 바둑판을 탁자에 올려놓고, 바둑알 통 하나를 최일환에게 건넸다.

"아따, 올만에 바둑 한판 뚜자. 알파고라 캤나? 금마 야무지게 뚜데."

최일환이 바둑알 통을 건네받자, 수연과 정일은 자리에서 일어나 밖으로 나갔다. 동준은 두 사람을 따라 나가다 뒤를 돌아보았다. 최일환과 강유택 사이에 금방이라도 터질 듯 팽팽한 긴장감이 감돌고 있었다.

"일환아, 니한테 대마 한번 잡혔다꼬 진 기 아이데이. 30년 전에 시작한 바둑, 아직 안 끝났데이."

최일환은 조용히 백돌 하나를 바둑판에 올려놓고는 소파 깊숙이 몸을 기댄 채 강유택을 빤히 쳐다보며 말했다.

"둬."

최일환의 날카로운 눈빛을 강유택이 능글맞은 눈빛으로 막아내고 있었다.

"이대로 넘기면 아빠 얼굴 상하겠네. 회사 안에서 말도 나올 거고."

최일환의 집무실에서 나와 복도를 걸으며 수연은 혼잣말처럼 중얼거렸다. 수연을 사이에 두고 양옆에 동준과 정일이 나란히 서서 복도를 걷고 있었다.

"같이 합시다. 청룡전자 해외 매각 공동으로 하겠다고 아버님을 설득해주시면……."

동준은 조용히 생각에 잠겨 걷다가 정일에게 제안했다.

“기억력이 나쁘시네. 태백에서 불가능한 게 두 가지라고 말했는데.”

순간 동준은 그때 그 말의 의미가 뭔지 알아차리고 정일에게 무슨 말을 하려는데 휴대폰 문자메시지 수신음이 들렸다. 동시에 수연과 정일의 휴대폰도 짧게 울렸다. 세 사람은 동시에 문자메시지를 확인했다. ‘긴급 보안 회의. 장소: 회의실’이라 쓰여 있었다. 세 사람은 다급히 팀장 회의실로 향했다.

4

동준은 숨이 막힐 것 같은 얼굴로 벽에 걸린 텔레비전 화면을 보았다. 팀장 회의실에는 팀장급 변호사들이 앉아 있는 가운데 황보연이 화면에 떠 있는, 동영상 재생 버튼이 보이는 스틸 화면에 대해 설명하고 있었다.

"오늘 오후에 태백의 공식 SNS에 올라왔어요. 두 번 삭제했는데도 계정을 바꿔가면서 올리고 있습니다. 장난인지 아니면……."

동준은 황보연의 설명이 하나도 귀에 들어오지 않았다. 텔레비전에는 동준과 영주의 동침 영상의 초반부 스틸 화면이 떠 있었다. 정일은 업로드한 사람의 닉네임을 재빨리 찾아보았다. '염상구'라는 아이디였다.

'염상구라…….'

"경고야. 염상구는 『태백산맥』 소설에 나오는 인물이야. 권력을 이용해 힘없는 여자를 겁탈한 남자. 태백은 여기, 겁탈한 남자는 이 건물에 있을 거고. 재생해."

황보연이 버튼을 누르자 동침 영상이 재생되기 시작했다.

그때 문이 열리더니 영주가 커피 대여섯 잔이 놓인 쟁반을 들고 들어왔다.

얼굴이 보이지 않는 동침 영상이 재생되는 동안 영주는 사람들 앞에 찻잔을 내려놓았다. 동준은 벼랑 끝에 선 마음으로 영상에서 흘러나오는 자신의 낮고 거친 호흡 소리를 들으며, 담담히 찻잔을 내려놓고 있는 영주를 보았다.

동준은 깨달았다. '이 여자야말로 벼랑 끝에 있구나. 더 이상 잃을 게 없어 두려울 것도 없구나.'

동영상이 재생되는 동안 사람들은 숨죽인 채 영상 속 남자가 누군지 알아내려고 화면에 시선을 고정했다. 동영상 속 남자가 얼굴을 돌리려는 순간 현실의 동준은 눈을 질끈 감아버렸다. 그 순간 동영상도 멈췄고 화면 위로 '1DAY, 1FRAME'이라는 글씨가 나타났다.

"하루에 한 프레임씩 오픈하겠다는 뜻으로 보입니다. 영상의 속도로 추정할 때 열흘이면 이 남자의 얼굴이 드러날 것 같습니다."

황보연은 화면을 가리키며 설명했다.

동준은 화면이 정지되자 자기도 모르게 깊은 한숨을 내쉬었다. 그는 자기 앞에 잔을 내려놓던 영주와 눈이 마주쳤다. 영주는 황보연의 말이 맞다는 의미로 고개를 살짝 끄덕이고는 밖으로 나갔다.

동준은 영주의 뒷모습을 보며 앞에 놓인 잔을 집어 드는데 손이 덜덜 떨렸다. 혹시 누군가가 눈치챌까봐 동준은 서둘러 손을 책상 아래로 내렸다.

"경찰에 수사 협조 요청을 하는 편이 좋을 것 같습니다."

"하지 마."

황보연의 제안을 정일이 단호하게 잘랐다.

"작년에 접대 동영상 풀렸다가 총무팀 수임 절반이 날아갔어. 우린 해외 매각 건 때문에 다른 데로 돌릴 손이 없고. 이동준 변호사, 보안과에 협조해서 계정 추적하고, 올린 사람 만나서 원하는 건 뭐든지 들어주고 덮읍시다."

동준은 반쯤 넋이 나간 상태여서 뭐라고 대꾸해야 할지 얼른 생각이 나지 않아 머뭇거렸다.

"뭐, 원하면 이 일은 같이 해줄 수도 있고."

정일의 말에 동준은 정신을 차리며 서둘러 말했다.

"혼자…… 해보겠습니다."

회의가 끝나자 모두들 밖으로 나가는데, 동준은 한동안 그대로 앉아 있었다. 설마 영주가 이렇게까지 할 거라고는 생각지 못했다. 모든 게 뒤죽박죽 뒤엉켜 정신을 차릴 수가 없었다. 유리벽 너머로 영주가 일하는 모습이 보였다. 순간 동준의 눈에서 불꽃이 튀었다.

"그렇게 어려워요, 기다리는 게? 서두르다간 우리 둘 다 어떻게 되는지 몰라요?"

동준은 자신의 집무실 가운데 서서 최대한 분노를 억누르며 영주에게 퍼부었다. 하지만 영주의 표정은 너무도 담담하고 고요했다.

"기다려라, 가만히 있어라……. 그 말 들었던 아이들은 아직도 하늘에서 진실이 밝혀지길 기다리고 있겠죠. 핵이 터지면, 당신 말대로 우리 둘, 공멸하겠죠. 누가 더 아플까? 경찰에서 쫓겨난 살인자의 딸과 모든 걸 가진 태백의 사위."

동준은 아침에 영주의 기세를 꺾었다고 생각했었다. 신창호 사건도 태백도 자신이 중심을 잡고 끌고 가야 한다고 생각했다. 그래야 다시는 미로 속을 헤매지 않을 거라 여겼다. 길을 찾았다고 생각했는데 다시 원점이었다. 동준이 소파에 털썩 주저앉자 영주가 다가오며 사진 한 장을 내밀었다.

"백상구! 철거 용역이에요. 재건축 철거는 가끔 하고, 청부 폭력은 자주 하죠. 김성식 살인 사건에도 손댔어요. 백상구와 접촉하는 태백의 누군가……. 그 사람이 범인이겠네. 찾아요. 열흘 안에 범인이 안 드러나면 당신 얼굴이 드러날 거예요."

'태백의 누군가…….'

동준이 지하 주차장 CCTV 화면을 떠올리고 있는데, 집무실 문이 열리며 수연이 들어왔다.

"사건 하나 맡아줘요."

수연이 동준에게 저돌적으로 다가오자, 영주는 백상구의 사진을 서류철에 얼른 끼워 넣었다.

"요양원에서 전화가 왔어요. 어머님이 연락해달라고 하십니다."

영주는 동준과 수연에게 정중하게 인사한 뒤 서류철을 들고 밖으로 나갔다. 그런 영주를 수연은 못마땅한 얼굴로 보다가 소파에 앉으며 동준에게 서류를 내밀었다.

"형사사건인데, 담당 판사가 당신 후배네."

동준은 말없이 서류를 들여다보다 화들짝 놀랐다. 수연이 가져온 변호사 선임 서류의 의뢰인은 바로 백상구였다.

"나한텐 못 받는 예우, 후배한텐 받으려나. 전관예우."

수연은 동준을 놀리는 듯한 미소를 지어 보였다.

동준은 한숨을 쉬며 유리벽 밖 비서 책상에 앉은 영주를 보았다. 영주는 경고의 눈빛으로 동준을 빤히 쳐다보고 있었다.

'백상구와 접촉하는 태백의 누군가……. 그 사람이 범인이겠네.'

동준은 영주의 말이 떠오르자 점점 궁지에 몰리는 느낌이었다.

"백상구. 실형만 면하게 해줘요. 벌금이든 집유든."

"백상구 이 사람, 당신 클라이언트야?"

동준은 이미 결혼을 한 이상 좋든 싫든 수연이 신창호 사건과 연루되지 않았기를 바랐다. 영주에게 지하 주차장 영상에 대해 말하지 않은 것도 같은 이유였다.

"취미, 좋아하는 음악, 음식, 첫사랑, 딴 부부들은 그런 걸 물어본다던데. 아빠 맘에는 들겠네."

수연은 동준을 보며 실소를 머금었지만, 동준은 백상구의 서류만 들여다볼 뿐이었다.

"당신은 글로벌 팀을 맡고 있어. 해외 투자와 인수 매각이 당신 업무야. 그런데 폭행, 공무집행방해, 성추행. 이런 잡범을 당신이 왜……."

수연은 동준이 캐묻기 시작하자 짜증이 밀려왔다.

"내가 매각할 회사의 정리 해고에 반발하는 파업 진압한 게 폭행! 말리는 경찰 좀 만졌더니 공무집행방해! 태백 앞에서 1인 시위하는 여자 끌고 가다 성추행! 여긴 일이 많아요. 우린 낮에 일하고, 이 사람은 밤에 일을 하죠."

동준은 백상구와 연관된 인물이 수연이며, 그녀 또한 살인 사건에 연루되어 있음을 확신했다. 동준은 복잡한 얼굴로 수연을 보며 그날 새벽 낚시터에서 있었던 사건의 퍼즐 조각을 상상으로 맞춰보았다.

폭우가 쏟아지는 호숫가 낚시터에서 가슴에 부러진 낚싯대가 꽂힌 채 김성식 기자가 쓰러져 있다. 그 앞에는 일이 틀어졌다는 표정을 지으며 백상구가 서 있다. 그때 폭우를 뚫고 과속하며 달려온 차에서 수연이 내린다. 차에서 내린 수연은 비를 맞으며 다급하게 달려가, 김성식 기자의 시신을 보고 기겁한다.

동준은 그날 상황을 대충 알 것 같았다. 그런데 문제는 무엇 때문에 태백이 일개 기자의 살인에 관여를 했느냐 하는 것이었다. 백상구는 왜 김성식 기자를 죽이려 했을까? 태백은 백상구에게 무슨 일을 시킨 걸까? 꼬리에 꼬리를 무는 의문을 풀 길이 없었다. 동준은 백상구와 연관되고 싶지 않았다.

"간단한 형사사건이야. 내가 나설 필요는 없지 않나."

"사건은 간단한데 백상구 이 사람은 간단치가 않다니까."

수연이 신경질적으로 소리를 질렀다. 수연의 반응에 동준은 놀란 표정을 지었다.

"서류 검토하고 전자결재로 처리해요."

수연은 할 말을 마친 듯 벌떡 일어나더니 또각또각 구두 소리를 내며 걸어 나갔다.

동준은 복잡한 눈빛으로 수연의 뒷모습을 바라봤다. 이어서 유리벽 밖 비서 책상에 앉아 자신을 보고 있는 영주를 보았다. 동준은 어떻게 해야 할지, 수연과 영주 중 누구에게 가야 할지 판단이 서지 않았다. 동준은 어찌해야 할지 알 수 없는 마음으로 일어나 방을 서성이다 책꽂이에 꽂힌 책을 보았다. 그 책의 제목이 마치 자신의 마음 같아서 손으로 그 책을 천천히 훑어 내려갔다. 『내가 누구인지 말할 수 있는 자는 누구인가』.

"신고합니다. 공익근무요원 노기용은 3월 14일부로 소집 해제를 명 받았습니다."

노기용이 법원 앞에 주차된 차 안에서 기다리고 있는 동준을 보고는 달려와 인사했다.

동준은 노기용을 반갑게 맞으며 버섯전골집으로 그를 데리고 갔다.

"엄마하고 김밥집 할 겁니다. 식당 이름도 지었습니다. 개과천선. 크크. 판사님 덕분에 사람 됐다고, 엄마가 한번 모시고 오라네요. 이제 험한 일 안 하고 살아보렵니다."

"기용아, 험한 일…… 한 번만 하면 안 될까?"

노기용은 음식을 먹다 동준의 말에 고개를 들었다. 노기용이 알고 있는 동준은 이런 부탁을 할 사람이 아니었다. 동준은 미안했다. 노기용을 다시 과거로 돌려놓는 것 같아 마음이 편치 않았다.

"필요한 물건이 있어. 다치게 하지 말고, 그 사람이 가진 물건만 가져와주면 안 될까?"

동준은 막상 부탁을 하고 나니 어색해서 수저를 만지작거리며 끓고 있는 전골냄비만 바라봤다.

"이제 두 번 남았습니다. 폭행죄로 수갑 찰 뻔한 놈 신원 보증 해주실 때 결심했습니다. 판사님이 부탁하면 딱 세 번은 묻지도 따지지도 말고 오케이하자고요."

동준은 안도와 미안함이 섞인 눈으로 기용을 바라보았다.

"자식이 겁이 없네. 대법관 사위도 따버린 우리 판사님 모가지 잡고 있는 놈이 누굽니까?"

한때 판사로서 노기용에게 불법 행위를 저지르게 하는 자신이 몹시 혐오스러웠지만 어쩔 수 없는 상황이었다.

*

영주는 가져온 서류를 동준의 책상에 올려놓다가 백상구의 변호사 수임 서류를 발견하고 입술을 깨물었다. 분노로 가득한 얼굴로 동준의 집무실을 서성이던 영주는 뭔가 생각난 듯 동준의 노트북을 열었다. 노트북에 전자결재 화면을 띄우고 전자결재용 보안카드를 이용해 백상구 수임 서류에 '부결'을 클릭했다.

현수는 영주의 전화를 받고 한달음에 달려 나왔다. 다시는 영주가 자신을 만나지 않을 거라 생각했었다.

저만치 공원 벤치에 앉아 있는 영주를 보고 현수는 달려와 옆에 앉았다.

"집에 몇 번이나 갔었어. 어머님께 전해달라고 말씀드렸는데, 영주야…… 경찰 포기할 자신 없었는데, 넌…… 더 포기 못하겠더라. 보고 싶었어."

현수가 영주의 손을 잡자 영주는 단호하게 현수의 손을 뺐다.

"이젠 우리 친구도 아니고 연인도 아니지만……."

현수는 그 말에 가슴이 쿵 하고 내려앉는 것 같았다.

"현수야, 너 아직 경찰이지? 나 좀 도와줄래?"

영주는 담담한 눈빛으로 현수를 바라보았다.

"엄마는 한정식 별로더라. 음식이 약 올리는 것도 아니고 한 점씩이야. 거긴 얼마나 하니?"

동준은 대답 대신 장난스레 손가락 열 개를 펼쳐 보였다. 안명선이 10만 원이라는 말에 놀라 요양원으로 들어가려 하자 동준이 다가가 그녀를 잡아 세웠다.

"엄마, 거기 버섯전골 정말 좋더라. 엄마 송이 좋아하잖아. 비싸서 못 먹었잖아. 내가 살게. 점심 먹고 엄마 옷도 사러 가자."

동준은 지난번에 노기용과 함께 갔던 버섯전골집에 안명선을 데려가려고 요양원에 들렀다. 복잡한 일이 너무 많아 쉬고 싶을 때면 동준은 언제나 엄마를 찾아 요양원에 오곤 했다. 감당하기 힘든 하루를 보내고 있는 요즘 그는 엄마에게 위로받고 싶었다. 엄마를 보고 있으면 마음의 안정을 되찾을 수 있을 것 같았다. 잠시 모든 걸 잊고 오랜만에 엄마와 시간을 보낼 생각이었다. 엄마를 모시고 요양원을 막 나서려는데 동준의 휴대폰이 울렸다. 동준은 엄마한테 눈짓을 하고 전화를 받았다.

"여보세요."

—백상구 수임, 왜 부결했어요?

동준이 전화를 받는 순간 휴대폰 너머로 수연의 날카로운 목소리가 들렸다. 그는 무슨 말인지 몰라 멈칫했다.

—당신이 전자결재를 했잖아. 내가 말했지. 백상구, 간단한 사람 아니니까, 건드리지 말라고!

동준이 무슨 말인가 하려 하는데 전화가 뚝 끊겨버렸다. 뚜— 끊긴 휴대폰 소리를 듣고 있던 동준은 뭔가 생각난 듯 다시 휴대폰 버튼을 누르기 시작했다. 초조한 얼굴로 상대방이 전화 받기를 기다리던 동준은, 옆에 엄마가 있다는 걸 깨닫고 조금 멀리 떨어진 곳으로 자리를 옮겼다. 안명선은 그런 아들을 걱정스런 얼굴로 바라봤다. 무슨 일이 생긴 것만 같았다.

"신영주 씨, 전자결재에 손댔습니까?"

통화가 연결되자마자 동준이 쏘아붙였다.

—이동준 씨 노트북 좀 빌리고 경찰 친구 빽대 빌려서, 태백하고 백상구 약속 장소 알아냈어요.

전화기 너머로 들려오는 영주의 말에 동준은 경악했다. 영주는 잠시도 쉬지 않고 밀어붙이고 있었다.

—30분 뒤에 여기 오는 사람이 범인이겠죠.

“어딥니까? 어디냐고!”

답답한 마음에 동준이 소리를 질렀다.

—백상구 이름으로 예약된 방에 무대 세팅 중.

전화기 너머로 영주의 담담한 목소리가 들려왔다.

동준은 영주와의 통화를 끝내고 다급히 차에 오르려다 저만치 떨어져 있는 엄마를 보며 할 말을 고르는데, 안명선이 먼저 말을 걸어왔다.

“다음에 하자. 동준아, 술 좀 줄이고 밥 꼭 챙겨 먹고.”

엄마는 동준에게 얼른 가라는 듯 손을 흔들었다. 동준은 울컥하는 마음으로 어머니를 잠시 보다가 고개를 돌려 차에 올랐다. 안명선은 다급하게 출발하는 차를 걱정스레 보며 한참 동안 서 있었다.

동준은 닥치는 대로 앞차들을 추월하며 핸즈프리로 수연에게 전화를 걸었다. 그녀가 전화를 받지 않아 음성 메시지로 넘어갔다.

“가지 마. 김성식 살인 사건, 최수연 씨가 손댄 거 압니다. 그날 공용차로 낚시터에 간 것도 당신이고, 백상구 지휘한 것도 당신이야. 함정이니까 가지 말아요. 당신이 덫에 걸리면 나도…….”

—녹음되었습니다. 전송은 1번, 취소는…….

동준은 잠시 망설이다 1번을 꾹 누르고 액셀을 힘껏 밟았다. 물론 진실은 밝혀져야 한다고 생각하지만 이런 식으로 해결하면 자신의 인생은 망가져버릴 것이다. 원했든 아니든 자신은 이미 최일환이 만든 배에 올라탄 상황이었다. 어떻게든 그 배에서 안전하게 내릴 때까지 살아 있어야 했다. '청부 판사'라는 꼬리표를 달고 살아갈 수는 없었다.

*

영주는 백상구와 태백의 누군가가 만나기로 한 일식집에 먼저 잠입했다. 여종업원을 매수해 백상구가 예약한 방에 몰래카메라를 설치하고, 현수에게 부탁해 현장에서 체포할 수 있도록 형사들도 동원했다. 모든 준비를 마친 영주는 주차된 차 안에서 태블릿 PC를 통해 일식집 방 안을 보고 있었다. 그때 주차장으로 동준의 차가 다급하게 들어와 멈췄다. 차에서 내린 동준은 차 안에 있는 영주를 발견하고는 다급하게 다가와 차에 올랐다. 영주는 곁눈으로 동준을 힐끗 쳐다보고는 다시 거치대에 걸린 태블릿 PC에 눈을 고정시켰다. 화면 속에는 먼저 도착한 백상구가 안주도 없이 도쿠리를 병째 마시고 있는 모습이 보였다. 옆으로 나뒹구는 빈 도쿠리가 두어 병 보였다.

"김성식 살인, 청소하는 대가로 소송을 해결해달라고 했겠죠. 그게 부결됐으니 화가 났고. 2분 남았네."

"독수독과! 불법 도청이나 녹취로 확보한 증거는 법정에서 부정됩니다. 신영주 씨, 이러지 말아요. 나한테 생각이 있는데……."

동준은 수연이 도착하기 전에 어떻게든 이 상황을 끝내고 싶었다.

"당사자인 경우에는 법적 능력이 인정되죠."

영주의 말에 동준은 할 말이 없었다. 동준은 영주가 경찰이었다는 사실을 잠깐 잊고 있었다. 게다가 아주 유능하고 똑똑한 경찰이었다.

"왜 부결됐냐고 따지겠죠. 태백에서 온 상대는 변명을 할 거고, 취한 백상구는 살인에 조력한 얘길 하겠지. 그때 내가 들어갈 거예요. 이 화면에 내가 나오면 나도 당사자가 되니까. 1분 남았네."

동준은 다시 막다른 골목에 내몰린 느낌이었다. 자신과 영주, 단둘이서 차 안에 있었다. 동준은 순간적으로 주먹을 불끈 쥐었다. 정말이지 영주를 치고 싶었다. 자신을 끝도 없이 벼랑 끝으로 내몰고 있는 영주를 참을 수가 없었다. 영주를 보는 동준의 얼굴이 서늘해지며 주먹이 올라가는데, 뒷문이 벌컥 열리며 현수가 들어왔다. 동준은 뜻밖의 상황에 놀라 손을 내렸다.

현수는 "영주야." 하며 차에 오르다 동준의 뒷모습을 보고는 당황한 얼굴로 입을 다물었다.

"서로 인사할 필요는 없어."

영주의 말투에 냉기가 감돌았다.

"우리 팀 형사 여섯 명이 대기 중이야. 현장에서 살인 관련 대화가 녹취되면 현행범으로 체포할 거야."

현수의 말에 동준은 옆을 보았다. 승합차 한 대에 타고 있는 형사들이 보였다.

"영주야, 이번 일 해결하고 나면 우리……."

현수는 어떻게든 영주와 다시 잘해보고 싶었다.

"엄마, 아빠, 나. 나한텐 이게 우리야. 박현수, 선량한 시민이 경찰의 도움을 요청한 것뿐이야."

영주는 일부러 현수에게 시선을 주지 않고 말했다.

현수는 영주의 말에 절망으로 깊은 한숨을 쉬는데, 태블릿 PC 화면에서 드르륵 문이 열리는 소리가 들렸다. 순간 영주가 몸을 바로하며 긴장했다.

"왔다."

동준은 그 소리가 지옥 문이 열리는 소리처럼 들렸다. 이제 모든 게 끝이었다.

백상구는 도쿠리를 들이켜곤 입을 거칠게 닦으며 문 앞에 서 있는 사람을 뚫어질듯 쳐다보았다. 문 앞에는 백상구가 기다리던 사람이 아니라 강정일이 서 있었다.

“비둘기를 불렀는디 까마귀가 와부렀네.”

그 말에 정일은 미소 지으며 여유 있게 날 선 백상구를 쳐다보았다. 순간 백상구의 휴대폰이 울렸지만 그는 개의치 않고 정일을 똑바로 보며 말했다.

“시방 나가 보기로 한 낯짝은 그 낯짝이 아닌디.”

“가끔은 좋은 사람도 만나야지.”

정일은 백상구를 어린아이 달래듯 하며 자리에 앉았다. 그 말에 화가 난 듯 백상구가 뭐라 하려는데 여종업원이 쟁반을 들고 들어왔다. 그사이 휴대폰이 계속 울리자 백상구가 전화를 받았다.

백상구는 내키지 않는 상대인 듯 정일을 탐탁지 않게 보며 통화를 하다 갑자기 멈칫했다.

백상구는 전화기 너머로 들려오는 소리를 들으며 잔을 놓고, 새 도쿠리를 놓고 테이블을 세팅하는 여종업원을 보았다. 그녀는 자신과 눈도 마주치지 못한 채 손을 떨고 있었다.

“알겠소.”

백상구는 휴대폰을 끊고 여종업원이 자신 앞에 도쿠리를 하나 놓는 순간 그 손을 거칠게 휘어잡았다. 여종업원은 갑작스런 상황에 숨이 막힐 듯 놀란 얼굴로 백상구를 쳐다보았다.

"언놈이여?"

백상구가 비릿한 미소를 띠며 물었다.

정일은 무슨 상황인지 몰라 여종업원과 백상구를 번갈아 쳐다봤다. 여종업원은 온몸을 벌벌 떨며 아무 말도 못하고 울상이 되었다.

차 안에서 태블릿 PC 화면으로 그 모습을 지켜보던 영주는 일이 잘못돼간다는 생각에 입술을 깨물었다. 반면 동준은 정일이 등장하는 순간부터 머릿속이 헝클어지기 시작했다. 자신이 뭔가 퍼즐을 잘못 맞췄다는 생각이 들었다.

"시집갈 나이에 영정 사진 찍으면 쓰겄는가. 어디여?"

백상구는 잡은 손의 손가락 하나로 여종업원 손목의 선명하고 파란 핏줄을 천천히 어루만지며 말했다.

서슬 퍼런 백상구의 협박에 여종업원은 울먹이며 고개를 들어 몰래카메라가 설치된 곳을 바라보았다. 백상구는 그제야 여종업원의 손을 놓아주었다. 백상구의 손아귀에서 벗어난 여종업원은 서둘러 밖으로 나갔다. 백상구는 도쿠리를 들어 한번에 비우더니, 비호같이 빠르게 그 병을 몰래카메라가 있는 벽을 향해 던져버렸다. 도쿠리가 깨지면서 몰래카메라 렌즈 위로 술이 줄줄 흘러 내렸다.

그 장면이 차 안에 있는 태블릿 PC 화면에 그대로 담겼다. 영주는 낮게 한숨을 내쉬며 의자에 깊숙이 기대며 눈을 감아버렸다.

"태백에 묻은 피는 내가 닦아줬는디 내 몸에 묻은 먼지는 누가 털어줄랑가. 내 등 시원하게 긁어주는 손 잡을라요, 나는."

백상구는 불쾌한 표정으로 외투를 걸치고 나가다 문 앞에서 정일이 들으라는 듯 한마디했다.

영주는 일이 실패로 돌아가자 허탈한 표정으로 저만치에서 출발하는 백상구의 차를 멍하니 바라보았다. 뒤이어 일식집에서 나와 자신의 차로 걸어가는 정일의 모습이 보였다.

영주는 정일을 의미심장한 눈으로 보며 뇌까리듯 말했다.

“강정일. 태백의 기업M&A 팀장.”

동준은 정일이 차에 올라 출발할 때까지 그에게서 눈을 떼지 못했다. 정일이 왜 이곳에 왔는지 도무지 알 수가 없었다. 그때 동준의 휴대폰이 진동했다.

“이동준입니다.”

“비밀을 알면 친구가 된다던데, 우리 둘 조금은 가까워졌네요, 이동준 씨.”

전화기 너머에서 수연의 경쾌한 목소리가 들렸다.

5

동준은 수연의 호출을 받고 김성식 기자가 살해된 낚시터로 향했다. 그곳에 가면 뭔가 의문이 풀릴 것 같았다. 낚시터에는 이미 수연이 와 있었다. 수연은 햇빛을 받아 황금빛으로 빛나는 호수를 바라보고 있었다. 그때 뒤에서 다가오는 발자국 소리가 점점 커지다 바로 뒤에서 멈췄다.

"할 말이 없는 사이였는데 갑자기 할 말이 많아졌네."

"어디까지 개입했습니까. 지시만 한 건지, 아니면 당신 손에 직접 피를……."

"그러므로 형제들아, 우리가 예수의 피를 힘입어 성소에 들어갈 담대함을 얻었나니."

수연은 물을 보며 뇌까리듯 성경의 한 구절을 읊더니 뒤를 돌며 미소를 지었다.

"〈히브리서〉 10장 19절. 김성식 기자가 흘린 피로 당신은 태백에 들어울 담대함을 얻었죠."

동준은 이런 식으로 장난스럽게 한 사람의 죽음을 대하는 수연이 경멸스러웠다.

"사람이 죽었어요. 바로 여기서."

"그 재판은 당신이 조작했죠."

마음의 아킬레스건을 건드리자 동준은 변명했다.

"나한테…… 다른 길은 없었어."

"부부는 정말 닮나보네. 나도 그런데."

수연은 동준을 보며 생긋 웃더니 호수를 따라 걸어가다 뒤돌아 동준을 쳐다보았다.

"피는 지웠는데 피 냄새가 아직 나네. 강정일 팀장, 김성식 살인 사건 배후를 캐고 있어요. 다이어트를 너무 했는지 입이 가벼워져서 스케줄 담당 비서 해고했어요. 다행이네. 나보다 강정일이 먼저 도착한 건. 변한 건 없네. 내가 넘어지면 당신도 아빠도 무너진다는."

수연은 걷다가 징검다리 몇 개가 놓인 작은 개울이 보이자 멈추고는 동준에게 손을 내밀었다.

"나 안 넘어지게 잘 잡아요, 이동준 씨."

동준은 수연이 마치 물가 옆에 사는 작은 악령 같았다.

"방탄복 문제는 내가 만졌어요. 율곡, 금강, 차세대 전투기, 보국산업 관련 로비, 소송, 모두 강정일 팀장이 전담했어요. 아빠가 그렇게 만들었죠. 아빤 언젠가 문제가 생기면 분리시킬 생각이었어요. 근데 들켰어요. 그 생각, 강회장 아저씨한테."

순간 수연이 발을 삐끗하며 옆으로 기울어지자 동준이 손을 잡아주었다. 그 덕에 수연은 균형을 잡을 수 있었다. 수연은 손을 잡아준 동준이 우스운지 피식 웃었다. 그러자 동준은 정신을 차리고 수연의 손을 놓았다.

"나 역시 방산 비리에 손대길 아저씨가 원했죠. 아빠가 친구는 버려도 딸은 못 버릴 거라고 생각했나? 근데 서류가 유출됐어요. 사람을 샀죠. 백상구."

수연의 말을 들으며 동준은 다시 퍼즐을 맞추기 시작했다.

"뭐든지 해결할 사람이래서 샀는데…… AS 비용이 너무 많이 드네."

"방탄복 사업은 보국산업이 추진하고 있었습니다. 사실이 알려지면 강정일 팀장 아버지 회사도 타격……."

"그 집안, 그 정도 맷집은 있어요. 보국산업에 상처가 생겨도 태백을 가지면 가성비가 괜찮다고 생각할지도."

수연은 자신의 상황을 이렇게 설명하는 게 내키지 않는다는 듯 머리를 쓸어 올렸다.

"싫다, 정말. 속옷을 보인 기분이네."

동준은 수연의 말뜻을 얼른 이해하지 못했다.

"이동준 씨 속옷도 보고 싶은데……."

수연은 농염한 미소를 지으며 동준에게 다가가 넥타이를 다시 매주며 나지막이 물었다.

"누구죠? 백상구가 그 자리에 나오는 걸 알려준 사람."

동준은 멈칫하며 아무 말도 하지 않았다.

수연은 숨결이 느껴질 만큼 가까이 서서 넥타이를 매주며 동준의 얼굴을 빤히 쳐다보았다.

"그 사람도 아마 김성식 기자 살인을 추적하는 사람이겠네. 내 남편 친구인가, 아니면 친구가 될 수 없는 사람인가. ……알려줘요. 내 남편을 따라온 그림자가 누군지."

동준은 자신을 꿰뚫은 듯한 수연의 시선을 받을 자신이 없어 땅을 쳐다보았다. 자신의 그림자가 길게 드리워 있었다. 동준은 그 그림자를 보는 게 불편한 듯 옆에 있는 나무 아래로 몸을 옮겼다.

동준의 눈에 이제 그림자는 보이지 않았다.

"그림자는 며칠 안에…… 없어질 겁니다."

동준은 멀리 물을 바라보며 의미심장하게 말했다. 그 말에 동준을 복잡한 눈으로 쳐다보던 수연이 그렇게 하라는 듯 흔쾌히 고개를 끄덕였다.

*

탕! 탕! 야산 여기저기서 총소리가 울려 퍼졌다. 총소리가 몇 차례 더 들리더니 꿩 한 마리가 툭 떨어졌다. 잠시 후 숲에서 사냥총을 들고 너털웃음을 지으며 강유택이 나타났다. 그 뒤로 사냥복을 입은 최일환과 송태곤, 강유택의 비서가 따라오고 있었다.

"아따, 벌써 세 마리째가. 어릴 때 새총도 못 쏘더마는, 방금 잡은 놈은 니 입에 넣어주꾸마. 30년을 믹이 살렸는데, 한 끼 더 못 믹이겠나. 솥은 가왔제. 일환아, 나무나 해온나. 너거 아부지가 해온 나무가 실했는데, 최서방 아들내미 나무 패는 솜씨 함 보자. 크크."

그 말에 최일환은 모멸감으로 치가 떨렸지만, 이를 악물고 견디며 눈으로 어색하게 미소 지었다.

강유택은 들고 있던 총을 비서에게 넘기고 최일환이 잡은 꿩을 주우러 앞장서서 걸어갔다.

최일환은 도저히 못 참겠다는 듯 갑자기 강유택의 등 뒤에 총구를 겨눴다.

“아직 화력이 약합니다. 실탄이 더 필요합니다, 대표님.”

최일환의 마음과 상황을 잘 아는 송태곤이 말리고 나섰다. 물론 송태곤은 최일환이 쏘지 않으리란 걸 알고 있었다.

최일환은 송태곤의 말에 동의하듯 고개를 끄덕이더니 총구를 돌려 저만치 꿩을 향해 쏘았다. 탕! 맞지 않았다. 동시에 강유택은 뒤돌아 크크 하고 너털웃음을 짓더니 성큼성큼 앞으로 걸어갔다.

*

“강유택. 보국산업 회장이야. 무기중개상이고, 방위산업체를 운영하고 있어.”

영주는 영등포 경찰서 형사과 현수의 책상에서 강유택의 인적 사항이 떠 있는 컴퓨터 화면을 보고 있었다. 형사과 안은 형사 서너 명뿐이어서 한산해 보였다. 현수는 영주의 부탁으로 강유택의 인적 사항을 조회해주었다. 이제 연인도 친구도 아니라고 영주는 선을 그어 말했지만 현수는 포기할 수 없었다. 이렇게라도 영주를 보는 게 좋았고, 도움을 줄 수 있다는 사실에 위안을 삼았다.

“태백의 최일환 대표와 같은 고향이고.”

영주는 최일환과 연관 관계를 찾으며 화면을 골똘히 보고 있었다.

“고등학교도 같이 나왔어. 우리처럼.”

함께 인적 상항을 보고 있던 현수가 무심한 듯 영주에게 한마디 던졌다.

그 말에 영주는 현수를 힐긋 쳐다보더니 다시 컴퓨터 화면에 시선을 고정시켰다. 영주는 현수에 대해 담담해지려 했지만 신경 쓰이는 건 어쩔 수 없었다.

"율곡사업, 백두사업, 국가적 방산 계획에 보국산업이 개입했고, 그때마다 소송은 태백이 맡았어."

그때 배계장이 요란하게 안으로 들어왔다. 영주가 얼굴을 살짝 찌푸렸다.

"어이, 신계장, 오랜만이야. 인사도 했는데 그만 가시지. 야, 니들, 외부인 출입 통제하랬잖아!"

배계장은 영주 들으라는 듯 저만치 있는 형사들에게 호통을 쳤다. 하지만 영주는 눈 하나 깜짝하지 않고 여전히 컴퓨터 화면을 보며 배계장에게 한마디 던졌다.

"강남으로 이사 갔다며. 연봉 4000 받는 형사가 평당 4000짜리 아파트를 다 사고."

영주는 배계장을 살짝 비꼬며 형사들을 향해 한마디했다.

"니들은 그 재주 배우지 마라."

그 말에 배계장의 얼굴이 확 일그러졌지만, 영주는 검색 화면으로 넘어가 '강정일'이라고 입력하며 말을 계속 이었다.

"차도 바꿨다면서? 기름값은 오락실 애들이 내줄 거고, 보험료는……."

"그만 떠들자."

배계장은 영주의 말을 자르더니 기분 나쁜 표정을 지으며 밖으로 나가버렸다.

영주는 배계장에게 잠시도 눈길을 주지 않고, 강정일의 사진이 떠 있는 검색 화면을 뚫어지게 쳐다보았다. 그 옆 가족관계에 '부 강유택'이라고 쓰여 있었다.

"김성식 기자는 방탄복 비리를 폭로할 서류를 갖고 있었어. 막기 위해 움직였겠지. 보국산업 회장 강유택의 아들, 강정일 변호사가."

영주는 뭔가 골똘히 생각하며 강정일의 사진을 유심히 바라봤다.

*

영주 엄마가 눈을 초롱초롱 빛내며 앞에 선 젊은 두 사내와 흥정을 하고 있었다.

"아따, 젊은 사람들이 좋은 일 하네. 경로잔치에 쓴다 카이 싸게 주께요. 어리굴젓 8키로에 명이나물까지 20만 원에 가가소. 완전 거저다, 이거."

영주 엄마는 어리굴젓을 맛보는 사내를 보며 긴장한 마음으로 아래로 내린 두 손을 몰래 매만졌다.

"열무 남은 거는 서비스로 내가……."

"아짐씨 손맛이 좋구마이. 싸게 포장해주쇼."

사내는 시원스럽게 지갑에서 수표 한 장을 꺼냈다. 영주 엄마가 신이 나서 수표를 받는데 100만원짜리 수표였다.

"잔돈이 80……. 이래 안 되는데……. 어데 카드 있으믄……."

영주 엄마는 사내들이 인상을 찌푸리자 중간에 말을 멈췄다.

"퍼뜩 바까오께요. 커피 한 잔씩 묵고 있으이소."

영주 엄마는 사내들에게 커피 믹스 두 개를 가져다준 뒤 지갑을 들고 다급하게 밖으로 나갔다. 문이 닫히자 두 남자의 눈빛이 달라지며 반찬 가게 내실로 들어갔다. 반찬 가게에서 나온 영주 엄마는 동준과 기용이 탄 차를 지나 저만치 코너를 돌아 걸어갔다. 동준과 기용은 차 안에서 그 모습을 지켜보고 있었다. 노기용은 탐지봉을 꺼내 동준에게 보여주었다.

“검찰에서 압수 수색할 때 쓰는 겁니다. 원래 금속에 반응하는 탐지봉인데요, 흥신소 애들이 살짝 손봤습니다.”

노기용은 탐지봉을 켜서 휴대폰에 갖다 댔다. 신기하게 신호음이 들렸다.

“메모리칩이나 USB. 암튼 저장 장치에 반응합니다.”

한편 반찬 가게에 있던 두 사내는 각각 탐지봉을 든 채 한 명은 내실로, 한 명은 영주의 방으로 들어갔다. 두 사내는 작고 초라한 방 안 곳곳을 이 잡듯 뒤졌다.

코너를 돌아간 영주 엄마는 편의점 앞에 설치된 ATM 기기 앞으로 다급하게 다가갔다. 그 앞에 이미 사내 둘이 줄을 서 있었다. 그녀는 앞에 선 두 사내를 보고 급한 마음에 주변을 둘러보지만 ATM 기기는 여기밖에 없었다. 그녀는 시계를 보며 난감한 표정을 지었다.

동준은 두 사내가 빨리 나오기를 초조하게 기다리며 손으로 마른세수를 하다가 멈칫했다. 사이드미러에 저만치서 걸어오는 영주의 모습이 비쳤다. 동준은 몸을 돌려 창밖을 보았다. 영주가 수십 미터 뒤에서 반찬 가게로 오고 있었다.

“나오라고 해. 어서.”

다급한 동준의 모습에 노기용은 빠르게 전화를 걸었지만, 상대는 전화를 받지 않았다.

“받아라, 받아. 짜식들아.”

영주는 점점 가까이 다가오는데, 사내들은 방 안을 뒤지느라 전화를 받지 않았다. 동준이 어쩔 줄 몰라하는 사이 영주가 반찬 가게 앞에 서서 문을 열려 했다.

동준은 다급하게 손을 뻗어 경적을 울렸다. 빵빵. 빵—.

영주는 바로 뒤에서 들리는 경적 소리에 몸을 돌렸다.

동준은 차에서 내려 영주에게 다가갔다.

"전화를 할 만큼 급하진 않고, 직접 얼굴을 보고 들어야 할 얘기가 있나요, 변호사님?"

동준은 다급하게 대꾸하느라 미처 할 말을 고르지 못해, 주변을 둘러보는 척하며 시간을 끌었다.

"아까 그 친구, 일식집 앞에서 차에 같이 탄 남자. 형사인 것 같던데……."

그 말에 영주가 피식 실소를 머금었다.

"겁이 많아졌네요. 가진 게 많아져서 그런가."

"그 형사가 어디까지 알고 있는지……."

"말했는데. 선량한 시민이 경찰의 도움을 요청한 것뿐이라고. 당신이 한 청부 재판, 나하고 보낸 그날 밤. 아는 건 나뿐, 아니 둘이네. 당신하고 나."

동준은 '그날 밤'이라는 말에 얼굴이 화끈거렸다.

"아, 그리고 방탄복 사건 기록 알아봤어요. 강정일 팀장이 손댄 기록이 없어요. 태백에서 수임한 흔적도 없고. 기록을 지웠을까, 아님 다른 사람이 만진 사건인가."

영주는 낮에 자신의 업무용 컴퓨터로 태백의 방탄복 관련 수임 기록을 모두 살펴봤지만 그런 기록은 없었다. 영주는 동준을 의심했지만 입 밖으로 말을 꺼내지는 않았다.

"강정일 팀장의 컴퓨터를 봐야겠어요. 그 사람 보안카드 구해줘요."

"그건……."

뭐라고 변명을 하려는데, 동준의 눈에 내실에서 반찬 가게로 나오는 노기용의 부하들이 보였다.

"쉽지 않아."

"평생을 기자로 살아온 시민을 살인범으로 실형 선고하는 건 쉬운 일이었나요?"

동준은 정곡을 찔린 듯 아무 말도 못했다.

"당신하고 보낸 그 시간, 나한텐 쉬운 일이었을까? 하루에 한 프레임. 당신 얼굴이 보일 때까지 일주일 남았어요, 변호사님!"

영주가 할 말을 마친 듯 돌아서는데, 저만치서 오던 영주 엄마가 영주를 보고 신이 난 얼굴로 빠르게 다가왔다.

동준은 영주와 영주 엄마가 반찬 가게로 들어가는 모습을 묵묵히 보며 차에 올랐다.

"못 찾았습니다. 저 여자 메일, SNS 계정 다 확인했는데 디지털로 보관한 흔적도 없습니다."

"어디로 갈까요?

"글쎄, 어디로 갈까……."

동준은 깊숙이 기대앉아 긴 한숨을 쉬며 고개를 젖혔다. 낮은 탄식처럼, 혼잣말처럼 '어디로 갈까……' 하고 되뇌었다. 길을 잃었다. 아니 벼랑 끝에 서 있어 어느 길도 보이지 않았다.

영주와 수연! 둘 다 자신을 몰아붙이고 있었다. 동준은 황폐한 얼굴로 컴컴한 밤거리를 바라보다 결국은 그곳으로 향했다. 최일환의 거대한 성채! 거기밖에 갈 곳이 없었다.

—하나를 끝내면 또 일이 생기는구나. 환자도 얼마 안 되는데 관공

서에 보낼 서류가 환자 수보다 더 많아.

동준은 정원 한편에 서서 최일환의 저택을 보면서 어머니 안명선과 통화를 했다.

"엄마, 내가 그때 의대 갔으면……. 그래서 의사가 됐으면…… 지금 엄마랑 요양원에 있을 텐데. 그때로 가고 싶다…… 엄마……."

동준은 우뚝 서 있는 최일환의 저택을 보며 차마 들어갈 용기가 나지 않았다.

동준은 거실에 아무도 없기를 바라며 안으로 들어갔다. 오늘은 집안 사람 그 누구와도 얼굴을 마주하고 싶지 않았다. 그런데 거실에 들어서자, 소파에 앉아 차를 마시고 있던 정미경이 휴대폰을 들고 일어났다. 윤정옥이 배웅하듯 따라나섰다.

"이서방 얼굴 보고 간다고 사부인이 기다리셨어."

동준은 불편한 얼굴로 정미경을 쳐다보았다.

"얼굴이 좋아졌구나. 부족한 아이예요. 잘 가르쳐주세요."

정미경은 윤정옥에게 웃음 띤 얼굴로 정중하게 부탁했다.

동준은 그 가식에 분노가 치밀었지만 꾹꾹 누르고 눌렀다.

"성형센터 문제는 대표님한테, 참, 이서방 집안일이니까 직접 해결하면 되겠네."

윤정옥이 좋은 방법을 찾았다는 듯 동준에게 말했다.

정미경은 한없이 부드러운 미소를 띠며 동준을 쳐다보았다. 그 미소를 보자 동준은 그날이 떠올랐다.

수능 성적표가 나오던 날 정미경은 피자집으로 동준을 불렀다. 동네 피자집 텔레비전에선 'GOD'의 〈어머님께〉가 흘러나오고 있었다. 고급스럽고 우아한 정미경의 모습에 동준은 살짝 주눅이 들었다.

정미경은 수능 성적표를 찬찬히 들여다보더니 웃음 띤 얼굴로 동준을 부드럽게 설득하기 시작했다.

“이과에서 상위 0.1퍼센트면, 교차 지원해도 그 학교 법대는 가겠다, 그렇지?”

“저는…… 의사가 되고 싶습니다.”

동준은 어릴 적부터 의사가 되고 싶었다. 실력 있는 의사가 되어 아버지 이호범에게 인정받고 싶었고, 어머니처럼 소외된 사람들을 위해 헌신하는 좋은 의사가 되고 싶었다.

“큰일 났네. 병원은 하난데 아들은 둘이니. 의대는 동민이가 가야지. 걱정이네. 이 문제로 시끄러워지면 너희 엄마 속상하시겠다, 그렇지?”

그 말에 동준의 얼굴이 울먹이는 표정으로 일그러졌다. 동준은 병원장이 아닌 의사가 되고 싶은 것이었다. 아무 말도 못하고 있는데 〈어머님께〉 노래의 후반부가 흘러 나왔다.

—자장면 하나에 너무나 행복했었어. 하지만 어머님은 왠지 드시질 않았어.

그때 왜 용기가 없었는지……. 그때는 어머니를 보호하기 위해서라고 생각했다. 자신 때문에 어머니가 그들에게 시달리며 모멸감을 느끼게 하고 싶지 않았다. 동준은 포기할 수 있었다. 그런데 지금 생각해보면 어머니를 위해서가 아니라 자신의 미래, 권력, 이런 것 때문은 아니었을까?

“아버지가 성형센터를 준비 중이셔. 그런데 법적인 문제가 좀 있어서.”

“검토는 해보겠습니다.”

“건축 허가도 그렇고 병원 수익 사업도 규제가 너무 많아. 동준아,

네가 꼭 맡아야…….”

“고려는 해보겠습니다.”

정미경과 동준의 팽팽한 실랑이를 보며 윤정옥은 두 사람 사이가 심상치 않음을 느꼈다. 두 사람의 조용하지만 날 선 싸움이 쉬이 끝날 것 같지 않았다.

“동준아!”

서재에 있던 최일환이 문을 열고 나오며 동준을 불렀다. 윤정옥은 다행이라는 듯 한숨을 내쉬었다.

“사돈댁 부탁은 내가 해결할 생각이다. 열을 해주고 하나만 받을 거야. 아홉은 네가 필요할 때 받아서 써.”

“어디에 쓸까요.”

동준은 자조적인 얼굴로 최일환을 쳐다보았다.

“돈으로 받아서 판사를 사 청부 재판을 할까요, 사람을 사서 위증을 하는 데 쓸까요.”

“넌 힘이 없는 정의를 버리고 정의가 없는 힘을 선택한 것뿐이다.”

최일환이 동준을 달래듯 인자한 어조로 말했다.

“정의가…… 없는…… 힘…….”

동준은 자신에게 말하듯 낮게 뇌까렸다.

“정의와 힘을 다 가질 수는 없다. 힘없는 정의로 네가 상대할 수 있는 적이 얼마나 될 것 같으냐? 힘없는 정의가 승리하는 건 혁명이 일어날 때뿐이다.”

최일환은 권력의 힘을 맛보면 동준도 달라질 거라고 확신했다. 정의는 흔들리기 쉽지만 힘은 언제나 단단했다.

“내일은 미 대사관 만찬에 가라. 다음 날은 국회 법사위 세미나 발제를 하고. 그놈들보다 상석에 앉게 될 거야. 그게 힘이다. 밖에서 보는 놈들이 너를 부러워할."

"밖에서는 모르겠죠."

동준은 피식 웃으며 낮게 독백하듯 말했다.

"법의 제왕 최일환 대표가 사법시험에 떨어지고 변호사 자격도 없는 딸 때문에……."

"동준아."

최일환은 그만하라는 의미로 낮고 무겁게 동준의 이름을 불렀다.

"평생 키운 태백을 친구 아들한테 빼앗길까봐 두려워한다는 걸 누가 알겠습니까."

동준은 항변하는 눈빛으로 최일환을 바라보았다. 최일환은 그런 동준을 잠시 응시하다 책상 앞에 꽂힌 서정주 시인의 시집을 꺼내 펼치더니 「자화상」이라는 시를 읽어 내려갔다.

"애비는 종이었다. 밤이 깊어도 돌아오지 않았다."

최일환은 시집을 펼친 채로 책상에 엎어놓고 말했다.

"동준아, 내 아버지는 종이었다."

뜻밖의 말에 동준은 놀란 표정을 지었다.

"자랑거리라고는 하나뿐인 아들이 최고의 법대에 간 거였지. 주인집 아들이 돈을 대고 난 머리를 댔다. 태백을 키웠어. 그놈 땅을 소작하는 게 아니라 동업이라고 생각했는데……. 동준아!"

인자한 목소리로 최일환은 동준을 불렀다.

"엄마 배 속에서 버려진 의사 아들놈하고, 평생 지은 농사를 소작료로 뺏기게 된 머슴 아들놈하고 소작쟁의 한번 해보자!"

최일환의 의미심장한 말에 동준은 꼼짝할 수 없었다.

"내일 호주에 갈 거다. 실탄을 구하는 데 며칠 걸리겠지. 동준아, 마지막 총구는 네가 당겨야 할 거다."

동준은 이제야 자신을 선택한 이유와 자신이 해야 할 일을 알 것 같았다.

6

동준과 수연은 차 뒷좌석에 앉아 저만치 보이는 태백 건물을 향해 달리고 있었다.

“나한테 말할 수 없으면 나한테 말할 필요 없게 만들어요, 이동준 씨. 어서 없어졌음 좋겠다, 당신 그림자.”

수연은 묘한 웃음을 띤 채 손톱을 매만지며 동준에게 말했다.

차가 태백 앞에 도착하자 동준과 수연이 내리는데, 형사 몇 명이 다가오더니 수연의 손목에 수갑을 채웠다.

“최수연 씨, 살인교사 혐의로 긴급체포합니다. 이동준 씨! 당신은 공범이야. 연행해.”

동준이 뭐라 말할 사이도 없이 다른 형사가 동준의 손에 수갑을 채웠다. 철컥 하는 소리에 동준이 기겁하는데…….

헉!

동준은 거친 호흡과 함께 일어났다. 꿈이었다. 동준은 몸을 일으키려다 옆을 보았다. 건너편 침대에 수연이 잠들어 있었다.

'나 안 넘어지게 잘 잡아요, 이동준 씨.'

낚시터에서 그렇게 말했던 수연의 목소리가 들려오는 듯했다.

동준은 식은땀을 흘리면서, 잠들어 있는 수연을 복잡한 얼굴로 쳐다보았다.

'그림자……!'

"전국 교도소를 총괄하던 교정국장님이 태백에 계시죠. 언제고 법무부로 다시 오실 분인데 식사 자리나 한번……."

동준은 창밖을 보며 의무실장의 말을 묵묵히 듣고 있었다.

"신창호 씨 외부 진료 알아보겠습니다."

아무 반응이 없자 의무실장은 동준에게 잘 보이려 '외부 진료 카드'를 꺼냈다.

신창호의 병세는 나날이 악화되고 있었다. 의무실장은 바로 옆 책상에 놓인 외부 진료 허가서를 집어 들려다, 바로 옆에 선 동준이 서류를 손으로 누르고 있는 것을 보고 그를 쳐다보았다.

"신창호 씨 다른 교도소로 이감 가능한지 알아봐주세요. 서울에서 아주 먼 곳이면 좋겠습니다."

의무실장은 이해할 수 없다는 듯 고개를 갸웃하며 동준을 쳐다보았다. 그런데 그 표정이 너무 단호해, 알겠다는 표시로 고개를 끄덕였다.

*

'친일파 강병구의 땅 십만 평, 후손들에게 돌아가'.

"야, 이거 돈이 얼마냐. 한잔 사라."

정일의 책상 위에 놓인 신문 기사의 제목을 읽던 조경호는 호들갑을 떨었다. 얼마 전에 정일은 할아버지 재산 환수 재판에서 승소했다.

“우리 할아버지는 만주에서 독립운동하셨잖냐. 추운 데서 뭔 짓인지 몰라. 건국훈장 애족장 받았는데. 젠장. 훈장은 녹이 다 슬었는데 땅은 더 비옥해지니.”

정일은 참 신기한 나라라고 생각했다. 이런 예만 보더라도 이 나라에서 어떻게 살아야 하는지 잘 알 수 있었다.

“거기 골프장 만들면 회원권 한 장 줄게. 대표님 오늘 호주에 갔어.”

회원권이라는 말에 조경호의 입이 헤벌쭉 벌어졌다.

“시드니대학교 명예법학박사 수여식 한다던데.”

정일은 고개를 갸우뚱했다. 뭔가 석연치 않은 구석이 있었다.

“하루면 될 일인데 나흘이나 자리를 비울 분이 아니야.”

그때 노크 소리가 들리더니 영주가 연설문을 들고 와 정일 앞에 놓았다.

“이상미 비서가 오늘 월차를 냈어요. 부탁받고 세계법학자대회 기조연설문 어레인지했습니다.”

정일은 연설문을 들여다보며 영주에게 이름을 물었다.

“조연화예요.”

영주는 정일과 조경호가 연설문을 보는 동안 집무실 안을 빠르게 훑어보았다.

자신의 집무실로 향하던 동준은 영주의 책상이 비어 있자 다급히 주변을 둘러보았다. 영주가 또 무슨 일을 저지르고 있는지 모를 일이었다. 층 전체를 쭉 훑어보던 동준은 정일의 방에 있는 영주를 발견하고 아연실색했다. 동준은 서둘러 자신의 집무실로 들어가 영주에게 전화를 걸었다.

"조연화 씨, 여기 오타가……."

"의장단 절반이 영국인이어서 영국식 영어로 수정했습니다."

정일은 그제야 제법이라는 눈빛으로 그녀를 쳐다보았다.

그때 영주의 휴대폰이 울렸다.

"네, 변호사님. 바로 가겠습니다."

영주는 전화를 끊고 정중하게 설명을 늘어놓았다.

"단문 위주의 문장도 클래식한 복문으로 바꿨어요. 마음에 안 드시면 다시 하겠습니다."

"의장단 마음에는 들겠지. 그게 내가 할 일이고."

정일이 됐다는 듯 고개를 끄덕이자, 영주는 정중하게 인사하고 밖으로 나갔다.

"쓸 만하네. 정일이 네 맘에 드는 건 왜 이동준 저놈이 다 갖고 있냐."

조경호는 유리벽 너머로 동준의 집무실로 들어가는 영주를 보며 한마디했다. 정일은 조경호의 말에 잠시 인상을 찌푸리고는 다시 연설문을 보며 흡족한 미소를 지었다.

동준은 소파에 앉아 집무실로 들어오는 영주를 무표정한 얼굴로 쳐다보았다. 영주는 그 시선을 보지 못한 채 동준 옆으로 갔다.

"강정일 팀장, 외부에 인력이 있어요."

영주는 짧은 시간에 정일의 집무실을 매의 눈으로 쫙 훑었다. 협탁 위에 놓인 정일의 지갑 옆에는 호텔 카드키가 있었다.

"호텔 카드키가 있어요. 룸을 장기 임대했다는 뜻이죠."

또한 책상 위에는 정일의 휴대폰이 놓여 있었는데, 옷걸이에 걸린 코트 주머니가 처져 있었다. 그 안에도 휴대폰이 있었다.

"휴대폰을 두 개 쓰고 있어요. 하나는 대포폰이고요. 알아서는 안 될 사람하고 연락한단 뜻이겠죠. 요즘 비선이 유행인가."

영주는 자신이 알아낸 사실들을 보고하고 동준에게 손을 내밀었다.

"보안카드!"

동준은 보안카드 대신 굳은 얼굴로 영주에게 옆에 놓인 서류 한 장을 건넸다.

영주는 의아한 눈으로 서류를 들여다보다 눈이 튀어나올 듯 휘둥그레졌다. 이감 명령서 사본이었다.

"신창호 씨 며칠 안에 이감될 겁니다. 차로 대여섯 시간 걸리니까 평일에는 면회 가기 어려울 겁니다."

영주는 도무지 의미를 알 수 없다는 눈으로 동준을 쳐다보았다.

"바닷바람이 찬 곳입니다. 중국에서 불어오는 황사에 미세먼지까지."

동준은 비로소 영주를 보며 위악적인 미소를 보였다.

"건강에 안 좋은 곳이죠. 특히 폐에."

"이동준 씨!"

영주는 피가 거꾸로 솟는 것 같았다.

"당신이 멈추면 나도 멈추죠."

서로를 바라보는 동준과 영주는 눈에서 불꽃이 튀었다.

숨 막힐 것 같은 정적이 흘렀다. 잠시 후 동준은 자리에서 일어나 영주 옆에 서서 설득하듯 말했다.

"외부 진료 받아야죠. 내년쯤에 병보석도 알아보겠습니다. 살인을 인정하고 항소를 취하하세요, 신영주 씨."

"아버지는 김성식 기자를 살해하지 않았어요. 그게 진실이에요."

영주의 목소리가 싸늘했다.

"난 꽤 괜찮은 판사였어요. 그것도 진실입니다."

"당신은 아버지를 짓밟았어요."

"내가 밟힐 순 없으니까."

영주는 금방이라도 터져버릴 것 같은 분노를 억누르며 동준을 쳐다보았다.

"기침이 심하다고 들었습니다. 폐렴, 아니 어쩌면 더 심한 병일지도 모르죠."

동준은 영주의 숨결이 느껴질 거리까지 다가가 영주를 바라보며 진심으로 말했다.

"살아야죠. 당신 아버지도 ……나도."

영주는 동준을 보며 자신이 얼마나 더 버틸 수 있을지 확신이 서지 않았다.

*

저번에 봤을 때보다 신창호는 기침이 더욱 심해져 있었다. 그는 기침이 가라앉지 않자 주머니에서 약을 꺼냈다. 영주가 다급하게 물을 떠 와 그에게 건넸다. 신창호가 약을 먹고 물을 마시는 동안 영주는 뒤에 서서 그의 등을 쓸어주었다. 기침이 조금씩 잦아들자, 영주는 등을 쓸던 손을 멈추다 허옇게 센 뒷머리를 보고 울컥했다.

"아빠, 외부 진료 받을까? 큰 병원에 가서 CT도 찍고."

"그놈들이 뭘 달래더냐."

영주는 아버지가 받아들이지 않을 걸 알고 있었지만, 흰머리를 보니 마음이 아려왔다.

"항소 취하하면 병보석으로……."

"성식이는……."

'성식이 아저씨!'

영주는 생각지 못했던 아버지의 말에 멈칫했다. 그녀는 잠시 심호흡을 하고 아버지 앞으로 가서 앉았다.

"재판 계속해야지. 내 무죄를 밝히는 게 아니야. 성식이 그렇게 보낸 놈 잡는 거지."

평생을 이렇게 살아온 아버지의 인생에 가슴이 아팠다.

"아빠가 마음만 바꾸면……."

솔직히 영주는 너무 지쳐 있었다. 정의 같은 건 이제 아무 의미도 없었다. 그저 아버지를 저 차디찬 감방에서 데리고 나올 수만 있다면 무슨 짓이든 할 수 있을 것 같았다.

"영주야, 다들 마음을 바꾸니까 세상이 안 바뀌는 거야. 같이 기자생활 시작한 놈들, 누구는 방송국 보도본부장이 되고, 누구는 신문사 편집국장이 되고, 짧은 인생을 명함에 새길 글자 파느라 허비하는 놈들이야. 영주야, 아빠는 ……내가 세상을 떠난 뒤에도 계속될 일을 하다 갈란다."

영주는 안타깝고 먹먹한 눈으로 아버지를 바라보았다.

"근데 영주야……. 넌…… 아빠처럼 살지 마라."

진심이었다. 신창호는 자신이 걸었던 험난한 이 길을 절대로 딸이 걷게 하고 싶지 않았다. 자신의 신념을 지키느라 처절하게 희생한 아내와 딸을 보면, 자신은 참 이기적인 삶을 살았다는 생각이 들었다. 그런 아버지를 보며 영주는 뭐라도 해야 할 것 같았다.

"이동준 변호사님의 비서인 조연화예요."

영주는 서류 한 장을 보안 직원에게 내밀었다. 보안 직원이 의아한 눈으로 서류를 훑어보았다.

"이번 달 보안 검사 지적 사항입니다. 팀장급 이상 임원진들 보안코드 교체 기간이 지났어요."

"그게…… 규정은 한 달마다 교체하는 건데 실제로는 분기에 한 번 정도만……."

그는 난감하다는 표정을 지었다.

"규정대로 해요. 변호사님은 규정대로 대표님께 보고드릴 생각인 것 같던데. 그쪽 생각해서 왔어요……. 같은 비정규직이잖아요."

그제야 보안 직원은 어쩔 수 없다는 듯 컴퓨터에 앞에 앉아 프로그램 작업 버튼을 눌렀다. 컴퓨터 화면에 난수표처럼 랜덤으로 빠르게 움직이는 칸칸의 숫자들이 보이다, 숫자가 고정되면 위에 '최수연', '강정일' 이런 식으로 이름이 떴다. 은행 보안카드처럼 사람에 따라 지정 번호가 설정되었다. 영주는 주변을 둘러보며 자연스럽게 내린 손에 들고 있던 휴대폰으로 컴퓨터 화면을 동영상으로 촬영했다.

정일의 어두운 집무실 안으로 들어온 영주는 주위를 한번 둘러보고는 정일의 책상에 앉아 컴퓨터를 켰다. 영주는 화면에 보안코드를 입력하라는 메시지가 뜨자, 동영상으로 촬영한 정일의 보안카드에서 그 숫자에 맞는 번호를 입력했다. 로그인이 되고 윈도 검색 화면이 뜨자 영주는 '방탄복'이라고 쳤다. '검색 기록이 없습니다'라고 뜨자, 영주는 얼굴을 찌푸리고는 다시 '백상구'를 쳤다. 마찬가지로 '검색 기록이 없습니다'라고 떴다. 영주는 난감한 얼굴로 뭔가를 생각하다, 창밖으로 저만치서 다가오는 정일의 모습을 보았다. 영주는 다급하게 모니터를 끄고 몸을 숙였다. 정일은 점점 다가오는데, 숨을 곳도 빠져나갈 곳도 없었다. 영주는 어쩔 줄 모른 채 가슴만 졸였다. 절체절명의 순간이었다.

드디어 문고리가 돌아가는 소리가 들리자 영주는 입술을 깨물었다. 정일은 문고리를 잡은 채로 뒤를 힐끗 돌아보았다. 동준의 집무실에 불이 켜져 있었다. 정일은 잠시 뭔가를 생각하더니 문고리를 놓고 동준의 집무실로 향했다.

동준은 책상 앞에 앉아 백상구 수임 서류의 첫 장을 보고 있었다. 이름, 사진, 마약류 관리법 위반 2회 등이 적혀 있었다. 똑똑. 노크 소리가 들리고 정일이 들어오자, 동준은 보던 서류를 다급하게 뒤집어놓았다. 정일은 동준이 당황하는 기색을 느꼈지만 모른 척했다.

"재벌 회장이 구속되면 경영에 지장이 있다는 말, 핑계인 줄 알았는데 진짜였네. 대표님이 안 계시니까 다들 월차에 회식에."

"세계법학자대회 세부 일정을 알고 싶은데."

"이동준 씨는 선임변호사, 난 팀장. 내 일정을 알려줄 필요가 있나."

그 말에 동준은 미간을 좁히며 정일을 똑바로 쳐다보았다.

영주는 다시 컴퓨터를 켜고 검색 화면에 '호텔'이라고 쳤다. 영주의 얼굴은 초조함으로 가득했다. 마침내 '호텔 임대 월별 영수증' 파일이 가득한 폴더가 떴다. 영주는 긴장한 표정으로 파일 하나를 클릭했다. 그녀의 얼굴에 미소가 살짝 번졌다.

"대표님, 시드니에서 멜번으로 넘어갔다 들었습니다. 세부 일정을 알고 싶은데."

"강정일 씨는 팀장, 장인어른은 대표. 일정을 알려줄 필요가 있나."

정일은 동준의 담담한 도발을 잠시 보다 피식 웃음 지었다. 그 모습을 보며 동준이 고개를 돌리자, 창 너머로 정일의 집무실에서 나오는 영주가 눈에 들어왔다. 동준이 멈칫하자 정일이 알았다는 듯 고개를 끄덕이고는 나가려고 돌아섰다. 동준은 다급한 기색을 감추며 책상 한쪽에 놓여 있던 서류 한 장을 정일에게 건넸다.

"세계법학자대회 기조연설은 내가 합니다. 대표님 지시입니다."

정일은 미간을 살짝 찌푸리며 서류를 받아 들었다. 서류 제목은 '기조연설자 교체의 건'이었다.

동준은 그사이 자리에서 일어나 유리벽 쪽으로 다가갔다. 그의 시선은 영주를 따라가고 있었다. 순간 영주가 뒤돌아서자 두 사람은 눈이 마주쳤다. 동준은 영주와 눈이 마주치자 일그러진 얼굴로 버티컬을 착하는 소리가 나도록 거칠게 쳐버렸다.

그 소리에 정일이 뒤를 힐끗 돌아보았다. 동준의 뒷모습이 보였다. 그 모습을 보고 정일은 책상 위에 놓인 서류를 슬쩍 들춰보았다. 백상구 수임 서류가 있었다. 정일의 얼굴에 의미를 알 수 없는 미소가 슬그머니 번졌다.

"준비한 기조연설문 파일 보낼게요."

"다시 쓸 겁니다. 생각해둔 주제가 있어서요. 대형 로펌의 사회적 책임."

동준은 여전히 정일에게 등 돌린 채로 영주 일을 해결할 생각을 하며 말했다.

"그런 주제라면 변호사로 시작해서 법으로 장사만 해온 나보다는 판사 출신이 낫겠네."

아까부터 버티컬을 친 창을 보고 서 있는 동준을 바라보던 정일은, 동준의 목 뒤에 선명한 점 두 개를 신기한 듯 쳐다보며 말했다.

"기대하겠습니다, 이동준 씨."

*

와인 바로 들어서면서 영주는 씁쓸한 표정을 지었다. 현수가 왜 이곳을 약속 장소로 정했는지 알 것 같았지만 애써 모른 척했다. 영주는 현수가 앉아 있는 구석 테이블로 다가갔다. 테이블 가운데 놓인 컵에 담긴 초가 남은 밀랍 위에서 희미하게 타고 있었다. 영주는 자리에 앉기 무섭게 현수에게 문자메시지를 보냈다. 현수는 휴대폰이 울리자 문자메시지를 확인했다.

"레이크호텔 34층. 3년 동안 장기 임대를 했어."

"작년이었나, 여기서 청혼했었는데."

현수는 영주가 보낸 영수증 사진을 휴대폰으로 확인하며 무심하게 말했다.

영주는 현수를 힐끗 쳐다보더니 무시한 채 말을 이었다.

"매달 개인 카드로 결제했어. 알아봐줘. 그 룸에 드나드는 강정일의 비선이 누군지."

"그때도 이 자리였는데."

영주는 현수가 아직도 자신에 대한 미련을 떨치지 못한 것 같아 안타까웠다.

"예전에는 납북 어부가 돌아온 뒤에 중앙정보부가 간첩단으로 조작한 사건이 많았어. 아빠가 기사를 썼었는데. 피해자들이 제일 미워하는 건 자신들을 고문한 사람도 유죄를 선고한 판사도 아니야."

현수는 영주가 무슨 말을 하는지 알 것 같았다.

"억울하다고 도와달라고 내민 손을 뿌리친 친척, 친구들……. 30년

이 지나도 못 잊더라.”

“영주야, 우리…….”

두 사람 앞에 놓인 초는 심지가 파르르 떨리다 꺼져버렸다.

“밀랍이 다 녹았는데 심지가 탈 순 없잖아. 법원에서 1심 유죄 판결이 난 사건이야. 형사계장이 해결하면, 와, 스타 되겠다, 너.”

현수는 장난기가 살짝 스민 얼굴로 웃고 있는 영주를 절망적인 표정으로 바라보았다.

“현수야, 넌 너 좋아하는 진급해. 난 나대로 살 테니. 커피 좀 줄이고. 힘들게 담배 끊었잖아. 손도 대지 마.”

영주는 건배를 제안하듯 와인 잔을 살짝 들어 보이곤 단숨에 마셔버렸다.

마음속으로 영주는 자신은 창녀라고 현수에게 말했다. 영주는 아무리 상황이 변해도 다시는 현수와 예전으로 돌아갈 수 없다는 사실에 마음이 쓰라렸다.

*

“어릴 때 근처에 살았어요. 강정일 팀장, 그땐 오빠라고 불렀지. 정일 오빠랑 그림자밟기 놀이 많이 했었는데. ……필요하면 말해요. 당신 그림자 내가 지워줄게요. 강정일 팀장 그림자밟기 되게 잘하는데. 걱정이다, 정말.”

수연은 동준의 집무실 소파에 앉아 손톱을 매만지면서 경쾌한 어조로 남의 일처럼 말했다.

동준은 수연의 얘기를 건성으로 들으면서 유리벽 너머의 비서들을 보고 있었다. 그들은 분주하게 움직이고 있었다. 자신의 책상에 앉아 있는 영주가 휴대폰으로 문자메시지를 보내는 듯하더니 서류를 챙기고 자리에서 일어나는 모습이 보였다. 동준은 영주가 곧 자신을 찾아올 거라는 예감에 긴장하기 시작했다.

노크 소리와 동시에 문이 열리면서 영주가 들어왔다.

"대표님은 내일 저녁 8시 인천공항에 도착하신답니다. 참, 올해는 황사가 별로 없다고 합니다. 미세먼지도 약하겠지요. 바닷바람은 견디시겠답니다."

영주가 동준을 똑바로 보며 담담하게 말했다. 동준은 제안을 거부한다는 의미임을 알아차렸다.

수연은 '대체 무슨 소리야.' 하는 눈으로 두 사람을 힐끗 보다가 귀찮다는 듯 다시 손톱을 매만지기 시작했다.

영주는 손으로 책상 위에 놓인 휴대폰을 가리켰다. 동준은 잠시 영주를 쳐다보고는 문자메시지를 확인했다.

—강정일은 내가 맡죠. 당신은 백상구 입을 열어요.

문자메시지를 확인하고 동준은 얼굴을 찌푸렸다.

"백상구 씨 검찰 측 기소장 분석했습니다, 변호사님."

영주가 담담한 얼굴로 들고 온 서류를 동준에게 내밀었다.

동준은 그 서류를 가만히 바라만 볼 뿐 받아 들지 않았다. 그는 떼어내도 달라붙는 진드기를 보듯 영주를 쳐다보았다.

"청룡전자는 우선 매각 협상 업체가 선정됐습니다. 다음 주에 MOU 체결하면 자산 실사가 시작됩니다."

팀장 회의가 어느 정도 끝나갈 즈음 조경호가 마무리하는 분위기로 정리했다.

"다음."

정일의 질문에 아무 대답이 없자 정일은 일어나려 했다.

"없으면 내일."

"SNS에 동영상이 올라온 지 일주일 됩니다."

황보연이 난감한 얼굴로 말하고는 리모컨으로 텔레비전을 켰다. 묵음의 동영상이 나왔다. 동영상 화면이 나오자 동준은 당황한 얼굴로 서류를 들여다보았다.

"법조계 출입 기자들이 냄새를 맡은 것 같습니다. 오늘 두 건이나 전화가 왔습니다."

"어서 해결하세요, 이동준 씨."

동준은 정일의 말에 미간이 꿈틀거렸다.

"이거 이동준 변호사가 조사하기로 했잖아. 대충 끝내지. 점심은 각자 알아서……."

정일은 가볍게 말하다 갑자기 멈췄다. 정지된 동영상 화면에서 뭔가를 발견한 듯했다.

"줌인하세요."

정일이 황보연에게 지시하자, 그녀는 화면을 줌인했다.

화면 속 남자의 뒷목에 점 두 개가 선명하게 보였다.

동준은 화면을 보며 순간적으로 자신의 목을 만졌다. 자기도 모르게 마른침을 삼켰다.

"조경호 변호사, 사이버 수사대에 비공개로 수사 의뢰해서……."

"제가 하겠습니다. 보안과 협조 받아서."

동준이 다급하게 말했다.

"세계법학자대회 기조연설문 쓰느라 시간도 없지 않나."

"외부 보안업체에도 의뢰하죠. 내가…… 처리하겠습니다."

동준은 당황한 기색을 감추려 애썼다.

"신혼인데 어떡하냐? 이렇게 바빠서."

정일은 동준을 보며 조롱하듯 수연에게 말했다.

"강팀장 한가하게 만들려면 우리가 바빠야죠."

수연은 정일의 조롱에 답하듯 삐딱하게 말했다.

정일은 아무렇지도 않다는 듯 고개를 끄덕이고 일어나 동준의 뒤로 걸어갔다.

"하루에 한 프레임, 저 남자 얼굴은 언제 드러납니까?"

황보연은 사흘 남았다고 대답했다.

정일은 동준의 뒤에 서서 목 뒤의 점 두 개를 내려다보며 의미심장하게 말했다.

"짧네. 누구한테는 아주 긴 시간일 테고."

동준은 벗어날 수 없는 덫에 걸린 기분으로 앞만 바라보았다.

7

동준은 휴대폰으로 통화하면서 창가로 걸어갔다.

"이름은 신영주. 얼마 전까지 경찰이었어. 오늘 안에 알아봐."

동준은 기용의 말을 들으며 유리 너머에서 일하는 영주를 보다가 고개를 살짝 들었다. 동준은 맞은편 집무실 창가에 서서 자신을 보고 있던 정일과 눈이 마주쳤다. 순간 동준은 버티컬을 치고 관자놀이를 누르며 통화를 계속했다.

"그래. 신영주를 치우고 싶은 사람이…… 경찰에도 있을 거야."

동준은 일하고 있는 영주를 분노하며 바라보다 뭔가 결심한 듯 눈에 단호한 기색이 서렸다. 저 정도 성격이면 분명 경찰에도 등지고 있는 사람이 있을 것이다.

한정식 집에 마주 앉은 이호범과 안명선은 서로 눈도 마주치지 않은 채 어색한 듯 물잔만 매만졌다. 안명선은 몹시 불편한 얼굴로 동준이 빨리 와주기를 바라며 방문 쪽을 계속 쳐다보았다. 마침내 문이 열리고 동준이 들어와 안명선 옆에 앉았다. 그제야 안명선은 얼굴을 조금 폈다. 따라 들어온 종업원이 주문을 받기 위해 이호범에게 메뉴판을 내밀었지만 동준은 무시하고 송이버섯전골을 주문했다.

"엄마 매운 거 못 먹으니까 담백하게 해줘요."

동준은 종업원이 나가자 안명선을 바라보았다. 엄마의 얼굴이 편치 않아 보였다.

"1년에 한 번 모이는 날이잖아. 웃어, 엄마. 아들 생일인데."

1년에 한 번, 동준의 생일이면 세 사람이 함께 만나 식사를 했다. 오래전 동준이 어렸을 때 안명선이 정한 뒤로 그래왔다. 안명선은 생일날 매번 자신과 둘만 지내는 동준이 불쌍해, 헤어지고 나서 처음으로 이호범을 찾아갔었다. 그 후로 1년에 한 번, 세 사람은 이렇게 동준의 생일날이면 의무처럼 만났다. 세 사람은 식사가 나올 때까지 서로 아무 말도 하지 않고 물만 마셨다. 잠시 후 송이버섯전골이 나오자 세 사람은 조금은 편한 표정으로 식사를 시작했다. 방 안에는 적막이 감돌았다. 그 분위기를 깬 건 이호범이었다. 이호범은 방으로 들어온 이후 처음으로 입을 열었다.

"재단에 있는 현찰 다 넣어서 청룡전자 주식 매입했다. MOU 체결되고 상한 몇 번 치면 두 배 이상……."

"청룡전자 매각 현황 어떻게 아셨습니까?"

동준은 굳은 얼굴로 전골을 뜨다가 딱 멈추고 이호범을 쳐다보았다.

"크크. 네 부탁이라고 했더니 송태곤 비서가 말해주더라."

이호범은 느물거리는 표정으로 대답했다.

"동준이한테 손대지 말아요. 미안하구나, 동준아. 너 중학교 때 내가 이 사람 찾아갔다. 생일날이라도 같이 있어달라고 부탁했어. 왜 그랬을까……. 너한테 아버지가 필요하다고 생각했는데, 종합병원 원장에 대통령 주치의까지 됐는데도 이 사람 아직도 허기가 져 있어."

안명선은 탁자 아래로 동준의 손을 잡았다.

"내년부턴 처가 식구들하고 생일 지내라."

안명선은 이제 더 이상 이호범을 보고 싶지 않았다. 그때 동준의 휴대폰이 울렸다.

"이동준입니다."

―변호사님. 아, 흥신소 애들 풀었더만 반나절 만에 찾았습니다. 경찰대 선배인데 두 번이나 진급에서 물 먹고 신영주 밑에서 기었답니다. 변호사님이 시킨 대로 신영주 처리하겠습니다.

동준은 자신의 한 손을 잡고 있는 엄마의 손을 묵묵히 보며, 그렇게 하라고 말하고 전화를 끊었다.

안명선은 이호범을 똑바로 쳐다보면서 낮고 단호하게 말했다.

"동준인 내가 키웠어요. 당신하고 다르게, 당신 같은 사람 안 되게, 내가…… 키웠어요."

동준은 엄마에게 한 손이 잡힌 채로 자신이 미워했던, 그러나 닮아가고 있는 이호범의 느물거리는 얼굴을 묵묵히 바라보았다.

자신에게 달라붙는 신영주를 떼어놓기 위해 자신이 무슨 짓을 하고 있는지 엄마는 알고 있을까? 동준은 이제 수단과 방법을 가리지 않는 자신이 점점 두려워졌다.

*

거센 바람에 현수의 머리가 사정없이 휘날리고 있었다. 현수는 건물 옥상에서 망원렌즈가 달린 카메라로 건너편 호텔 34층의 어느 불 켜진 방을 주시하고 있었다. 현수는 최대한 줌인 되는 카메라로 호텔 방 안을 샅샅이 훑었다. 호텔 방 안에서는 정일이 반쯤 걷힌 커튼에 가려진 누군가와 대화를 나누고 있었다. 찰칵. 찰칵. 현수는 정신없이 카메라 셔터를 눌렀다.

잠시 후 정일이 팔을 활짝 벌리자 커튼 뒤에 가려져 있던 사람의 모습이 보였다. 순간 현수의 카메라가 멈칫했다.

'아니 저 사람은…….'

현수는 고개를 갸우뚱하며 다시 찰칵찰칵 셔터를 누르기 시작했다.

영주는 엄마의 반찬 가게 안으로 들어서다 화들짝 놀랐다. 배계장과 그의 부하 둘이 바닥에 신문지를 깔고 퍼져 앉아 추어탕을 먹고 있었다. 영주는 놀란 눈을 하고 그들이 있는 곳으로 천천히 다가갔다. 마침 추어탕을 싹 비우고 숟가락을 내려놓던 배계장이 영주를 발견하곤 기분 나쁜 웃음을 지었다.

"하이! 신계장."

영주는 배계장을 불길한 눈으로 말없이 쳐다보며 무슨 상황인지 파악하려 애썼다.

"우리 영주하고 한 밥 묵던 분들인데, 밥상이라도 펴야 되는데 바쁘다 캐서."

엄마의 목소리에 영주가 뒤를 돌아보니 엄마가 손에 물컵을 들고 서 있었다. 엄마는 물컵을 형사들에게 갖다 주며 말했다.

"요 동네에 숭악한 놈이 있어가 잡으러 가는 길에 들렀다 안 카나."

"공문서 위조범입니다. 주민등록증에 등초본까지 위조해서 로펌에 들어갔다는데…….”

배계장은 영주를 쳐다보며 천천히 수갑을 꺼냈다. 순간 영주는 엄마 앞에서 흉한 모습을 보일 수 없어 배계장의 손을 잡았다.

“엄마, 차 한잔하고 올게.”

배계장은 무슨 의미인지 알아차리고는 히죽 웃더니 영주에게 잡힌 손을 빼며 수갑을 주머니 안으로 넣었다.

“우리 식구들 간만에 봐서, 늦을지도 모르니까 먼저 자, 엄마.”

영주는 엄마에게 웃음을 지어 보이고는 앞장서서 나갔다. 형사들은 그 뒤를 따랐다.

“양손 앞으로! 공문서 위조 혐의로 긴급체포할랍니다. 조연화 씨 수갑 채워!”

반찬 가게 밖으로 나오자 배계장이 곧바로 형사에게 수갑을 채우라고 지시했다. 형사는 불편하지만 어쩔 수 없는 얼굴로 영주의 손목에 수갑을 채웠다. 그때 뒤에서 가게 문이 열리더니 영주 엄마가 비닐봉지 세 개를 들고 다급하게 나왔다.

“하나씩 들고 가이소. 창난젓인데, 집에 가가 식구들하고…….”

영주 엄마가 갑자기 말을 멈췄다. 그녀의 눈에 수갑을 찬 영주의 모습이 들어왔다.

“영주야…… 이기 머꼬? 와카노?”

보이고 싶지 않은 모습을 보이고 만 영주는 할 말을 고르지 못한 채 어색하게 입을 떼려다 그만두고 고통 어린 눈빛으로 엄마를 바라보았다.

영주는 배계장의 손에 이끌려 수갑을 찬 채 자신이 일하던 곳을 걸어갔다. 이 복도는 자신이 무수히 많은 범인들을 끌고 지나간 곳이었다.

“이래서 가정교육이 중요해. 아비가 걸어간 길, 딸내미도 걷잖아.”

배계장이 비열한 웃음을 흘리며 말했다. 무력감에 빈 복도를 바라보던 영주를 배계장이 떠밀듯이 취조실로 집어넣고는 문을 쿵 닫았다. 취조실 안에는 경찰이 아니라 이동준이 있었다. 순간 영주의 눈이 분노로 파르르 떨렸다.

“하루에 한 프레임? 동영상은 더 이상 공개되지 않을 거고 조사는 중단됐다고 보고할 겁니다. 영장은 오늘 안에 칠 거고.”

“불구속으로 풀려나오면 동영상 전체를 공개…….”

영주는 어떻게든 이 상황에서 벗어날 방법을 찾아내려 했다.

“당신 덕분에 영장 담당 판사 돈 좀 벌겠네. 곧 구속시킬 겁니다, 신영주 씨.”

“개자식.”

“창녀.”

창녀라는 말에 영주는 얼굴이 일그러졌지만 정곡을 찔린 듯한 기분은 어쩔 수 없었다.

“몸을 팔아서 사적인 이익을 취하는 사람을 창녀라 부르죠. 매춘은 불법입니다, 신영주 씨.”

“당신은 뭘 팔았지? 양심? 신념? 좋겠네. 비싸게 팔아서.”

“양심은 버려도 살 수 있고 신념은 바꿔도 내일이 있지만, 어떡합니까. 인생은 한 번인데. 신영주 씨한테 진 빚은 긴 세월 살아가면서 세상에 갚겠습니다.”

그 말에 영주는 분노로 온몸이 파르르 떨리는 걸 느꼈다. 그때 이동준의 휴대폰이 울렸다.

“이동준입니다.”

—해가 길어졌어요. 당신 그림자도 길어질 테니 사람 사서 지울게

요. 누군지 알려줘요.

전화기에서 수연의 목소리가 들려왔다.

“그림자는 없어졌습니다, 최수연 씨. 낚시터에서 있었던 일 쫓는 사람, 이제 없습니다.”

동준은 영주를 똑바로 쳐다보며 천천히 말했다.

수연은 동준의 집무실로 들어가 불을 켰다.

“그럼 백상구 변호 잘해서 입만 막으면 되겠네.”

수연은 핸드백에서 흰 가루가 담긴 작은 비닐을 꺼내 동준의 책상 서랍에 넣었다.

“선물이 있어요. 당신 인생에 영원히 따라다닐 아주 대단한 거예요. 내 맘에는 드는데. 생일 축하해요, 이동준 씨.”

수연은 전화를 끊고 희미한 미소를 지으며 경쾌한 걸음으로 동준의 집무실을 나갔다.

“형법 제225조. 공문서를 위변조하는 행위는 10년 이하의 징역에 처한다. 나한테 부탁한다면…… 신창호 씨하고 같은 교도소에 있게는 해드리겠습니다.”

동준은 고개를 살짝 숙여 영주에게 인사하고 밖으로 나가버렸다. 영주는 분노와 무력감으로 동준을 멍하니 바라보았다.

그때 현수가 다급하게 들어와 황망한 얼굴로 영주를 바라봤다.

“영주야, 서장님 아직 계셔. 내가 만나서…….”

“가지 마. 이동준 변호사, 서장님한테도 손댔을 거야. 강정일 비선은 알아봤어?”

현수는 영주를 잠시 응시하다 인화한 사진 몇 장을 봉투에서 꺼내 그녀 앞에 놓았다,

영주는 그 사진들을 한 장씩 넘겨봤다. 정일과 수연이 호텔 룸에서 포옹하는 사진, 호텔 지하 주차장에서 손 흔들며 멀어지는 사진. 각각 자신의 차로 출발하는 사진 등이었다.

"연인인 것 같더라. 두 시간 정도 같이 있다가 차는 각자 타고 갔어."

영주는 충격에 빠진 채 사진을 보다가 뭔가 떠오르는 것이 있었다.

'그림자는 없어졌습니다, 최수연 씨. 낚시터에서 있었던 일 쫓는 사람, 이제 없습니다.'

덫! 영주는 동준이 덫에 걸린 게 틀림없다는 생각이 들었다. 뭔가 직감적으로 불길했다.

"이동준 변호사, 아버님 재판 담당했던 그 판사 맞지. 개자식……."

영주는 그 말에 뭔가 결심이 서는 듯했다.

"지금은 필요한 개자식이야. ……미안해, 현수야."

무슨 말인지 알아차릴 틈도 없이 영주가 수갑을 찬 양손으로 현수의 얼굴을 후려쳤다.

현수는 저만치 나동그라지며 이유를 알 수 없다는 눈으로 영주를 바라보았다. 영주는 수갑을 찬 양손을 들어 보였다.

"취조 중인 피의자가 형사를 구타한 뒤 탈출했어. 형사는 감봉 정도 받겠지. 그 정도는 해주라, 현수야."

영주는 복도에서 자신을 막는 형사 두어 명을 제압하고 서둘러 경찰서를 빠져나와 택시를 탔다. 영주는 잠시 생각하더니 누군가에게 전화를 걸었다.

"이상미 씨, 월차 잘 쉬었죠? 내 책상 위에 있는 이동준 변호사님 스케줄표 좀 확인해줘요."

*

수연은 최일환의 집무실 소파에 앉아 손톱을 다듬고 있었다.

"내일 엄마가 시간 비우래요. 외할아버지가 교회 십일조 횡령한 거 무죄받았다고 감사 기도회를 한다나."

"내일부턴 바쁠 거다. 너도 못 간다고 얘기해."

"호주에서 대형 사모펀드 두 개를 섭외했습니다. 앞으로 국내 모든 투자는 동준이가……. 이동준 변호사를 통해서."

송태곤은 동준을 이제 이동준 변호사라고 불렀다.

"내가 감사 기도 하기로 했는데."

수연은 장난기 섞인 얼굴로 아쉬운 표정을 지었다.

"수연아, 동준이 불러."

"안 와요. 그 사람."

최일환은 뜻밖의 말에 미간이 꿈틀거렸다.

"예수님이 그러셨죠. 나는 이방의 자식들을 위해 오지 않았다. 신앙이 깊어서 그런가. 나도 밖에서 들어온 놈을 위해 살지 않을 건……."

"동준이 어디에 있어?"

최일환의 목소리가 무거웠다.

"안 온다니까요, 아빠."

가볍게 생글거리는 수연을 최일환은 불길한 눈빛으로 바라보았다.

동준은 꽤 큰 룸클럽 입구에 가방을 들고 서서 간판을 확인한 뒤 안으로 들어갔다. 동준은 수하의 안내를 받으며 VIP 룸으로 향했다. 복도는 취객들과 연예인보다 예쁘고 세련된 여자들로 넘쳐났다.

동준은 거대한 테이블을 마주하고 VIP 룸에 백상구와 마주 앉았다. 이 자리, 이 분위기가 마음에 안 들었지만 어쩔 수 없었다.

“아따 우리 변호사님, 술이 안 땡기믄 좋은 약초 열 몇 개 섞은, 기집애들 좋아하는 요걸로 드쇼.”

동준은 서류 몇 장을 테이블에 올려놓고 백상구 쪽으로 툭 밀었다.

“기소장 분석했습니다. 집행유예를 노리는 게 좋겠습니다. 1심에서 3년 이내 구형만 받으면…….”

백상구는 자신이 따른 음료수 잔을 탁자 위에 올리곤 툭 밀었다. 음료 잔이 스르르 미끄러져 동준 앞에 놓였다. 백상구는 가느다란 양주 잔을 들고 동준에게 건배를 권하듯 들어 보였다.

동준은 어쩔 수 없다는 듯 말을 멈추고 백상구가 건넨 잔을 마셨다.

백상구는 술을 마시며 비릿한 미소를 띤 채 동준이 잔을 비우는지 확인했다.

백상구는 동준이 잔을 비우고 내리자, 짝짝 하고 손뼉을 쳤다. 문이 열리고 수하와 세련된 여자 다섯 명이 들어와 앞에 섰다.

“인생은 초이스여. 하나 고르쇼. 둘도 괜찮고이.”

“백상구 씨 변호사가 의뢰인의 법적 방어 전략을 이야기하는 자리입니다.”

“2조 넣어라.”

백상구는 동준의 말은 듣는 척도 하지 않았다.

“백상구 씨.”

“요번에 들어올 사람은 맘에 드실 것이요.”

동준은 갑자기 이마에 땀이 흐르기 시작했다. 몸이 좀 이상한 것 같았지만 참으며 물수건으로 이마를 닦았다. 백상구는 그 모습을 비릿하게 웃으며 쳐다보았다. 그사이 여자들이 나가고 누군가 들어오는 소리가 들렸다. 동준은 이마를 닦던 수건을 내리고 옆을 흘낏 보았다. 강정일이었다. 그를 보고 동준은 기겁했다. 자신이 함정에 빠졌다는 걸 직감했다.

"이동준 씨는 마약류 복용 혐의로 현장에서 체포될 거예요. 마약반 형사들하고 기자 몇 명이 현장을 곧 덮칠 거고."

정일은 비열한 웃음을 지으며 동준의 맞은편 소파에 앉았다.

"낚시터에서의 일, 그 뒤를 쫓는 그림자. 해결해줘서 고마워요."

"그…… 림…… 자……."

정일의 입에서 그림자라는 말이 튀어 나오자 동준은 뒤통수를 얻어맞은 듯 멍한 표정을 지었다. 자신과 수연 사이에서만 쓰던 그림자라는 암호를 정일이 알고 있다는 건……. 동준은 뭔가 떠오른 듯 정일을 쳐다봤다. 그의 와이셔츠 깃에 붉은 립스틱이 묻은 흔적이 눈에 띄었다.

정일은 동준의 시선을 느끼고 피식 웃었다.

"자주 이럽니다, 우리 수연이."

동준의 얼굴이 딱딱하게 굳었다.

"어제까진 숨겼지. 같이 샤워를 하고 옷도 갈아입고, 오늘은 호텔 룸에서 그냥 나왔습니다. 숨길 필요가 없으니까."

동준은 이제야 자신이 맞춘 퍼즐이 잘못됐다는 걸 깨달았다.

폭우가 쏟아지던 그날 빗속을 달려온 수연은 충격적인 광경을 마주했다. 저만치 떨어진 곳에 배에 낚싯대가 꽂힌 김성식의 시신이 나뒹굴고 있었고, 백상구는 그 옆에 난감하게 서 있었다. 그런데 김성식의 배에 꽂힌 낚싯대를 정일이 깊숙이 누르고 있었다. 수연이 다가가 말릴 때까지 정일은 넋 나간 얼굴로 김성식의 배에 낚싯대를 꽂아 넣었다. 수연이 손을 잡아준 후에야 정일은 자신이 저지른 일을 믿지 못하겠다는 듯 황망한 얼굴로 그녀를 쳐다보았다.

"수연 씨와 당신이……."

동준은 분노로 치를 떨며 자리에서 일어나려다 비틀거리며 다시 주저앉고 말았다. 동시에 시야가 점점 흐릿해지는 걸 느꼈다. 그제야 동준은 뭔가 잘못되었음을 깨달았다.

"흥분하면 몸에 흡수되는 속도가 빨라진다던데."

정일은 동준에게 따라준 음료 병을 보며 비아냥거렸다.

"약초 열 몇 개 탄 음료에 물뽕을 따블샷으로 넣었심미다."

"마약반 형사들이 10분 뒤에 도착할 겁니다. 기자들이 동시에 기사를 터뜨릴 거고요. 압수수색을 하겠죠."

동준은 온몸에 힘이 빠지는 걸 느끼며 어떤 저항도 할 수 없었다.

"이동준 씨 서랍 안에 있는 생일 선물이……."

"스무 번은 빨 수 있는 양이지라."

정일은 동준을 한 번 힐끗 보더니 안됐다는 표정을 지어 보였다.

"상습 복용으로 구속되겠군요."

동준은 어떻게든 손을 들어보려는데 힘이 없어 들 수가 없었다. 눈이 조금씩 감겨오며 정일의 비릿한 얼굴도 점점 흐리게 보였다.

"아, 세계법학자대회 기조연설은 내가 하겠습니다."

동준은 마지막 앙갚음을 하는 정일을 보며 어떻게든 정신을 차리려 애썼다.

"포기하고 편히 쉬어요. 당신을 도울 사람은 아무도 없습니다."

정일은 혀를 쯧쯧 차더니 자리에서 일어나 문으로 걸어갔다.

"법 공부만 헌 줄 알았는디 세상 공부도 하셨네. 암만. 법은 지키는 게 아니라 이용해먹는 것이제."

백상구가 정일의 뒤통수에 대고 살짝 비꼬듯 말했다.

그 말에 정일은 인상을 살짝 찌푸리더니 이내 얼굴을 펴고 밖으로 나갔다.

최일환은 애써 분노를 누르며 송태곤이 가져다준 물컵을 받아 벌컥벌컥 마셨다.

"정일이가 시킨 거냐?"

"아니, 내 마음이."

"그놈은 사람을 죽였어. 정일이가 원하는 건 네가 아니야. 바로 이 태백이다!"

"아빠가 원한 건 엄마였나? 외할아버지 교회에 있는 수십 명의 장로들. 그 인맥. 어떻게 해? 나 엄마 닮았나봐."

너무나 경쾌한 얼굴로 말하는 딸이 견딜 수 없이 미웠지만, 최일환은 분노를 꾹 누르며 수연을 달랬다

"강유택이 아들놈만은 안 된다고 내가 부탁했다."

"나도 부탁했잖아. 정일 오빠 손에 묻은 피, 지워달라고. 그런데 아빠는……."

수연은 몇 개월 전 일이 떠올랐다.

정일과 수연 사이를 강유택과 최일환은 아주 잘 알고 있었다. 하지만 최일환은 정일과의 혼사를 절대 용납할 수 없었다. 정일은 적당한 때에 강유택과 함께 버릴 카드였다.

"어떤 여자는 내를 버리고, 누구는 내가 버리고, 환갑 지나도록 살고 보이, 정일아, 인생하고 바꿀 만한 여자는 없더래이. 지갑 몇 년 쓰고

낡으면 안 버리나. 여자도 맘이 식으믄 새 걸로 댓 번 바꺼가……."

"아버지!"

정일은 강력하게 항의했다.

"그라믄 우짜꼬? 일환이 점마가 지 딸내미 잡은 손 안 놔주믄 니 손에 수갑 채운다 카는데……."

"정일아, 우리 수연이 결혼식 날 사회를 봐줬음 하는데. 해줄 거지?"

최일환은 온화한 미소를 지으며 정일을 보며 다정하게 말했다.

정일은 뭐라 항변도 못하고 그저 묵묵히 최일환을 오랫동안 쳐다보았다.

"그날 넌 약속했다. 정일이 손을 놓고……."

"선약이 있었어. 오빠랑 함께하겠다고. 그 약속 먼저 지키려고."

수연은 더 이상 들을 것도 없다는 듯 최일환을 빤히 쳐다보았다. 수연은 최일환이 통제할 수 없는 유일한 사람이었다. 그런 딸을 최일환은 무거운 얼굴로 바라보며 깊은 한숨을 쉬었다.

"태곤아, 경찰, 기무사, 국정원에 있는 우리 식구들한테 전화 넣어. 차량 추적하고 사람 풀어서 동준이 당장 찾아와."

송태곤은 고개를 끄덕이며 다급히 문으로 걸어갔다.

"송비서님."

송태곤이 걸음을 멈췄다.

"이동준 씨랑 나. 부부 사이의 일이야. 우리가 알아서 할게, 아빠."

최일환이 도무지 통제할 수 없는 딸을 바라보는데 휴대폰이 울렸다.

—성형센터 건으로 찾아뵙겠습니다. 내일 점심 같이 하시죠. 동준이도 부르겠습니다. 제가 동준이한테 연락해서…….

"하지 마. 내가 시간 잡아서 연락하지."

최일환은 당황한 기색이 역력한 얼굴로 이호범의 전화를 서둘러 끊었다.

동준이 서서히 정신을 잃어가던 그 시각, 영주는 택시 기사를 미친 듯이 재촉하며 룸클럽을 향해 달려가고 있었다. 동준을 구해야 아버지를 살릴 수 있었다. 일이 잘못되면 신창호를 구할 방법이 전무했다. 택시가 신호등에 걸릴 때마다 영주의 얼굴에 초조함이 가득했다. 택시가 룸클럽 건너편 신호등 앞에 서자, 영주는 차에서 내려 빨간불도 무시하고 길을 건너 룸클럽 안으로 들어갔다.

영주는 다급한 얼굴로 취객들과 아가씨들이 뒤섞여 있는 룸클럽의 긴 복도를 걸으며 스캔하듯 주변을 살폈다. 그때 저만치서 걸어오는 정일을 보았다. 영주는 고개를 돌려 외면한 채 취객들 사이에 섞여 정일을 지나쳤다. 코너를 돌자 끝에 보이는 VIP 룸 앞에 수하 둘이 문을 지키고 있었다. 영주는 속도를 늦추지 않고 걸어가다, 옆방에서 나오던 웨이터의 쟁반에 놓여 있던 양주 병 두 개를 하나씩 손에 쥐고는 수하들을 향해 하나씩 힘껏 던졌다. 뜻밖의 공격에 두 사람은 병을 피하느라 몸의 균형을 잃었다. 영주는 다가가던 속도와 기세로 균형이 무너진 두 수하를 가볍게 제압하곤 문을 열고 방 안으로 들어갔다. 방 안에는 동준이 정신을 잃고 반쯤 쓰러져 있었고, 그 앞에서 백상구가 술을 마시고 있었다.

"이동준 변호사님, 모시러 왔습니다."

영주는 탁자 위에 머리를 박고 있는 동준 곁으로 다가가며 말했다.

"초면이 아닌 거 같은디."

예상치 못한 영주의 등장에 백상구는 잠깐 놀라는 듯하더니, 술잔을 비우며 비릿한 웃음을 지었다.

"그럼 말 놓을게. 변호사님 상태를 보니 술 취할 분위기는 아닌 거 같다, 상구야."

"시상 사는 걸 힘들어하길래 약 좀 드렸소."

약이란 말에 영주의 미간이 꿈틀거렸다. 영주는 탁자 위 동준의 앞에 놓인 빈 잔과 백상구 앞에 있는 반쯤 비어 있는 음료 병을 빠르게 훑었다.

"마약 수사반하고 기자들이 오고 있응께 그분들이 잘 모시고 갈 것이요."

몇 년간 경찰 생활을 한 영주는 본능적으로 어떤 상황인지 알아차렸다. 영주는 이 난국을 어떻게 빠져나가야 할지 재빨리 머리를 굴리다 백상구 앞에 놓인 반쯤 남은 음료 병을 보았다.

"법을 구워도 먹고 삶아도 드시는 분들하고 일항께 시상이 요래 편한 걸 와 몰랐으까."

이미 상황이 끝났다고 생각한 백상구는 천천히 일어나며 여유를 부렸다. 순간 영주가 탁자 위에 놓인 탬버린을 던지자 백상구는 얼떨결에 그것을 받았다. 영주는 백상구가 엉거주춤한 사이 몸을 날려 그의 흉부를 발로 가격했다. 백상구는 소파 위에 넝마처럼 풀썩 쓰러졌다. 영주는 반격할 틈을 주지 않고 백상구의 목을 손으로 쳤다. 헉! 하고 숨이 막히며 백상구의 입이 벌어졌다. 영주는 한 손으로 목을 제압한 채 다른 손으로 음료 병을 들어 백상구의 벌어진 입에 음료를 들이부었다. 마약이 섞인 음료가 백상구의 목으로 콸콸 들어갔다. 음료수가 다 들어갈 즈음 룸 안으로 백상구의 수하 대여섯 명이 달려 들어왔다. 영주가 그들에게 빈 음료 병을 툭 던지며 말했다.

"헛소리하길래 약 좀 먹였다."

백상구는 고통과 분노로 얼굴이 일그러졌다.

"마약 현행범으로 잡히면 우리 상구 인생도 끝인데. 어이 거기 베이비, 앞문 닫아. 뒷문은 열고."

수하들은 어쩔 줄 몰라하며 백상구를 쳐다보았다. 백상구는 잠시 생각하더니 원통한 표정을 지으며 수하들에게 고개를 끄덕였다.

의식을 잃어가던 동준은 영주가 자신을 데리고 룸클럽을 빠져나가고 있다는 걸 어렴풋이 느끼며 스르르 눈을 감았다.

이호범은 아무래도 뭔가 석연치 않았다. 조금 전 통화에서 최일환의 목소리는 다급한 기색이었다. 이호범은 동준과 연락이 안 되어서 최일환에게 전화를 한 것이었다. 그런데 무슨 일이 있는 것처럼 최일환은 몹시 서둘러 전화를 끊었다. 곰곰이 생각하던 이호범은 한강병원 앞에 도착한 차를 돌려 안명선의 요양원으로 향했다.

이호범은 잠시 요양원 정원에서 밤의 정취를 느끼다 안으로 들어갔다. 요양원은 무슨 일이 있는지 다소 어수선했다. 멀리서 바쁘게 움직이는 안명선과 요양원 직원이 보였다.

"배일수 환자, 어서 병원으로 옮겨요."

"그때까지 못 버틸 겁니다. 가봐야 당직 의사도 없을 텐데요."

"그래도……."

안명선이 뭘 보았는지 멈칫하며 걸음을 멈췄다. 로비에 서 있는 이호범이었다.

그 순간 안명선은 구세주라도 만난 듯 눈이 반짝였다. 그녀는 이호범을 대동하고 서둘러 배일수 환자의 병실로 들어갔다. 환자는 병상에 누워 가쁜 숨을 몰아쉬며 생명의 끈을 붙들고 있었다.

안명선은 물수건으로 배일수의 입술을 적셔주었다.

“아드님한테 연락했어요. 수원에서 여기 오는 데 한 시간은 걸릴 거예요.”

안명선은 숨이 꺼져가는 노인에게 최대한 따뜻하게 위로를 건넸다.

“간암에 치매에 폐렴 합병증까지 있군.”

이호범이 옆에 서서 서류철를 보며 건조하게 말했다.

“곧 떠나신다는 거 알아요. 가족들이 임종은 지킬 수 있게 해줘요. 대통령 주치의 이호범 원장님.”

안명선은 평소와 달리 부드러운 말투로 간절히 부탁했다.

이호범은 내키지 않는 듯 서류철을 내려놓고는, 직원이 들고 있던 의료 통에서 앰플 서너 개를 집어 주사기에 조금씩 섞었다.

“아드님하고 가족들, 3년 동안 면회 한번 안 왔습니다. 한 시간 더 계신다 해도 아마 안 올 겁니다.”

이호범이 들고 있던 서류철은 의료 기록이 아니라 면회 기록이었다. 안명선은 낮은 목소리로 이호범을 말렸다.

“3년 동안 기다리느라 힘드셨죠. 한 시간 더 기다리시겠습니까?”

이호범은 마지막으로 노인에게 물었다. 이 주사를 맞으면 한두 시간 숨은 붙어 있겠지만 고통은 극심할 것이다. 이호범은 세상에서 가장 힘든 게 희망 고문이라고 생각했다. 이 노인은 차라리 자신의 목숨이 먼저 끊겨, 아들이 아버지 임종을 지키지 못해 슬퍼할 거라고 믿게 하는 편이 나을지도 몰랐다. 하지만 노인은 꺼져가는 마지막 힘으로 미약하게 고개를 끄덕였다. 이호범은 할 수 없다는 듯 짧은 한숨을 내쉬고는 노인의 앙상한 팔에 천천히 주사를 놨다.

동준은 영주의 친구 집 소파에 누워 있었다. 그의 팔에 누군가가 주사기를 갖다 댔다. 동준은 희미하게 눈을 뜬 채 누워 있었고, 그 옆에 앉은 조연화가 주사를 놓고 있었다.

"글로타치온. 백옥주사라고도 해요. 마약을 희석시키는 중화제죠."

영주는 동준이 지금 맞고 있는 주사가 뭔지 설명해주었다.

"얼굴은 착하게 생겼는데."

영주의 친구가 동준에게 주사를 놓으며 그의 얼굴을 요모조모 살피더니 한마디했다.

"너도 얼굴은 그래."

영주가 장난기 섞인 얼굴로 친근하게 말했다.

"솔직한 년. 나는 이제 출근할란다. 이놈의 응급실 나이트 근무."

영주의 친구가 일어서서 나가려다 동준을 향해 돌아섰다.

"인사는 해야지. 조연화예요. 영주하고는 고등학교 동창. 나갈 때 청소하고, 참, 밥도 해놓고 가라."

조연화는 탁자 위에 놓인 '한강병원 간호사' 신분증을 챙겨 들고 밖으로 나갔다. 그 모습에 동준은 이제야 어떻게 된 건지 조금 알 것 같다는 표정을 지으며 눈을 감았다.

오늘 하루가 너무 힘들었던 탓인지 동준은 스르르 잠이 들었다. 영주는 소파에서 잠들어버린 동준을 잠시 바라보다 탁자 위에 현수가 찍은 사진들을 쭉 늘어놓았다. 영주는 그 사진들을 하나씩 일일이 확인했다.

잠에서 깬 동준은 지독한 두통에 관자놀이를 누르며 일어나 앉았다. 탁자 위에 놓인 사진들이 눈에 들어왔다. 동준은 파악이 잘 안 되는 듯 황망한 눈으로 그 사진들을 보았다.

“3년 동안 이 호텔에 룸을 장기 임대했어요. 당신 아내 최수연 씨. 못해도 3년 이상 강정일 팀장과 연인 사이였겠네.”

동준은 황망한 얼굴로 묵묵히 사진을 들여다보았다.

“결정해요. 날 밀어낼지, 나하고 같이 강정일을 잡을지.”

동준은 아무 말도 하지 못한 채 복잡한 얼굴로 영주를 바라봤다. 영주는 그에게 생각할 시간이 필요하다는 걸 알았다.

“베란다는 이쪽. 바람이 시원해요.”

그는 영주가 가리키는 베란다 쪽을 쳐다보았다. 어느새 창밖으로 여명이 밝아오고 있었다.

주사를 맞고 한 시간 남짓 버티던 노인은 결국 흰 천으로 덮인 채 들것에 실려 나왔다. 요양원 직원들과 안명선은 구급차에 노인을 실어 보냈다. 떠나는 구급차를 먹먹한 눈으로 바라보던 안명선은 차가 모습을 감추자 정원 벤치에 앉아 있는 이호범에게 다가갔다.

“동준이 연락되면 나한테 전화 넣어.”

이호범은 안명선이 워낙 정신없어 보여 이제야 자신이 이곳에 온 이유를 말했다.

아주 오랜만에 이호범과 안명선은 밤하늘 아래 함께 앉아 있었다.

“가족은 오지 않고 고통은 점점 심해지고. 한 시간 넘게 무슨 생각을 했을까.”

사력을 다해 가족을 기다린 한 시간. 이호범은 그 시간이 저 노인에게는 평생 가장 끔찍한 고통의 시간이었을 거라고 생각했다.

“지난 시간들을 돌아보셨겠죠.”

“짧은 인생, 예습만 하기에도 바쁜데, 복습을 왜 하나.”

이호범의 말에 안명선은 살짝 감정이 상했다.

"당신처럼 안 살려고. 누구나 실수는 해요. 왜 그랬을까, 어쩌다 이렇게 됐을까 돌아보고 후회하고 다시 바른길을 찾아가죠. 많은 사람들이 그렇게 살아요."

"그래서 그 사람들, 지금 내 밑에 있어."

이호범도 한때는 정의니 신념이니, 뭐 이런 비슷한 것을 품고 살았던 적이 있었다. 하지만 몇 번의 좌절 끝에 그 길은 자신의 길이 아님을 깨달았다. 안명선은 이미 오래전에 돌아올 수 없는 다리를 건넌 이호범을 경멸했다.

"닮았어. 사는 거하고 바둑하고. 내가 왜 이런 수를 뒀을까, 자책하면서도 다음 수를 둬야지. 대마를 잡든 계가로 가든, 이 판이 끝났을 때 살아남아야지. 오지 않는 가족을 기다리는 것보다 더 힘들어. 이 세상에 없는 정의를 가슴에 품고 사는 게."

"동준인 당신하고 달라요."

"세상이 같은데 어떻게 다르게 사나."

그렇게 말하는 이호범의 얼굴에 쓸쓸함이 묻어났다.

8

동준은 새벽 공기를 마시며 조연화의 집 베란다에 서 있었다. 갈 곳을 잃어버린 사람처럼 몹시 혼란스런 얼굴이었다. 해가 떠오르려는지 하늘에는 붉은 기운이 조금씩 감돌고 있었다. 동준은 한동안 꼼짝도 않고 구름을 뚫고 서서히 올라오는 해를 바라보았다. 해가 모습을 드러내는 순간 동준은 뭔가 굳게 결심한 듯 거실로 급히 들어와 휴대폰으로 어딘가에 전화를 걸었다.

"기용아, 신영주 문제 덮어라."

동준은 비장한 목소리로 노기용에게 지시했다. 영주는 그 모습을 말없이 지켜보기만 했다.

노기용은 배계장과 해장국집에 앉아 있었다.

"약속한 건 주겠다고 해. 신영주, 이 사람하고 같이 갈 길이 있다."

노기용은 동준의 말에 고개를 끄덕이며 배계장을 바라보았다. 동준의 지시에 배계장은 불만 가득한 표정으로 해장술을 들이켰다.

*

"이동준 씨는 연락이 없네. 본가에도 안 간 거 같고."

샤워를 마치고 나온 수연은 가운을 걸치며 정일과 스피커폰 통화를 하고 있었다. 수연의 목소리에 경쾌함이 묻어났다.

—미안하다. 끝까지 확인했어야 되는데, 마약 수사반이 도착한대서 먼저 자릴 비웠어.

어젯밤 일이 틀어지자 수연은 조금 짜증이 났지만 정일을 비난할 생각은 없었다.

"오빠가 왜? 난 딴 놈하고 결혼도 했는데 뭐."

수연은 정일에게 힘을 실어주는 말을 하며 침실 밖으로 나오다 멈칫했다. 동준이 거기 서 있었다. 수연은 자기 앞에 서 있는 동준을 잠시 비현실적인 얼굴로 쳐다보았다. 시간이 멈춘 것처럼 그녀는 미동도 않고 서 있었다.

—만지고 싶다, 수연아.

스피커폰에서 정일의 목소리가 흘러나오자 수연은 정신을 차렸다.

"면도하고 출근해. 알지? 볼에 오빠 수염 닿으면 따가워하는 거."

수연은 일부러 동준더러 들으라는 듯 따뜻하게 말했지만, 그는 무표정한 얼굴로 수연을 쳐다보았다.

"허락 없이 외박해서 미안!"

수연은 처음으로 동준이 자신에게 반말을 하자 당황했다.

"이동준 씨!"

수연은 그에게 뭔가 변화가 생겼다는 걸 느꼈다.

"이이도 30년 넘게 연락 없이 외박한 적이 없어."

가족들이 모두 식탁에 둘러앉자 윤정옥은 동준을 가볍게 타박했다.

"죄송합니다. 앞으로는 이런 일 없을 겁니다. 장인어른, 어제 같은 일 다시는 없도록 하겠습니다. 약속할게, 수연아."

그 말에 수연은 못마땅한 표정으로 있다가 도저히 참을 수 없다는 듯 일어나 밖으로 나가버렸다.

그 모습에 윤정옥이 수연을 불러봤지만 그녀는 뒤도 돌아보지 않고 2층으로 올라가버렸다. 동준은 뒤따라 일어나 정중하게 고개 숙여 양해를 구하고 그녀 뒤를 쫓았다.

"이서방이 어쩌면 우리 수연일 다룰 수도 있겠네요."

윤정옥이 기특하다는 듯 웃으며 동준을 칭찬했다.

"그래야지. 오늘 기도는 내가 드리지."

최일환은 2층으로 올라가는 동준을 무거운 얼굴로 잠시 보더니, 두 손을 모으고 눈을 감으며 기도를 시작했다.

수연은 침실 앞에서 홱 고개를 돌려 뒤따라오던 동준을 자극하듯 말했다.

"미국에서 1년 동안 정일 오빠랑 같이 살았어요. 한국에 와서도 3년 넘게. 일주일에 한 번 아니 두 번은 함께 밤을 보냈죠."

"나한테도 추억은 있어."

동준은 침실 문 앞에 서 있는 수연을 바라보며 담담하게 말하더니, 그녀를 옆으로 살짝 밀치고 안으로 들어갔다. 수연은 동준의 기세가 만만치 않다는 걸 느끼고 잠시 숨을 고르고 침실 안으로 들어가려 했다. 셔츠를 벗고 상반신을 탈의한 채 옆에 놓인 새 셔츠를 집어 드는 동준을 보며 수연은 인상을 확 구겼다.

"속옷은 욕실에서 갈아입기로 하지 않았나?"

동준이 아무 대꾸 없이 셔츠를 걸치려 하자, 수연은 인상을 찌푸리고 나가려 했다.

"강정일 팀장, 그 사람하고 보낸 밤보다 열 배 아니 더 많은 시간, 나하고 보내게 될 거야."

"이동준 씨!"

수연은 감정이 폭발했다.

"내 머리가 희어지고, 근육이 시들어가는 모습 보면서 늙어갈 거야, 당신."

"포기해요, 이동준 씨."

수연은 동준을 똑바로 쳐다보며 단호하게 말했다.

"다 버리고 여기 들어왔어. 이제 나 포기할 게 없다, 수연아!"

동준은 셔츠를 다 입은 채 살짝 일그러진 얼굴로 수연을 바라보았다. 그녀는 동준의 모습에서 순간적으로 아버지 최일환의 모습을 보는 듯 섬뜩했다. 머리가 좋은 인간들은 결단력도 빨랐다. 뭔가 버려야 할 게 있으면 가차 없이 뒤돌아섰다. 어릴 적부터 그런 아빠의 모습을 보고 자란 수연은 동준이 새롭게 뭔가를 시작했음을 알아차렸다.

*

영주는 차마 엄마의 얼굴을 마주할 자신이 없어 밥상에 얼굴을 묻은 채 밥만 먹고 있었다. 엄마의 시선을 그대로 느끼던 영주는 무슨 말이라도 해야 할 것 같았다.

"배계장 그 자식, 나한테 진급 밀린 거 아직도 안 풀렸나. 착오가 있었대."

"하모하모."

"미안하다면서 아버지 문제 해결되면 복직 알아봐준다네. 엄마, 복직해서 첫 월급 타면 속옷 싹 갈아줄게."

"하모하모."

영주는 움직이지 않는 엄마의 수저를 보았지만 고개를 들어 엄마를 볼 자신은 없었다.

영주는 고개 숙인 채 들어가지 않는 밥을, 국을 억지로 입 안으로 떠 넣었다. 영주 엄마는 그런 영주를 애처로운 눈으로, 말려야 하지만 말릴 수 없는 얼굴로 한없이 바라보았다.

*

영주는 팀장들이 모여 있는 회의실로 차를 들고 들어갔다. 회의실 안에는 동준과 정일이 서로 마주 보고 앉아 있었고, 그 옆으로 수연을 비롯해 변호사 대여섯 명이 앉아 있었다.

"프로젝트팀을 새로 꾸리죠. 호주 사모펀드 규모가 조 단위예요."

"장인어른이 나한테 맡긴 일이야, 수연아."

황보연의 제안을 듣던 동준은 그 말을 제지하며 수연에게 말했다.

정일은 동준의 하대가 귀에 거슬리는 듯 미간을 찡긋했다.

"여긴 회사고 공적인 자리입니다. 호칭은……."

"아직 신혼이라서요. 이 정도는 이해합시다."

"저희 M&A팀이 결합해야 국내 기업 매수 계획, 투자 플랜을 디자인할 수 있습니다."

분위기가 심상치 않게 돌아가자 조경호가 얼른 화제를 돌렸다.

“변호사 네 명만 파견하세요. 잘 쓰고 돌려드리겠습니다.”

동준은 정일에게 지시하듯 말했다.

“어제 드신 게 부족했나, 다 드시려고 그러네. 네 명 꽂아줘.”

정일은 동준을 살짝 비아냥거리며 조경호에게 지시했다.

“오늘 미팅, 같이 가고 싶은데.”

정일이 자신의 일에 개입하려 하자 동준은 양손을 내밀며 반발하려 했다.

“오, 손은 안 댑니다. 보행기 타고 다니던 분이 첫걸음을 떼니 걱정이 돼서요. 참관만 합시다. 1시에 우림호텔이던가?”

동준 앞에 찻잔 내려놓던 영주는 남들이 못 보게 손가락 두 개를 펴 보였다. 동준은 그 뜻을 바로 알아차렸다.

“2시로 미뤘습니다. 호주에서 오신 분들 숨 돌릴 시간은 드려야죠.”

“이동준 씨, 컨디션이 안 좋은 거 같은데.”

“어제 주신 약 덕분에 아주 개운해졌습니다.”

“다행입니다.”

“신세 갚을 자리, 곧 마련하겠습니다, 강정일 팀장님.”

동준과 정일은 한 치도 양보하지 않고 날카롭게 신경전을 벌였다.

영주는 팀장들 앞에 찻잔을 내려놓으며 맞은편에서 녹차를 마시는 수연을 힐끗 보았다. 팀장 회의를 할 때마다 수연은 혼자만 녹차를 마셨다.

수연의 집무실과 정일의 집무실에서 바깥으로 연결된 발코니에 서서 두 사람은 눈앞에 펼쳐진 서울 경치를 바라보았다.

“백상구 그 사람, 첫 공판이 오늘인가. 조변이랑 황변, 서류만 만지느라 법정은 오랜만일 텐데. 잘하려나."

"재판을 실력으로 하나. 인맥으로 하지. 담당 판사가 경호 그놈 고향 선배야."

"법정에서 향우회하겠네."

수연은 피식 웃다 어떤 생각이 떠오르는지 얼굴에 그늘이 졌다.

"고향……. 남들은 오래 기억하는데 아빤 잊고 싶은가봐. 오빠하고 나, 우리 인생이 겹쳐지면 아빤 내내 고향에서 사는 기분일까……. 하긴 아빠한테는 악몽이긴 하겠다. 그치?"

"수연아, 너하고 나, 우리만 생각하자."

정일은 수연의 마음이 흔들릴까봐 걱정되었다.

"난 딸 안 낳을래."

그 말을 하는 수연의 얼굴이 쓸쓸해 보였다. 그 마음을 알 것 같아 정일이 안쓰럽게 쳐다보자, 수연은 훌훌 털어내듯 심호흡을 했다.

"2시 호주 펀드 미팅. 보고만 있을 거야, 오빠?"

정일은 화분 사이로 손을 뻗어 수연의 볼을 어루만지며 말했다.

"보고만 있을 수 없어서 만진 거야."

정일과 수연은 빌딩 발코니에서 시원한 바람을 맞으며 서울을 내려다보았다.

띵.

지하 주차장 엘리베이터 문이 열리자 동준과 정일이 나란히 내렸다. 두 사람은 각자 차를 향해 걸어갔다.

"오늘 수연이 늦게 들어갈 겁니다. 나하고 약속이 있어서."

"12시 전에만 보내세요. 장모님 잔소리가 심해서."

정일의 자극적인 말에도 동준이 가볍게 받아넘기자, 정일은 어이없는 얼굴로 그를 바라봤다.

"자존심은 있는 줄 알았는데."

"나도 알아가는 중입니다. 나한테 뭐가 없고 뭐가 있는지."

동준은 얼굴에 감정을 드러내지 않은 채 자신의 차로 걸어가며 리모컨 키를 눌렀다. 삑 하고 차 문이 열리자 그는 차에 오르며 정일에게 한마디했다.

"미팅 장소에서 봅시다. 같은 차로 갈 만큼 친한 사이는 아니잖아."

맞은편에 주차된 자신의 차에 오르던 정일은 고개를 까딱했다. 동준과 정일은 차에 탄 채 서로를 바라보다 동시에 출발했다. 두 대의 차는 서로를 향해 전속력으로 달렸다. 두 대의 차가 부딪치기 직전, 동준은 급브레이크를 밟았다. 하지만 정일은 멈추지 않고 그 속도 그대로 손을 살짝 흔들더니 주차장을 빠져나갔다.

주차장을 빠져나온 정일의 차가 먼저 도로에 진입하자, 뒤이어 나온 동준의 차가 잠시 멈췄다. 정일의 차가 저만치 멀어지자 동준은 차를 돌려 반대편으로 향했다.

호텔에 먼저 도착한 정일은 중년의 호주 고객 네 명을 혼자 상대하고 있었다. 도착할 시간이 지났지만 동준은 보이지 않았다.

"먼저 시작하겠습니다. 한국의 법률 파트너로 저희 태백을 선택해주셔서 감사합니다. 이 서류는 제가 맡고 있는 태백 M&A팀의 작년 실적입니다. 대표님의 오랜 친구로 알고 있습니다. 하지만 우정과 비즈니스는 별개입니다. 저희 대표님이 추천한 개인이 아닌, 태백 M&A팀에 맡겨주십시오."

호주 고객들은 정일이 건넨 서류를 관심 있게 보며 미소를 지었다.

백상구의 재판이 진행되는 법정에는 피고인석에 백상구가, 변호인석에 조경호와 황보연이 앉아 판사가 들어오기를 기다리고 있었다. 방청석에는 백상구의 수하 서넛 정도가 앉아 있는 조촐한 법정이었다. 그때 뒷문이 열리는 소리가 들리자 조경호가 무심코 뒤를 돌아봤다. 동준이었다. '아니, 왜 이 시간에 이동준이?' 조경호가 머리를 재빨리 굴리는데, 어느새 옆으로 다가온 동준이 조경호에게 자리를 비키라는 눈빛을 보냈다.

"변호인은 교체됐는데……."

"아직 선임계 취소 안 됐습니다. 오늘 공판, 백상구 씨 변호인은 저 이동준입니다."

백상구는 동준을 보자 얼굴을 찌푸렸고, 조경호는 일어나 저만치 걸어가며 휴대폰을 꺼내 정일에게 전화를 걸었다.

호주 고객들과 이야기 나누고 있던 정일은, 조경호가 계속 전화를 걸어오자 할 수 없이 전화를 받았다. 정일은 조경호의 말을 도저히 믿을 수가 없었다.

"이동준, 여기로 오고 있었어. 이 자리, 그 자식한테는 명운이 걸린 자리야. 여길 안 올 리가……."

말을 잇던 정일은 불현듯 뭔가가 떠올랐다. 그 순간 문이 열리는 소리가 들리더니 송태곤이 열어주는 문을 통해 들어오는 최일환이 모습이 보였다. 최일환은 환하고 인자한 얼굴로 들어와 호주 고객들과 친근하게 악수를 했다. 정일은 경악했다. 그는 모든 걸 알았다는 듯 전화를 끊었다.

"정일이 네가 온대서 통역은 안 데려왔다."

최일환이 다정하게 정일 옆에 앉으며 말했다.

"옮겨라. 호주 펀드 국내 거래는 우리 태백의 M&A팀에서 맡기로 했습니다."

정일은 불길한 얼굴로 천천히 통역했다.

"M&A팀장은 곧 교체될 겁니다. 이동준 변호사입니다."

최일환의 입에서 이동준이라는 이름이 나오자, 정일은 놀라움에 입을 다물지 못했다.

"옮겨."

최일환은 부드러운 표정으로 웃으며 정일에게 고개를 끄덕였다.

분노를 감추느라 정일은 얼굴이 딱딱하게 굳었다.

동준의 등장으로 백상구의 재판장은 찬물을 끼얹은 듯했다.

"피고인 백상구는 성추행, 공무집행방해, 폭행 세 가지 혐의로 불구속 기소됐습니다. 그런데 재판장님, 방금 전 검찰에 성추행이 아니라 성폭행이라는 신뢰할 만한 제보가 들어왔습니다."

검사가 자리에서 일어나 백상구의 기소 내용을 읊었다.

판사는 왠지 일이 복잡해지는 것 같아 인상을 살짝 찌푸렸다. 조경호의 부탁을 받은 판사는 재판을 대충 끝낼 생각이었다. 그런데 성폭행이 추가되면 재판은 간단치 않았다.

"증거를 추가하고 공소장을 변경하고자 합니다."

검사의 말에 백상구의 얼굴이 험상궂게 변했다.

"제보만 믿고 공소장을 변경할 수는 없습니다, 재판장님."

동준은 자리에서 일어나며 말했다.

"피해자는 피고인의 겁박 때문에 목격자가 있는 성추행만 인정했다고 합니다. 이젠 피해자를 지켜줄 사람이 있다고 합니다. 언제든 법정에 나와 증언하겠답니다."

그 시각, 영주는 백상구의 성폭행 피해자와 조용한 공원에서 이야기를 나누고 있었다. 성폭행 피해자는 영주의 설득에 울먹이며 피해 사실을 모두 증언했다.

"피고인 백상구는 현재 마약류 위반 혐의로 집행유예 중입니다. 이번 성폭행마저 법정에서 인정된다면 중형이 불가피할 겁니다."

그 말에 백상구의 눈이 꿈틀거렸다.

"그러나 본 변호인은, 피고인의 무죄를 믿는 마음으로 검찰의 공소장 변경과 증인 신청을 받아들이겠습니다."

백상구는 의자 아래로 두 주먹을 움켜쥐며 동준을 노려봤다.

재판이 끝나자 모두 나가고 재판장에는 동준과 백상구 둘만이 남았다. 서류를 챙기는 동준을 가만히 지켜보던 백상구가 입을 열었다.

"나한테 바라는 게 뭐여."

"좋군요. 알면서 확인하는 습관. 배워두죠. 김성식 기자가 살해당한 그날 밤, 낚시터에서 무슨 일이 있었는지 알고 싶은데."

그 말에 백상구가 입을 실룩거렸다.

백상구는 비릿한 얼굴로 동준의 배에서 목 쪽으로 손가락을 천천히 올렸다.

"내 입이 열릴 거 같은가?"

"당신 입이 안 열리면 다음 공판에서 증인의 입이 열릴 겁니다."

그 말에 백상구가 손가락으로 동준의 목을 긋는 시늉을 했다.

"법을 구워 먹는 분들이 날 변호할 것인디."

"아무도 믿지 말고 스스로를 변호하세요. 나처럼."

동준은 옅은 미소를 띠며 말했지만 의미심장한 표정이었다. 백상구는 손가락을 딱 멈췄다.

"다음 공판까지 이틀 남았습니다, 백상구 씨."

동준의 단호한 말에 백상구의 눈빛이 흔들렸다.

"여기 강정일 팀장은 법적으로 해결해야 할 문제가 있습니다."

최일환은 정일에게 통역하라고 눈짓을 했다.

"강정일 팀장은 아주 오랫동안 태백을 떠나야 할 것 같습니다. 가끔 면회는 가지."

정일은 떨려오는 심장을 누르며 최일환을 바라보았다. 정일은 그날 일을 다시 떠올렸다.

가슴에 낚싯대가 꽂힌 채 미동도 하지 않는 김성식을 보고 정일은 경악했다.

"유출된 서류만 빼내라고 하지 않았습니까?"

정일은 김성식의 시신을 보고 잠시 눈을 감았다 떴다. 그는 백상구에게 버럭 소리를 질렀다.

백상구는 아랑곳하지 않고 귀찮게 됐다는 듯 말했다.

"죽자고 덤비는데 우짜겄소. 저녁때 장어를 먹여 근가. 요놈들이 힘이 넘쳐부렀네."

백상구는 비에 젖은 서류를 정일에게 내밀었다.

"걱정 마쇼. 피는 요 비에 씻길 것이요."

그때 김성식의 손이 정일의 다리를 힘없이 잡았다.

"사…… 살려…… 주…… 세요."

김성식은 마지막 숨결을 끌어모아 꺼져가는 목소리로 호소했다.

백상구는 골치 아프게 됐다는 듯 볼을 긁으며 김성식을 내려다봤다.

정일은 비를 그대로 맞으며 김성식을 쳐다봤다. 저 멀리 번개가 치더니 잠시 후 천둥소리가 두둥 하고 울렸다. 당황했던 정일의 얼굴이 번개에 굳어지고 천둥소리에 결연해지더니 김성식의 가슴에 꽂힌 낚싯대 위에 손을 올리며 백상구에게 물었다.

"수연이가 일 시킨 거, 아는 사람이 더 있습니까."

"나가 몸은 얄쌍해도 입은 무거븐께. 근디 기자 하나가 여그 오고 있다는 거 같은디."

백상구가 비에 젖은 머리를 쓸어 올렸다.

"다행이네. 아직 안 와서."

정일은 혼잣말처럼 낮게 말하더니 결심한 듯 먼 곳을 보는 시선으로 낚싯대를 깊이 꾸욱 눌렀다. 정일은 손을 떨면서도 낚싯대를 잡은 손을 더 힘주어 눌렀다. 김성식의 마지막 호흡이 멎었다. 그제야 정일은 뒤를 돌아보았다. 수연이 저만치서 달려와 이 광경을 보고 있었다.

태백의 지하 주차장으로 동준과 정일의 차가 동시에 들어왔다. 두 사람은 서로 마주 보는 지정된 주차 공간을 향해 누가 먼저랄 것도 없이 서로 멈추지 않고 돌진했다. 금방이라도 충돌할 것 같은 아슬아슬한 순간에 서로 경적을 울렸지만 아무도 멈추지 않았다. 그렇게 두 대의 차가 충돌하려는 순간 정일이 급브레이크를 밟았다. 끼익 하는 소리와 함께 정일의 차가 멈추자 동준은 달려오던 속도 그대로 핸들을 오른쪽으로 틀었다가 후진해서 빠르게 주차했다. 정일 역시 굳은 얼굴로 빠르게 주차를 하고, 약이 바짝 오른 표정으로 동준을 쳐다보았다. 그때 휴대폰이 울렸다.

"컨디션이 안 좋아 보이네. 생일 선물로 받은 약이 있는데 좀 드릴까요?"

동준은 차에서 내리지 않은 채 맞은편 차 안에 앉아 있는 정일을 보며 말했다.

—끊겠습니다. 수연이가 전화를 기다리고 있어서.

정일 역시 차 안에 앉은 채 맞은편 차 안의 동준을 보며 말했다.

"강정일 씨가 내 물건 많이 가지고 있네. 우선 M&A팀부터 인수받겠습니다."

그 말에 정일의 눈빛은 칼끝처럼 날카로워졌고, 동준은 담담한 표정으로 그 눈빛을 받아들였다.

"이동준 변호사를 만나러 왔는데……."

동준을 찾아온 이호범은 영주의 책상 앞에 서서 물었다.

"어떻게 오셨어요?"

"아비 되는 사람입니다."

영주가 이호범에게 인사하려고 자리에서 일어나는데, 그녀의 눈에 동준과 정일이 복도를 걸어오는 모습이 보였다. 동준은 멀리서 이호범을 발견하고는 다급히 걸어왔다. 정일은 그 모습을 힐끗 보곤 자신의 집무실로 들어갔다.

정일의 집무실에서 수연은 뭐가 그리 초조한지 방 안을 서성이며 안정을 찾지 못하고 있었다. 그때 정일이 집무실 안으로 들어오자 수연은 그에게 달려갔다.

"백상구 그 사람 연락이 안 돼. 어떡하지. 그 사람이 낚시터에서 있었던 일 말하면……."

정일은 수연이 가까이 다가오자, 그녀를 그대로 안으며 놀란 강아지를 다독이듯 등을 톡톡 두드려주었다. 수연은 그 따뜻한 다독임에 조금은 진정이 되는 것 같았다.

"백상구한테 일 시킨 건 나야. 문제가 생기면 그렇게 진술해."

"오빠……."

"낚시터 현장에는 넌 오지도 않았어. 증인으로 채택되면 나한테 불리한 진술해도 괜찮아, 수연아."

수연은 정일의 마음에 울컥하며 그럴 수는 없다는 듯 고개를 세차게 가로저었다.

"어느 편이 견디기 쉬울까. 오빠 없는 시간, 아빠 없는 세월……."

정일은 옷걸이에 코트를 걸다 뭔가 떠오른 듯 유리 너머 영주를 보았다.

"조연화 저 사람……."

"이동준 씨 아버님이 보낸 사람이야. 병원 기획실에서 일했대."

'한강병원 기획실?'

정일은 조금 전 이호범이 영주를 찾던 장면을 떠올리며 이상하다는 듯 고개를 갸우뚱했다.

이호범은 조연화를 모를 수 있지만, 병원 원장의 얼굴을 기획실 직원이 모를 수 있을까?

정일의 입가에 알 수 없는 미소가 번졌다.

최일환의 집무실 문을 열고 들어가려던 수연은 그 앞을 지키고 있던 여비서에게 제지당했다.

"오늘부터는 따님도 보안 체크하라는 대표님 지시입니다."

여비서는 협탁 서랍을 열며 곤란한 얼굴로 말했다. 수연은 짜증 어린 표정으로 여비서를 한번 훑어보더니 휴대폰과 시계를 서랍에 던져

넣고 안으로 들어갔다.

"양평 산소에 갈 거다. 벌초할 거니까 시간 비워둬."

최일환은 뭔가 단단히 화가 난 얼굴로 들어오는 수연을 힐끗 보고는 다시 책상 위에 놓인 서류에 시선을 고정했다. 그 옆에는 송태곤이 최일환의 지시를 기다리며 서 있었다.

"할아버지 살아 계시지 않나?"

수연은 소파에 털썩 앉으며 비아냥거렸다.

그 말에 최일환은 무슨 말이냐는 듯 고개를 들어 수연을 봤다.

"정일 오빠랑 나, 잡은 손 놓으라는 것도 할아버지가 그 집 머슴이라서 그런 거고, 태백을 정일 오빠한테 못 넘기는 것도……."

"수연아!"

최일환이 분노를 억누르며 딸의 이름을 불렀지만, 수연은 아랑곳하지 않고 소파에서 일어나 아버지에게 다가갔다.

"정일 오빠네 선산보다 더 큰 산을 사서 도로도 깔고 묘소까지 만들어드렸는데 아직도 우리 옆에 계시네."

수연은 최일환의 책상에 놓인 젊은 최일환과 누추한 복장의 할아버지가 함께 찍은 사진을 쳐다보더니 한마디 덧붙였다.

"할아버지 되게 크시네. 그림자가 나까지 덮어."

"정일이는 살인 협의로 체포될 거다."

최일환은 책상에 놓인, 이동준을 M&A팀 팀장으로 임명하는 보직 이동 서류에 사인을 하고 그 서류를 송태곤에게 건네며 말했다.

"벌초하러 가기 전에 태백에 있는 정일이놈 잡초부터 다 뽑아."

송태곤이 알겠다는 의미로 정중하게 고개를 끄덕이며 서류를 건네받으려는데, 수연이 그 서류를 낚아채며 성경 구절을 읊었다.

"주인이 이르되 가만두라. 잡초를 뽑다가 곡식까지 뽑을까 염려하노라. 마태복음 13장 29절."

"수연아."

"제일 가까운 경찰서가 어디죠? 아빠, 나 자수할 거예요."

노래를 부르듯 가볍게 약 올리는 수연의 모습에 최일환은 더 이상 참을 수가 없었다.

"송비서! 수연이 집에 데려다 놔. 경호원 붙여서 밖에 못 나오게 해."

"사법고시 네 번째 떨어진 날도 이랬어. 법 공부 안 한다니까 아빠는 집에서 못 나오게 했는데, 나 다음 날 비행기 탔어. 아빠는 내가 미국에 도착한 뒤에야 알았고."

"비행기 알아봐! 당장 외국으로 보내야겠어."

"대사관에 가서 자수해야겠다. 살인 공범에 해외 도피까지 더하면 10년은 할아버지 산소에 못 가겠네."

"수연아!"

생글생글 웃으며 자신을 갖고 노는 딸을 최일환은 그저 참고 바라볼 수밖에 없다는 사실에 더욱 화가 치밀어 올랐다. 그때 수연이 미국에 가지만 않았더라면, 정일을 다시 만나지만 않았더라면 이렇게 꼬이지는 않았을 것이다. 최일환은 자신이 평생 가꾼 태백을 고스란히 수연에게 물려주고 싶었다. 하지만 수연은 물려받을 능력이 없었다. 그 사실을 깨달은 최일환은 똑똑하지만 뒷배가 없어 수족처럼 부릴 수 있는 놈을 찾아 사위로 삼을 생각이었다. 그런데 정일이 수연의 인생에 들어오면서 자꾸 일이 어긋나기 시작했다.

이호범은 아무리 기다려도 동준에게서 성형센터 리모델링 관련 얘기가 나오지 않자, 직접 아들을 찾아왔다.

"병원 재단 건물을 성형센터로 리모델링할 생각이다. 건물이 재단 소유라 허가가 안 나. 문체부 차관이 태백 사람이던데, 네가 만나봐라."

"수임계 작성해서 행정과에 제출하세요. 적당한 변호사가 맡아서 법대로 처리할 겁니다."

동준은 이호범에게 서류 한 장을 건네며 그를 쳐다보지도 않은 채 말했다.

"다 건너온 줄 알았는데 아직 다리 가운데 있구나. 쯧쯧."

이호범은 아들이 조금은 걱정되었다. 아직도 다리를 건널지 말지 아들은 고민 중이었다. 아들이 어서 다리를 건너기를 바라지만, 다시 되돌아간다 해도 비난할 생각은 없었다.

*

최일환은 침대에 걸터앉아 잠옷 차림으로 화장대 앞에서 화장을 지우고 있는 아내를 묵묵히 바라봤다.

"교회가 시끄러워요. 소송에, 오빠 담임목사 승계 문제까지. 장로들 반발이 심한가봐요."

"30년 전에…… 큰목사님, 아니 장인어른이 우리 결혼 허락 안 하셨으면, 당신 어떻게 했을까."

윤정옥은 거울을 보며 화장을 지우다 그때 생각이 나는 듯 피식 웃었다.

"불국사든 해인사든 암튼 절에 갔겠죠. 우리나라에서 제일 큰 교회 큰딸이 머리 깎고 여승이 되겠다니까 아빠도 손든 거지. 그날 아빠가 그랬어요. 하나님보다 딸이 더 무섭다나."

최일환은 아내의 마지막 말에 헛웃음을 지었다. 30년 전 장인어른의 마음이 딱 지금 자신의 마음과 같았다. 최일환은 결국 다른 방법이 없다는 걸 깨닫고 송비서에게 전화를 걸었다.

"어, 송비서. 그 사건 검사 한번 만나봐."

최일환의 얼굴은 허탈함으로 가득했다.

"하이, 꼬맹이."

백상구 사건을 맡았던 검사가 법복을 입고 검찰청 복도 코너를 도는데, 송태곤이 튀어 나오며 친근하게 그를 불러 세웠다.

"청와대에 책상 하나 비었는데, 파견 갈래?"

송태곤의 짧은 그 한마디에 검사의 눈동자가 요동쳤다.

검사를 포섭한 송태곤은 곧장 성폭행 증언을 하기로 한 여자를 찾아가 5만원권이 가득한 007 가방을 내밀었다. 여자는 가방 가득 들어 있는 돈을 보며 한참을 망설였다.

"짐 싸는 건 도와드리지. 거, 서두릅시다."

흔들리고 있다는 걸 눈치챈 송태곤이 여자를 부추겼다.

여자는 울 것 같은 얼굴로 돈을 보며 결국은 고개를 끄덕였다.

여자는 정의를 실천한다고 해서 자신의 인생이 달라질 건 없다고 생각했다. 자신은 이미 씻을 수 없는 상처를 받았고, 백상구가 실형을 선고받는다 해도 다시 사회로 나오면 똑같은 짓을 저지를 거란 생각이 들었다.

영주에게 성폭행 피해자가 방금 해외로 출국했다는 소식을 들은 동준은 다급히 최일환을 찾아갔다. 대표 집무실 복도를 뛰어가던 동준은 저만치서 콧노래를 흥얼거리며 걸어오는 송태곤과 맞닥뜨렸다.

송태곤은 손 인사를 무시한 채 대꾸도 없이 스쳐 지나가려는 동준을 불러 세웠다.

"대표님 자리 비우셨다. 호주 놈들이 한우 먹고 싶대서 차 태워 가셨어. 난 호주산 소고기가 더 좋은데. 대표님이 전하라신다. 며칠만 기다리라고."

그 말에 동준은 뒤돌아서 송태곤에게 다가갔다.

"장인어른을 만나야 합니다. 어서 연락을……."

"내가 네 덕에 스폰서 검사로 빵에 갔을 때 대표님이 그랬다. 몇 달만 기다리라고. 기다렸지. 나 검사 시절보다 월급 열 배 받는다. 그러니까 동준아, 너도 기다려."

동준은 한숨을 내쉬고는 자신의 집무실로 걸음을 옮겼다.

송태곤은 동준의 뒤통수에 대고 손을 흔들며 놀리듯 '잘 가라'라고 입 모양으로 뻥긋거렸다.

*

"호텔 룸 압수수색영장 발부할 수 있을까? 3년 동안 강정일이 사용했어. 그 방 안에 방산 비리, 방탄복, 어쩌면 다른 증거들도 더 있을 것 같은데."

조용한 카페 구석 자리에 마주 앉은 영주와 현수는 호텔 룸을 찍은 사진들을 테이블에 펼쳐놓고 회의를 하고 있었다.

"추정만으로는 압색영장 못 받는 거 알잖아."

현수가 난감하다는 표정을 지으며 고개를 가로저었다.

"호텔 앞에 잠복하고 있다가 강정일이 들어갈 때 긴급체포하면. 그래서 끌고 들어가서……."

"상대는 변호사야. 긴급체포 요건이 안 돼. 그놈들 뒤에는 검찰, 사법부……."

"언론, 장관, 차관. 많이도 있네. 근데 현수야, 아빠 뒤에는…… 나밖에 없어."

영주는 씁쓸한 얼굴로 현수를 바라보았다. 현수는 그런 영주가 몹시 안쓰러웠지만, 이제 자신은 영주에게 위로가 될 수 없다는 사실을 알고 있었다.

"배계장이 아직 널 노리고 있어. 공문서 위조 수사도 잠시 미뤄둔 것뿐이야."

영주는 한숨을 쉬며 묵음으로 틀어놓은 텔레비전을 무심코 바라봤다. 화면에 '신용카드 불법 복제단 일제 검거' 뉴스가 나오고 있었다. 화면이 바뀌며 '신종 스키밍 기기 이용'이라는 자막과 함께 불법 복제 기기들이 나열되는 장면이 보였다.

"급하게 움직이면, 영주 너 다칠 거야."

"아빤 내가 구할게. 현수야, 물건 하나만 구해주라."

영주의 얼굴에 의미심장한 미소가 번졌다.

신창호는 교도소 면회실 안을 단단히 화가 난 얼굴로 왔다갔다하며 밭은기침을 했다. 맞은편에 앉은 영주 엄마가 신창호에게 청첩장을 내밀었다.

"이장현이, 당신 기자 후배, 요번에 보도본부장 되가꼬 딸내미 결혼식한다꼬 보냈심미더."

"영주 당장 그만두라고 해."

"당신이 파업 그만뒀으면 승진도 하고 본부장도 달고. 가가 영주하고 동갑이지예. 부잣집에 시집간다 카대예. 봉투에 5만 원 너가 갔는데 우째 부끄럽던지…….”

신창호는 아내의 마음은 알지만, 영주를 말려야 한다는 생각에 아내를 다독일 여력이 없었다.

“숙희야.”

“당신이 고개 숙이고 살았으믄…… 신부 자리에 우리 영주가 서 있었을 낀데…….”

“우리 영주 다시 체포될지도 몰라.”

“압미더.”

“영주가 여기 이 옷, 이 죄수복 입고 올지도 모른다고.”

“알아예. ……배운 기 있으믄 내가 나섰을 낀데, 아는 기 있으믄 내가 달리들었을 낀데……. 걱정 마이소. 영주 잘못되믄 내가 그 죄 쓰고요 오께예.”

“숙희야…….”

신창호는 다시 연달아 기침을 시작했다. 점점 기침이 심해지는 걸 숨기려 손으로 입을 막고 소리를 낮추려 애썼지만 잘 안 되었다.

“기침 소리 숨기지 마이소. 아무리 숨기도 밤에 잘라꼬 누으믄 내 방에서도 당신 기침 소리가 밤새 들림미더, 영주 아부지요.”

아내의 그렁그렁한 눈에서 눈물 한 방울이 떨어지자 신창호는 가슴이 미어졌다.

*

최일환과 정일이 단둘이서 한 시간도 넘게 이야기를 나눴다는 소식을 듣고 수연은 자신의 집무실에서 나와 정일의 방으로 직행했다. 영주는 그 모습을 유리벽을 통해 하나도 놓치지 않고 보고 있었다.

"M&A 팀장 보직 이동 문제는……."

수연은 소파에 앉으며 궁금한 질문을 쏟아냈다.

"없었던 일로 하시겠대. 대표님이 호주 펀드 운용 계획도 나보고 초안을 잡아보라고 하셨어."

정일이 대답을 하면서 코트를 벗는데, 노크 소리와 함께 영주가 들어왔다.

"이상미 씨는 법률구조공단에 외근 나갔어요. 상반기 수임료 정산. 제가 갖다드려도 될까요?"

영주는 정일의 손에 코트가 들려 있는 걸 보고 받아 걸겠다는 의미로 손을 내밀었다.

"부탁합니다."

정일은 영주에게 코트를 건네며 말했다.

영주는 코트를 벽 쪽 옷걸이에 갖다 걸며 그 앞에 걸린 거울로 빠르게 정일을 살폈다. 정일은 책상에 앉으며 잠시 한눈 팔고 있었다. 순간 영주는 빠르게 코트 안주머니에서 정일의 지갑을 꺼내 숨겼다.

"행정과에 전산 처리 해달라고 얘기했습니다. 출력해서 가져오겠습니다."

영주는 할 일이 끝나자 정중하게 인사하고 밖으로 나갔다.

동준은 유리벽을 통해 정일의 집무실에서 나오는 영주를 보고 인상을 찌푸렸다. 밖으로 나온 영주가 사잇문을 열고 비서실로 들어가는데, 동시에 동준도 사잇문을 열고 들어왔다.

"강정일을 같이 잡자고 한 건 당신입니다."

"호텔 룸에 들어가자는 제안, 거부한 건 그쪽이에요."

영주는 지갑에서 룸 카드를 꺼내 노트북 옆에 놓인 카드 복제기에 넣었다. 며칠 전 현수가 구해준 물건이었다. 동준은 카드 복제기까지 사용하는 영주를 경악하며 바라보았다.

"장인어른 힘이 필요합니다. 며칠만 기다려요. 신창호 씨 어서 나와야 될 거 아닙니까? 당신 아버질 위해서라도……."

동준은 영주가 다시 단독으로 움직이기 시작하자 불안해졌다. 영주는 어디로 튈지 예측이 안 됐다.

"당신을 위해서겠죠."

동준은 그 말에 빈정이 상했다.

"무섭겠죠. 당신 장인. 태백의 대표 최일환이 무너질까봐."

그 말에 동준은 속내를 들킨 것 같아 뜨끔했다. 며칠 전 최일환이 동준에게 부탁한 것이 있었다.

"강유택하고 나하고 부딪치면 어쩌면…… 태백이 무너질지도 모른다. 유택이 그놈이 며칠 뒤에 필리핀에 간다는구나. 야생동물 사냥을 한단다. 그놈이 야생동물을 잡는 동안, 동준아, 그때 그놈 아들을 잡자. 기다릴 수 있겠지."

영주는 노트북에 깔린 복제 프로그램을 클릭하며 담담하게 말했다.

"최일환 대표한테 먼지 안 튀게 강정일을 잡으려니…… 이동준 씨 머리 아프겠네."

"신영주 씨……."

영주가 찾는 진실도 중요하지만 동준은 자신의 인생이 더 중요했다.

영주는 노트북 화면에 복제가 끝났다는 메시지가 뜨자, 룸 카드를 빼서 다시 정일의 지갑에 넣었다. 영주는 서류 한 장을 들고 나가려다 그대로 서 있는 동준에게 한마디했다.

"이 일이 끝나면 아빠 나오겠죠. 하지만 우린 여전히 반찬 가게를 할 거고, 당신은 여기 주인이 되겠네. 진실이 밝혀져도 세상은 여전히 더럽겠다. 젠장. 잠시 같은 길을 간다고 친구가 되는 건 아니죠."

동준은 아무 말도 하지 못한 채 정일의 집무실로 향하는 영주를 넋 놓고 바라보았다.

"백상구 입도 막았고, M&A 팀장 자리도 지키게 됐고. 오빠, 이제 뭘 하면 될까."

"샤워."

"호텔 룸 카드 줘. 먼저 가서 기다릴게."

정일은 일어나 옷걸이로 가서 코트 안쪽을 만지는데 지갑이 보이지 않았다.

수연은 정일의 지갑이 사라진 걸 눈치채고 의아한 표정을 지었다.

정일 역시 의아한 얼굴로 돌아와 앉는데, 노크 소리와 함께 영주가 들어왔다.

"팀장, 선임변호사, 어소시에이트들, 직급에 따라 수임료 내역을 산출했습니다."

정일이 서류를 건네받는데 휴대폰이 울렸다.

"어, 경호야."

—정일아! 그 사람, 조연화가 아니야. 신영주! 그 왜, 김성식 기자 살인 사건 뒤집어쓰고 들어간 신창호 딸 신영주야.

정일의 미간이 움찔했다. 그는 앞에 서 있는 영주를 보았다.

"미국과 FTA 체결한 국가들, 손해배상 사례집 며칠만 봐도 될까요? 이동준 변호사님이 통상 쪽 자료 부탁하셔서……."

"조연화 씨는 언제나 내 생각보다 한 걸음씩 앞서 가네."

영주는 옷걸이 근처 서가 쪽으로 가서 책을 훑는 척했다. 정일은 영주를 가만히 보며 전화기 너머로 들려오는 조경호의 목소리를 듣고 있었다.

—근데 이동준이가 왜 그 여자하고 손을 잡았을까? 청부 재판 한 게 맘에 걸렸나? 아님 약점 잡힌 게 있나? 배영철 경위라고 지금 내 옆에 있는데, 이동준 쪽 일하고 아직 잔금도 제대로 못 받은 거 같아.

영주를 보내버릴 절호의 기회를 놓친 배계장은 머리를 굴리다 조경호를 찾아갔다. 잘하면 돈도 벌고 신영주에게 복수도 할 수 있을 것 같았다.

"잔금 드리고 우리 일 시켜."

정일은 본능적으로 뭔가 내막이 있음을 깨달았다.

'약점이라…….'

머리를 굴리던 정일의 눈이 빛났다. 이제야 모든 의문이 한꺼번에 풀리는 듯했다. 정일은 일부러 영주에게서 시선을 거두고 노트북 화면을 켰다. 영주는 옷걸이 옆에 서서 서가를 훑으며 거울로 정일을 힐끗 보더니, 재빨리 정일의 코트 속에 지갑을 집어넣었다. 정일은 노트북을 보는 척하며 그 모습을 모두 지켜보고 있었다.

"이 책, 주말까지 다이제스트로 정리하고 반납할게요."

영주가 책 몇 권을 들고 정일 앞에 서서 말했다. 정일이 고개를 끄덕이자 영주는 깍듯이 인사하고 밖으로 나갔다.

"별일이다. 침대에 머리카락 하나 안 흘리는 오빠가 지갑을 다 흘리고. 백화점 들렀다 가자. 지갑 하나 선물할게."

영주가 나가길 기다렸다가 수연이 한마디했다.

"아니. 지갑 찾았어."

정일은 노트북으로 영주가 SNS에 올린 동영상 스틸 화면을 보며 의미심장하게 말했다. 그 화면을 보던 정일은 고개를 들어 창밖으로 저만치 멀어져가는 영주의 뒷모습을 보며 흐릿하게 미소 지었다.

9

고요하고 한적한 요양원에 어둠이 짙게 깔려 있었다. 모두들 잠이 들었는지 요양원은 적막이 감돌고 있었다. 안명선은 밤늦게 찾아온 아들을 위해 탁자 위에 술병을 하나 꺼냈다.

"할아버지라 부르면 그리 화를 내더니, 작년 봄에 담근 술이야."

안명선은 소파에 앉아 처연한 얼굴로 술병을 바라봤다. 동준도 소파에 마주 앉아 말없이 술병을 바라보았다.

"올해 벚꽃 피면 같이 마시자고 했는데……. 그분은 가고 같이 담근 술만 남았구나."

동준은 엄마의 마음을 헤아렸는지 한 잔 마시고는 그녀에게 술을 따라주었다.

"엄마도 언젠가 가겠지. 그럼 우리 동준이하고 나하고 같이 담근 세월만 남을 텐데. 우리 아들, 판사 옷이 참 잘 어울렸는데. 그 옷 벗고 나니까, 동준아, 엄마는 무서워. 네가…… 아버지 옆으로 가고 있는 거 같아서…….”

동준은 엄마의 그 불안이 뭔지 알 것 같아 가슴이 아려왔다.

*

“엄마한텐 말했어. 파혼이 아니라 결혼을 미룬 거라고. 아버지는 이번 명절에 세배도 안 받으시더라.”

영주는 현수의 말을 일부러 무시하며 정일이 빌린 호텔의 불 꺼진 34층 룸을 올려다봤다.

“잠입, 수색, 철수, 10분이면 끝날 거야.”

영주는 오늘 직접 호텔 방을 뒤질 생각으로 현수의 차를 타고 호텔에 왔다.

“징계위원회에서 네 편 들었으면 나도 파면당했을 거야. 그럼 일식집에 형사들도 못 데려갔을 거고 카드 복제기도 못 구했을…….”

“10분 안에 안 나오면 내가 못 움직일 상황이겠지. 이 사람이 움직일 거야.”

영주는 현수에게 명함을 한 장 내밀었다. 이동준의 명함이었다. 현수는 그 이름을 보자 이유 모를 질투와 분노에 명함을 구겨버렸다.

“아니. 내가 움직여.”

영주는 현수의 말에 개의치 않고 호텔 정문을 향해 걸어갔다. 영주의 뒷모습을 보며 현수는 1년 전 일이 떠올랐다.

새벽의 텅 빈 형사과에서 현수가 탁자에 놓인 짜장면을 비비는데, 짜장면 그릇을 옆으로 밀어버리는 손이 있었다. 현수가 고개를 들어보면 영주가 보자기에 싼 삼단 도시락을 흔들어 보였다.

“엄마 가게 반찬 싹 쓸어왔어. 우리 현수 복 터졌네. 어떻게 나 같은 여자를 만났을까. 똑똑하면 게으르기라도 해야지. 짜장면 그만 먹어. 이게 음식이야? 먹이지."

"영주야, 근데 밥이 없는데……."

영주는 아차 하는 얼굴로 짜장면을 현수 앞에 도로 슬쩍 밀었다. 현수는 피식 웃으면서 민망해하는 영주의 머리를 귀엽다는 듯 헝클었다. 두 사람은 서로 마주 보며 환하게 웃었다.

현수는 그때를 그리운 얼굴로 회상하는데, 톡톡 톡, 누군가가 차창을 두들겼다. 고개를 돌려 차창 밖을 보니 백상구와 그 수하들이 차를 둘러싸고 있었다. 현수는 기겁하며 경적을 세게 울렸지만 영주는 이미 호텔 정문으로 들어간 뒤였다. 순간 백상구의 수하들이 휘두르는 몽둥이에 운전석 유리창이 박살 났다.

엘리베이터 안에서 지문 방지용 얇은 장갑을 낀 영주는, 34층에 이르자 과감히 내려 복도를 걸어갔다. 영주가 정일의 룸 앞에서 카드키를 대려 하는 순간 안쪽에서 문이 휙 열리더니 배계장이 나왔다. 그는 히죽 웃으며 놀란 영주의 멱살을 거칠게 잡아당겨 룸 안으로 끌고 갔다. 퍽— 퍽—. 영주의 가슴팍이며 얼굴에 배계장의 주먹이 날아와 꽂혔다. 영주는 갑작스런 기습에 방어도 하지 못하고 그대로 쓰러졌다. 영주가 거친 숨을 몰아쉬며 주위를 둘러보니 형사 네 명이 자신을 둘러싸고 서 있었다. 그때 스위트룸의 내실 문이 열리면서 정일과 조경호가 나왔다.

정일은 영주에게 다가와 티슈 한 장을 내밀었다.

"반갑습니다, 신영주 씨."

영주는 몸을 일으키며 티슈를 외면한 채 입가에 묻은 피를 혀로 훑었다.

정일은 맞은편 의자에 앉으면서 영주에게 의자에 앉으라고 손짓했다.

"경호야, 차 한 잔 드려."

거칠게 숨을 몰아쉬는 영주를 정일은 여유 있게 바라보았다.

현수는 한적한 도로에 상처투성이가 된 채 버려졌다. 잠시 바닥에 누워 있던 그는 힘겹게 몸을 일으켜 숨을 고르다, 주머니를 뒤져 구겨진 명함을 꺼냈다. 명함 속에 쓰여 있는 이동준이라는 이름을 노려보며 어찌하면 좋을지 잠시 갈등했다.

"궁금한 것도 많지. 사람들이 묻더라. 배 속의 아이를 두고 떠난 너희 아버지, 몇 년이나 기다렸느냐고."

안명선은 들고 있던 술을 들이켰다.

"엄마는, 동준아, 널 기다렸어. 우리 동준이가 잘 자라기를 기다렸고, 우리 동준이는 세상에 죄짓는 사람 안 되기를 기다렸는데……. 엄마는 ……그저 기다릴게, 동준아."

안명선의 목소리가 쓸쓸했다. 동준은 엄마의 말에 뭔가 겹쳐지는 것이 있었다. 최일환도 동준에게 기다리라고 했었다.

"세상 다 가진 사람도 자식은 자기 뜻대로 안 된다더구나."

엄마의 말에 마음이 복잡해지는데, 동준의 휴대폰이 울렸다.

"이동준입니다."

—영주가…… 영주가…… 위험합니다.

호텔 스위트룸에는 배계장과 형사들이 영주 주변을 서성이며 대기하듯 서 있었다.

"내가 피의자만 아니면 변호해주고 싶은 사건이군."

정일은 벽면 텔레비전에서 나오고 있는 동침 동영상을 힐긋 보며 말했다. 그 영상은 동준이 고개를 돌리려는 순간 정지되었다.

"뒷부분이 보고 싶어. 이동준 얼굴이 나오는 마지막 프레임. 신영주 씨 효도에 내가 마침표를 찍어드리고 싶은데."

"당신이…… 김성식 기자…… 성식이 아저씨를 죽였어."

"세상에는 아무도 원하지 않지만 일어나는 일들이 있습니다. 예를 들면 아버지를 위해 몸을 던진 형사를 공문서 위조로 구속한다든지……."

"당신 뜻대로 될까?"

영주의 목소리가 분노로 떨렸다.

"지금까진, 아마 앞으로도. 동영상이 담긴 칩, 어디 있습니까, 신영주 씨?"

정일은 여유롭게 영주를 바라봤다.

"이동준이 찾으려고 했겠지. 집도 뒤졌을 거고, 메일 서버도 살폈을 텐데……. 어디 숨겼습니까, 신영주 씨. 매일 신영주 씨가 SNS에 올리는 작업을 할 수 있으면서 이동준이 찾을 수 없는 곳……. 이동준하고 아주 가까운 곳에 있겠네."

정일이 뭔가 알아낸 표정으로 영주를 바라보았다. 영주의 표정이 미묘하게 변했다. 정일은 그 표정을 놓치지 않았다.

동준은 택시를 타고 태백 앞에서 내렸다. 현수가 기다리고 있었다. 그는 현수와 함께 자신의 집무실로 향했다. 동준은 집무실로 들어가 서랍을 열고 불투명한 작은 봉투를 꺼내 다시 나가려 했다. 현수가 그 앞을 막으며 물었다.

"영주는 지금 강정일에게 감금돼 있습니다. 근데 왜 여기서……."

"강정일을 움직일 수 있는 사람이 여기 있으니까."

동준은 현수를 지나쳐 다급하게 어디론가 향했다. 현수는 소파에 털썩 주저앉았다. 마음은 다급한데 할 수 있는 일이 없었다.

"시체를 숨기기에는 전쟁터가 가장 좋은 곳이지. 집. 태백. 집. 신영주 씨 동선이지. 집에 없다면 태백에 있겠네. 비서실이 아니라면…… 이동준 변호사 집무실."

영주는 정일의 말에 자기도 모르게 침을 삼켰다. 정일은 그 모습을 놓치지 않고 조경호에게 지시했다.

"보안과에 연락해서 이동준이 방 뒤져."

"말……."

영주는 다급해졌다.

"말…… 할게요. 공문서 위조는……."

"덮어드리죠."

영주는 빈 물컵을 들고 냉장고를 가리키며 시간을 끌며 걸어갔다.

"어머니 반찬 가게 납품할 곳도 알아봐줘요. 한 달 매출이 꽤 나오는 데면 좋겠네."

냉장고 앞에서 문을 열어 자신의 몸 절반 정도가 가려지자, 빠르게 휴대폰을 꺼내 현수에게 연결되는 단축 버튼을 눌렀다. 영주는 휴대폰을 다시 빠르게 주머니에 넣고 천천히 물을 따랐다.

절망적인 얼굴로 동준의 집무실 소파에 앉아 있던 현수는 영주에게서 전화가 오자 서둘러 받았다.

—이동준 변호사 집무실 서가 옆에 큰 화분이 있어요.

현수는 사방을 둘러보다 저만치 놓인 큰 화분을 발견했다.

—그 화분은 제가 관리해요. 선인장 종류라 물도 일주일에 한 번 주면 되고. 바닥에 돌도 검고 작아서 마이크로 SD 카드와 비슷하죠. 시체를 숨기는 덴 전쟁터가 최고니까.

현수는 화분의 작고 검은 돌 사이를 뒤져 조그만 마이크로 SD카드를 찾아냈다.

—당신들이 찾는 칩이 그 안에 있어요. 현수야, 없애!

—끊어!

영주의 말과 동시에 정일의 외침이 들렸다.

현수는 SD카드를 들고 나가려다 잠시 멈췄다. 동준의 책상 위에 노트북과 그 옆에 보안카드가 놓여 있었다. 현수는 잠시 손에 든 SD카드를 바라보다 동준의 노트북 전원을 켰다.

조경호의 지시를 받은 보안과 직원들은 동준의 집무실을 박차고 들어갔지만 안에는 아무도 없었다. 그때 밖에서 파바박 하고 뭔가 불붙는 듯한 소리가 들렸다. 보안과 직원들은 탕비실로 달려갔다. 안에서 전자레인지가 돌아가고 있었고 그 앞에 현수가 서 있었다. 전자레인지 안에서는 SD카드가 불꽃을 일으키며 녹아내리고 있었다. 그제야 현수는 몸을 돌리며 신분증을 꺼내 보였다.

"영등포 경찰서 형사과 박현수 경위입니다. 공무수행 중입니다."

현수의 목소리가 떨리고 있었다. 마음도 몸도 망신창이가 된 현수는 눈가가 촉촉하게 젖어들었다.

"우리 어릴 때 당산 나무 밑에 무당집이 있었데이."

한밤중에 최일환의 집무실을 찾은 강유택은 탁자 위에 놓인 땅콩을 집어 먹으며 옛이야기를 꺼냈다. 옛이야기에 최일환은 얼굴을 찌푸렸지만, 수연은 흥미로운 얼굴이었다.

"당골 무당이 죽고 몇 십 년 비아났다 아이가. 밤에 알라 우는 소리 들린다꼬 장정도 피해 가던 집인데, 수연아, 너거 아부지가 무당집에서 2년을 고시공부했다 아이가. 일환아, 안 무섭더나?"

"집에는 공부할 방이 없었으니까."

그까짓 무당집! 최일환은 한 맺힌 귀신들이 밤마다 튀어나오던 무당집보다 가난이 더 무서웠다. 절대 떨어지지 않을 것처럼 착 달라붙어 있던 가난이 끔찍하게 싫었다.

"고래 겁 없던 놈이 지 자식 다치는 거는 무서버가. 크크크! 이혼은 알아서 하고, 겔혼식 날 잡아라."

"3년 뒤에나 할 결혼, 벌써 날을 잡을 수 있나."

순간 강유택은 '또 무슨 수를 쓰려고!' 하는 얼굴로 최일환을 쳐다보았다.

"미국에 법무법인을 만들 생각이야. 정일이가 3년 정도 맡아줬음 하는데."

그 말에 강유택이 눙치는 미소를 지었다.

"정일이 미국 보내놓고 니는 뭐 할라꼬. 미국은 방산 비리 걸리믄 간첩된다든가, 반애국된다든가, 종신형도 살린다 카던데. 고랄 생각이가? 아따, 일환이 두 손 들었다 캐가 술 한산 받아주러 왔더이……."

"트럼프 정권에선 무기 수출에 주력할 거야. 무기 시장은 몇 배로 커지겠지. 정일이가 맡아서……."

최일환이 말을 마치기도 전에 강유택은 깐 땅콩 하나를 받으라는 듯 툭 던졌다. 땅콩은 최일환의 가슴팍에 맞고 바닥에 떨어졌다.

"그라믄 일환아, 미국에는 니가 가라. 요 자리는 우리 정일이한테 넘기고."

말없이 서로를 쳐다보는 최일환과 강유택의 눈빛이 매서웠다.

동준은 최일환의 집무실 복도를 다급하게 걸어가며 휴대폰 통화 버튼을 눌렀다.

"강정일 씨, 지금 당신 앞에 있는 사람, 내 비서입니다."

동준은 통화 중인 상대의 말을 들으며 결연한 표정으로 최일환의 집무실을 향해 성큼성큼 걸어갔다.

―태백은 법을 다루는 곳입니다. 범법자를 비서로 두면 안 되지.

"범법자를 태백의 팀장으로 두면 안 되죠."

"태백은 우리나라 최대 로펌이야. 정일이가 지고 가기에는 아직 무거워."

"서른둘. 아빠가 태백을 시작한 나이예요. 오빠는 서른다섯이고. 충분해요, 아빠."

수연의 말에 최일환은 기가 딱 막혔다. 아무리 딸이지만 강유택 집안을 돕고 나서는 수연을 더 이상 참을 수 없을 것 같았다.

"이동준 씨 문제는 알아서 할게요. 부부 사이 일이잖아."

최일환은 노여움을 최대한 누르며 수연을 쳐다보았다.

"아따, 일환아. 쪼매난 사무실 하나로 시작했는데 요만큼 키운다꼬 욕봤다. 월급쟁이 사장이 일 잘했다꼬 퇴직할 때 회사 들고 나가는 거 봤나. 퇴직금은 잘 챙기주꾸마."

강유택이 느물거리는 목소리로 태백의 소유권에 쐐기를 박자 최일환은 분노가 폭발했다.

그 순간 문이 벌컥 열리더니 동준이 통화를 하면서 등장했다. 동준은 들어오던 속도 그대로 소파로 다가와 수연 옆에 앉았다.

"수연이는 마약 복용 혐의로 체포될 겁니다."

동준은 최일환, 강유택, 수연을 한 번씩 쓱 훑어보더니 전화기에 대고 천천히 말했다.

"선물 고마웠다, 수연아. 나도 보답해야지, 남편인데. 상습 복용 혐의가 적용될 겁니다."

수연은 뒤통수를 제대로 얻어맞은 것처럼 놀란 눈으로 동준을 쳐다보았다.

정일은 전혀 예상치 못한 반격에 얼굴이 일그러졌다.

—지난 며칠간 하루에 두 번씩 소량 복용했으니.

휴대폰 너머로 이동준의 목소리가 들려왔다.

영주는 강정일의 심상치 않은 얼굴을 보고 동준이 뭔가 일을 진행하고 있음을 느꼈다. 영주는 이때다 싶어 자신을 누르고 있던 배계장을 거칠게 밀치고 일어났다. 배계장이 다시 영주를 제압하려 하는데 정일이 손을 들어 제지했다.

—수연이 구하고 싶으면 빨리 결정하세요.

동준의 제안에 정일은 난감한 표정을 지었다. 영주는 거친 숨을 고르며 정일을 팽팽하게 바라봤다.

—지금 형사가 대기하고 있거든요.

동준의 재촉에 정일은 잠시 눈을 감고 생각에 잠겼다.

최일환, 강유택, 수연 모두 뜻밖의 상황에 침묵을 지키고 있었다.

"강정일 씨, 당신 여자 보내드리죠. 내 비서 돌려줘요."

정일은 휴대폰을 거칠게 수연의 손에 쥐어주며 단호하게 말했다.

"살려달라고 해. 아님 작별 인사를 하든지……."

강유택은 땅콩 하나를 천천히 입에 넣으며 동준을 쳐다보았다.

"마약이라 캤나……."

"받은 선물 돌려주는 것뿐입니다. 저한텐 너무 과분해서요."

수연은 휴대폰을 든 채 도움을 청하는 눈빛으로 최일환을 바라봤다.

"……아빠."

최일환은 동준과 수연을 번갈아 보다 소파에 깊숙이 기대앉으며 말했다.

"부부 사이 일이다. 너희들이 알아서 해."

수연은 그 말에 굳은 눈빛으로 최일환을 보다가, 동준을 빤히 쳐다보며 전화기에 대고 말했다.

"오빠, 우리가 기다리던 날이…… 오늘은 아닌 거 같아."

동준과 수연은 이를 악무는 심정으로 서로를 바라보았다.

정일은 땅이 꺼질 듯한 한숨을 내쉬며 통화를 끝냈다. 맞은편에 서서 그 모습을 보던 영주는 동준이 일을 처리했다는 걸 알아차렸다.

"차는 다음에 마셔야겠네."

영주가 탁자에 놓인 찻잔을 바라보며 말했다.

"보내세요."

정일의 지시에 배계장은 영 못마땅한 눈으로 영주의 어깨에 손을 올리며 한마디했다.

"어이, 세상 험하다. 조심조심 살자. 어?"

영주는 피식 웃고는 배계장의 얼굴에 그대로 주먹을 날렸다. 뜻밖의 일격에 배계장은 탁자 위로 쓰러지고, 그 바람에 찻잔과 커피가 바닥으로 쏟아졌다.

"니들이 치우고 가라."

영주는 배계장 옆에서 어쩔 줄 몰라하던 형사들에게 내뱉고 밖으로 나갔다.

호텔 복도를 걸어가며 영주는 불만으로 폭발할 것 같았다. 아무리 정교하게 계획을 짜도 매번 사건이 해결되지 않는 상황에 화가 치밀었다. 점점 더 병세가 악화되는 아버지를 생각하면 초조해 미칠 것만 같았다. 영주는 지문 방지용 비닐 장갑을 거칠게 벗어 바닥에 던지곤 재빨리 호텔을 빠져나갔다.

강유택과 수연이 돌아간 대표 집무실에는 최일환과 이동준만 남아 술잔을 기울이고 있었다.

"기다리라는 장인어른의 말씀, 믿었습니다."

동준은 항의하는 눈빛으로 최일환을 쳐다보았다.

"왜?"

뜻밖의 말에 동준은 잠시 당황했지만 말을 이었다.

"수연이와 결혼하고 태백에 들어오라는 제안도 받아들였습니다."

"왜?"

이번에도 최일환은 같은 대답을 했다. 최일환은 양주 병을 들어 잔에 술을 따른 뒤 동준에게 건넸다.

"잔을 건넨 건 나지만 마신 건 자네야."

"……다른 길이 없었으니까요."

"흔한 변명이지."

"재임용에서 탈락하고 구속까지 될 상황이었습니다. 판사로 보낸

10년. 단 한 번도 부끄러운 일을 한 적이 없었는데……."

"그럼 다른 사람을 부끄럽게 만들었겠군."

그 말에 동준은 멈칫하며 최일환을 바라보았다.

"이길 수 없는 상대를 적으로 만들었을 거고."

동준은 최일환의 말이 맞을지도 모른다는 생각이 들었다. 자신의 정의가 어쩌면 다른 사람에게 상처가 될 수도 있었을 거라는 생각이 들었다. 회한이 밀려와 고개를 숙인 채 술잔만 만지작거렸다.

"제가 태백을 나가면 어떻게 됩니까?"

"좋아하겠군. 장현국 대법원장이."

장현국이라는 이름이 나오자 동준은 긴장했다.

"딸이 유산을 했네. 예민한 시기에 남편을 감옥에 보냈으니, 자네 덕분에……."

동준은 장현국 대법원장의 집을 찾았을 때 배가 불룩하던 딸의 모습을 떠올렸다. 그는 왠지 장현국이라는 이름에서 벗어날 수 없을 것 같은 기분이 들었다.

"수연이는…… 도대체 왜 이 결혼을 받아들였습니까?"

동준의 질문에 최일환은 씁쓸한 미소를 지었다.

그날 새벽, 비를 흠뻑 맞은 채 수연과 정일이 파랗게 질린 얼굴로 최일환의 서재를 찾아왔었다.

"아빠, 도와줘. 내 실수야. 방탄복 성능검사 유출된 것도 나 때문이고, 백상구 그 사람 산 것도 나야."

최일환은 정일의 손에 묻은 흐릿한 핏자국을 말없이 바라보며 어떻게 해야 할지 고민했다.

"시신은 국과수로 갔대. 막아줘. 아빠, 부탁이야."

수연이 애절하게 최일환에게 매달렸다. 최일환은 빠르고 복잡하게 머리를 굴렸다.

"수연이와의 결혼은 미루겠습니다. 사건이 수습될 때까진."

'결혼…….'

그 말에 최일환은 뭔가 머릿속에 떠오른 듯 정일을 보며 온화하게 미소 지었다.

"아니, 결혼은 진행해야지."

수연은 최일환의 말에 이제 모든 게 해결될 거라 믿으며 긴장을 풀었다.

"정일아, 수연이 결혼식 때 사회를 봐줄 수 있겠지?"

그 말에 수연과 정일은 너무 놀라 입을 다물지 못한 채 멍하니 최일환만 바라봤다.

"날이 밝아오는구나. 사람들이 보기 전에 덮어야 하는 일들이 아주 많아."

최일환은 인자한 얼굴로 수연과 정일을 쳐다보며 다정하게 미소 지었다.

"식을 치르고 정일이는 내보낼 생각이었다. 그런데 그 녀석이 자수하겠다면서 나를 협박하네. 허허, 아비 손을 딸애가 묶어놨어. 동준아, 너 혼자 정일이를 상대해야 할 거다. 당분간은……."

최일환은 의미심장한 눈빛으로 동준을 바라보았다. 동준은 최일환이 뭔가 꾸미고 있다는 걸 직감했다.

"지금 태백에서 널 도와줄 사람은 없다."

"아뇨. 있습니다."

동준은 단호한 얼굴로 앞에 놓인 잔을 단숨에 들이켰다.

동준은 저벅저벅 걸어가 한강변에 서서 강을 보고 있는 영주 옆에 섰다. 영주의 입가에 피가 배어 나와 있었다. 동준은 안타까운 마음으로 그 상처를 바라봤다.

"소독이라도 해야겠어요. 근처에 약국이 있습니다."

영주는 약국에 가려는 동준의 팔을 잡아 거칠게 돌려세웠다.

"당신이 재판을 제대로 했으면 안 생겼을 상처야. 판사로 보낸 10년 동안 많은 판결을 했겠네. 누구는 사형. 누구는 징역. 이동준 씨, 당신이 법정에 선다면 판결은 어떻게 될까?"

동준은 영주의 날 선 마음에 자신도 날 선 마음으로 맞섰다.

"집행유예."

영주가 기가 막히는 듯 동준을 쳐다보는데 휴대폰이 울렸다.

"어, 엄마."

—영주야, 너그 아부지, 내일 아침에 밖에 나가 진찰한단다. 외부 진료는 그래 안 된다 카더이, 얼굴이라도 보라꼬 전화까지 주고. 먼 일이고 이기.

엄마의 들뜬 목소리가 휴대폰을 통해 고스란히 전해졌다. 갑자기 외부 진료라니…… 뭔가 이상했다.

"엄마, 병원이 어디야?"

"규모는 작지만 괜찮은 병원입니다. 담당 의사가 심폐 분야에선 권위자입니다."

엄마 대신 동준이 대답했다. 영주는 어떤 상황인지 알겠다는 표정으로 전화를 끊고 동준을 바라보았다.

"피해자를 돕고 있으니까 정상 참작이 되겠죠. 어쩌면 기소유예가 될지도."

영주는 짧은 실소를 터트렸다.

“이동준 씨 성공할 스타일이었네. 후회도 없고, 반성도 안 하시고.”

“후회합니다. 대법원장 사위 횡령도 덮어줄걸. 그랬으면 대법원에 연구관으로 갔을 텐데 말이죠. 그랬으면 재임용 심사도 없었을 텐데.”

동준은 위악적인 마음으로 자신에게 말하듯 토로했다.

“반성도 하죠. 대법원장 사위 횡령도 덮어줄걸. 그랬으면 대법원에 연구관으로 갔을 텐데. 돌아오면 부장판사가 됐을 테고.”

영주가 비웃듯 피식 웃었다.

“왜들 그랬을까? 소신 판결의 판사, 신념의 법조인이라고. 변. 절. 자!”

“앞으로 변절자가 될 일은 없을 겁니다. 지키지도 못할 신념, 이젠 안 가질 거니까.”

이상하게 동준의 목소리에 쓸쓸함이 묻어났다.

‘이 남자는 앞으로 어떻게 변하려는 걸까…….’

영주는 동준을 뚫어질 듯 응시했다.

“창녀한테 순결을 요구하는 사람은 없을 테니까. 길들여지면서 그렇게 다들 살아요.”

“다는 아니지. 아빠는 같은 길을 걷던 친구가 떠나고 동료가 배신하는 세상에 끝까지 고개 안 숙이고…….”

“그러다 감옥에 간 신창호 씨…….”

“이동준 씨!”

영주는 아빠의 인생을 함부로 말하는 건 참을 수 없었다.

“빼내야죠. 안 급하면 후회나 더 할까요?”

영주는 뜻밖의 말에 한 방 얻어맞은 것처럼 어이없는 눈으로 동준을 쳐다보았다. 동준의 눈은 이미 한 차례 폭풍우가 지나간 것처럼 고요했다.

"살인의 증거는 이제 없어요. 살해 동기부터 확보해야겠네. 김성식 기자가 확보했던 문서가 있어요."

"방탄복 성능검사 비밀문서!"

영주가 동준을 힐긋 쳐다봤다.

"강정일한테는 목숨보다 중요한 거였죠. 자기 목숨은 아니지만."

"그 문서, 수연이가 가지고 있습니다."

그날 수연은 백상구에게서 받은 비밀문서를 자신의 금고에 숨겨뒀다. 수연은 최일환이 검찰을 움직이지 못하도록 협박했다. 압수수색이 들어오면 비밀문서가 자신의 금고에서 발견될 테고, 그렇게 되면 자신이 정일보다 먼저 감옥에 가게 될 거라고 최일환을 협박했다.

"최수연의 금고라……. 집무실에 있겠네. 금고 열쇠 확보해요. 난 방탄복 관련 내용 알아보죠."

동준은 영주의 지시하는 듯한 말투가 살짝 거슬려 불편한 표정을 지었다.

"수사는 내가 지휘해요. 따라오든지, 꺼지시든지."

동준은 한마디하려다 그냥 한숨을 쉬며 입을 다물었다.

바람 부는 강가에 두 사람은 한참 동안 나란히 서 있었고, 현수는 그 모습을 멀리서 분노 어린 얼굴로 바라보고 있었다.

*

"추운 방에 드갈 양반, 뜨신 밥이라도 믹이가 보내얄 거 아입미꺼?"

외부 진료를 보러 나온 신창호를 본 영주 엄마는 그 초췌한 모습을 보자 가슴을 도려내는 듯 아파왔다. 따뜻한 밥이라도 한 그릇 사 먹이지 않으면 남편을 교도소로 돌려보낼 수 없을 것 같아 의무실장에게 사정사정했다.

"아주머니, 요샌요. 교도소 밥도 따뜻합니다. 아, 거 진짜 남편이 법을 안 지키니 식구들도 다……. 떼쓴다고 되는 일이 아니에요. 우리도 원칙이 있습니다."

의무실장은 영주 엄마의 부탁을 완강히 거절했다. 조금 떨어진 곳에서 지켜보던 영주는 도저히 안 되겠다 싶어 동준에게 전화를 걸었다. 웬만하면 쓰고 싶지 않은 방법이었지만, 엄마의 마음을 외면할 수는 없었다.

"아빠랑 식사하려고요. 한 시간이면 돼요."

영주는 동준과 통화 중인 휴대폰을 의무실장 귀에 대줬다.

"……아, 네네."

동준의 한마디에 의무실장은 곧바로 허락해줬다. 이렇게 간단하고 쉬운 방법이 있었다니……. 영주는 씁쓸하기 그지없었다.

동준은 자신의 방으로 송태곤을 불렀다. 송태곤은 수연의 금고 열쇠를 갖고 있는 사람이었다.

"네 부탁 들어주면 내가 허리 꼬부라질 때까지 비서실장 책상에 앉아 있게 해주겠다 이거냐."

동준의 제안에 관심을 보이며 진지하게 생각하는 듯하던 송태곤이 되물었다.

"금고 열쇠가 지문 인식이라고 했죠? 비서실장은 임직원 신체 정보에 접근할 권한이 있죠. 수연이 지문 확보해주세요."

"지문 쓰리디 샘플은 네가 만들 거냐?"

동준은 찻잔을 들며 고개를 끄덕였다.

"그래. 근데 동준아, 지문도 없이 어떻게……."

송태곤은 표정이 싹 바뀌며 동준을 향해 비릿한 웃음을 지었다.

동준은 차를 마시려던 손을 멈추며 찻잔을 내렸다.

"황창식 고문, 인권 변호사 출신이다. 배진경 팀장은 민주화 운동하다 감옥까지 갔다 온 놈이야. 그놈들도 변하는데 석삼년은 걸리더라. 넌, 자식이 한 달만에 싹 바뀌냐?"

"선배……."

"스폰서 검사는요, 촉이 빨라요. 지금 대표님 자리 비우면, 다음 대표는 저 방에 있을 거 같다. 어떡하냐, 동준아."

송태곤은 정일의 방을 가리키며 걱정해주는 듯 동준을 놀렸다.

동준은 송태곤이 넘어가지 않자 한숨을 쉬었다.

"참, 세계법학자대회 연설한다며, 짜식. 이주민들 무료 법률 상담 해주겠다고 영어 배우더만 자알 써먹는다, 마."

송태곤이 가볍게 스트레칭하며 동준의 방을 나갔다. 동준은 난감한 얼굴로 송태곤의 뒷모습을 쳐다보았다.

정일은 근심 가득한 얼굴로 창밖을 보며 서 있었다.

"이동준과 신영주의 동영상은 이제 없어. 이동준을 묶을 사슬이 사라졌어."

"내가 다시 묶어볼게."

수연은 소파에 앉아 유리벽 너머로 동준의 집무실을 보고 있었다. 동준과 이야기 나누던 송태곤이 밖으로 나가는 모습이 보였다.

"쉬운 사람 아니야. 수연이 네가 감당하기에는……."

"남편은 아내 하기 나름 아닌가……. 안됐다."
수연은 밖으로 나가는 동준을 보며 한마디 던졌다.
"세계법학자대회에서 이동준 저 사람, 악몽을 보게 될 거야."
수연은 알 수 없는 미소를 지으며 동준을 바라보았다.

세계법학자대회 대회장에 들어서려던 동준은 멀리서 걸어오는 장현국 대법원장을 보고 경악했다. 장현국은 동준을 발견하자 묘한 웃음을 지으며 다가와 악수를 청했다.
"오랜만이군, 이동준 변호사."
대법원장은 동준의 손을 부스러뜨릴 듯 힘껏 쥐었다. 동준은 자신에게서 떨어지지 않는 벌레를 보듯 그를 쳐다봤다.

식당 아주머니가 죄수복을 입은 신창호를 흘깃거리며 추어탕 세 그릇을 테이블에 놓았다.
"고맙심미더. 옷이 무서버가 그라나. 딴 식당에서는 나가라꼬 밀어내던데. 요는……. 들깨 가루가 없네. 여기 청양 고추도 두어 개 썰어주이소."
영주 엄마는 신창호에게 한 끼라도 제대로 먹이고 싶었다.
영주는 그런 엄마를 안쓰럽게 보고는 창밖에 대기하고 있는 호송차로 시선을 옮겼다.
"태백에서 나와라. 엄마 일 도우면서 집에 있어. 이 아비 나갈 때까지 아무것도 하지 말고."
"내가 아무것도 안 하면, 아빤 못 나와."
영주는 엷은 미소를 지으며 쓰라리게 웃었다.

"장차관 절반이 태백하고 얽혀 있어. 경찰, 검찰에도 태백 식구들이 깔려 있다."

"그래서 존경해, 아빠. 방탄복 비리 밝히겠다고 그 대단한 태백에 맞섰잖아."

식당 아주머니가 들깨 가루와 청양 고추를 가지고 와 테이블 위에 놓아주었다. 영주 엄마는 신창호의 추어탕에 들깨 가루와 청양 고추를 듬뿍 넣어주었다. 영주는 아빠와 똑같이 들깨 가루와 청양 고추를 자신의 그릇에 듬뿍 넣었다.

"그러다 아빤 포로가 됐고……. 난 지금 포로 교환하는 중이야. 조금만 기다려."

"영주야……."

영주 엄마는 둘 중 누구도 말릴 수 없다는 걸 잘 알았다.

"아따, 식성만 닮지. 고집도 똑같이 닮아가 우야노."

영주는 아빠가 더 이상 자신을 말리지 못하도록 고개를 숙인 채 추어탕만 먹었다. 신창호는 그런 딸이 너무도 위태로워 보였다.

동준은 힘 빠진 얼굴로 계단을 걸어 올라가 침실 문을 열었다. 수연이 소파에 앉아 와인을 마시고 있었다.

"같이 한잔해요. 보르도산 와인인데, 피곤할 때 좋죠. 겁이 날 때도 괜찮고."

동준은 잠시 생각하다 수연에게 다가가 그 앞에 앉았다.

"소도."

동준의 잔에 와인을 따르던 수연이 알 듯 말 듯한 미소를 지으며 말했다.

"삼한 시대에 천신께 제사를 올리던 곳이죠. 죄인도 소도에 들어가면 처벌을 못했대요."

'소도…….'

동준은 오늘 낮에 세계법학자대회에서 마주친 장현국이 한 말이 떠올랐다.

'자네한텐 태백이 소도겠군. 유일하게 내 힘이 미치지 않는 곳이니.'

동준은 수연과 장현국 대법관 사이에 거래가 있었음을 직감했다.

"깨끗한 법원, 신뢰받는 판사. 장현국 대법원장이 취임식에서 내건 모토죠. 전면 내사에 들어갈 거예요. 재판 관계자에게 향응을 제공받은 법관들, 전관예우해준 판사들, 그리고 피해자의 딸과 동침한 전직 판사까지."

"대법원장한테 뭘 줬지?"

수연은 말없이 옆에 놓인 사진을 뒤집어 동준 앞에 놓았다. 영주가 SNS에 올린 동영상의 마지막 스틸 컷이었다. 수연은 아직 보이지 않는 얼굴을 손가락으로 톡 쳤다.

"얼굴은 장현국 대법원장이 밝혀내겠죠."

"그 대가로 대법원장 사위 2심 재판을 맡기로 한 거야?"

"생각 중이에요. 우리 태백에 횡령 사건 에이스가 누굴까? 어땠어요, 그날 밤?"

수연은 잠시 뜸 들이더니 동준에게 약 올리듯 물었다.

"어떤 기분일까. 살인자와 함께하는 시간은."

동준은 분노가 치밀어 독한 말을 내뱉었다. 하지만 수연은 아무렇지도 않은 듯 와인 잔을 가볍게 흔들어 보이며 생글생글 웃었다.

"나 때문에 묻은 피인데 내가 닦아줘야죠. 대법원장한테 약속했어요. 그쪽 사위는 나오고 우리 아빠 사위가 들어갈 거라고."

"못 지킬 약속을 했군."

"발버둥은 내가 안 보는 데서 쳤음 좋겠다."

생글거리는 수연을 동준은 치 떨리는 표정으로 바라봤다. 동준은 절벽에 매달린 기분이었다.

10

—장현국 대법원장은 법원 쇄신책의 일환으로 현직 판사와 2년 내 퇴임한 전직 판사에 대한 복무 점검을 실시한다고 밝혔습니다. 이번 복무 점검은 변호사나 피해자의 가족에게 향응을 제공받은 혐의를 받고 있는 전현직 판사들이 주요 대상인 것으로 알려지고 있습니다.

텔레비전 화면에는 장현국 대법원장의 얼굴이 나오면서 그의 법원 쇄신책 관련 뉴스가 나오고 있었다.

수연은 자신의 집무실에서 황보연과 함께 그 뉴스를 유심히 보다가, 다른 뉴스가 나오자 리모컨으로 화면을 껐다.

"대법원장 사위분 1심 재판 형량이 양호했어요. 분식 장부를 믿었으니……. 이건 실제 회계장부입니다. 횡령액이 밝혀진 것보다 두 배는 넘어요. 다른 변호사를 추천하겠습니다."

황보연은 대법원장 사위의 회계 서류를 수연 앞에 내려놓았다. 수연은 그 서류를 쭉 훑어보며 홀린 듯 말했다.

"질 재판은 안 맡아서. 에이스가 된 줄 몰랐네."

수연이 황보연을 빤히 쳐다봤다.

"예쁘다, 너."

수연의 뜬금없는 말에 황보연의 얼굴에 당황한 기색이 감돌았다.

"종편에서 정치 예능 프로를 만들 건가봐. 미모에 논리를 갖춘 패널을 추천해달라는데, 누가 괜찮을까?"

이제야 황보연은 수연의 의중을 파악했다.

"첫 방송이 언제죠? 팀장님!"

"첫 재판은 언제야? 이제 바빠지겠네. 재판 준비에 방송까지. 황변 수고하자!"

수연은 생긋 웃어 보이며 정일이 서 있는 발코니로 나갔다. 정일은 발코니에 서서 태백 건물 아래 펼쳐진 서울을 보고 있었다. 수연이 정일 옆으로 다가가 마주 보고 섰다.

"내사팀 인원만 수십 명이야. 대법원장 이 양반, 이동준 하나 잡으려고 그물을 치고 있어."

"낚싯대 하나로 이동준만 잡으면 사람들이 타깃 수사라고 생각할까봐 그렇겠지."

"재판 관계자 접촉 금지의 원칙. 담당 판사는 피고인 가족하고 대화도 못하는 게 규정이야."

"같이 밤을 보냈으니 이동준 씨 앞날이 깜깜해지겠네."

이번에야말로 동준을 잡을 수 있을 것 같은 예감에 수연은 마음이 가벼워졌다.

동준은 안명선의 다급한 전화를 받고 요양원으로 달려갔다. 대법원 내사팀이 곧 들이닥치리라는 건 어느 정도 예상했지만, 요양원으로 먼저 갈 거라곤 생각지 못했다. 차에서 내리자마자 동준은 곧바로 원장실로 향했다. 원장실에는 사내 세 명이 안명선과 마주 앉아 있었다.

그중 한 사내가 동준에게 다가와 물었다.

"대법원 내사팀입니다. 이동준 변호사님?"

동준은 고개를 끄덕이며 안명선 옆에 앉았다.

"뭐, 대질신문도 좋겠죠."

"판사 재임 시에 피고인의 딸을 겁박해서 동침을 했다는 제보가 있습니다."

그 말에 동준은 엄마를 쳐다보았다. 엄마는 쓸쓸한 얼굴로 자신을 보고 있었다. 그 얼굴이 동준의 가슴을 사정없이 내리쳤다.

"재판 과정에 선처해주겠다고 회유했고, 이후에도 지속적인 관계를 가졌다고 하는데……. 결혼식 전날 행적을 말해주시죠."

동준은 어떤 말도 못하고 엄마의 얼굴만 보았다.

"어서요."

내사팀 중 한 사내가 재촉하며 짜증을 냈다.

"……생각 안 나니? 엄마랑 늦은 저녁을 먹었잖아."

안명선은 누가 봐도 어색하게 변명하기 시작했다.

동준은 평생 거짓말은 모르고 살아온 엄마가 자신을 위해 거짓말을 하는 모습을 보며 억장이 무너졌다.

"……냉이된장찌개에 밥을 두 그릇이나 비웠잖니, 동준아."

"사실입니까?"

내사팀 중 한 사내가 미심쩍은 얼굴로 동준에게 물었다.

"……냉이는 뒤뜰에서 내가 뜯어왔습니다."

동준은 슬픈 눈으로 엄마를 쳐다보았다.

이번에는 다른 사내가 서류를 뒤적이며 말했다.

"진술이 다른데……. 그날 밤 늦게까지 같이 술을 마셨다는 사람이 있어요."

동준은 순간 멈칫했다. 그날 연수원 동기들과 술을 진탕 마신 게 기억났다. 그 사실을 증언해줄 사람이 너무 많다는 걸 깨달았다. 동준은 숨길 수 없음을 알고 입술을 깨물었다.

"저기요. 형사처벌 받으실 수도 있습니다. 위증죄 형량이 강화된 건 아시죠?"

사내가 안명선에게 위협적으로 말했다. 동준은 안명선에게 고개를 가로저으며 숨길 수 없다는 표시를 했다.

"엄마……."

안명선은 동준에게 고개를 가로저으며 그럴 수 없다는 의미로 어색한 미소를 지었다.

"……그날 동준인 해 지기 전에 요양원에 왔어요. 저녁을 같이 하고, 맞다, 포도주도 마셨네. 결혼 전날이라 떨리는지 한 병을 다 마셨잖니. 아침에 깨우느라 얼마나 힘들었는지……."

동준은 아들을 위해 들통나고 말 거짓말을 하는 엄마를, 탁자 아래로 내린 떨리는 손을 억누르며 바라봤다.

*

장현국 대법원장과 점심 약속을 한 최일환은 약속 시간보다 조금 일찍 일식집에 도착해 있었다. 그런데 어찌 된 일인지 약속 시간이 지나도 장현국은 나타나지 않았다. 최일환이 심기가 불편한 얼굴로 시계를 보는데, 송태곤이 난감한 얼굴로 들어왔다.

"대법원장실에서 연락이 왔습니다. 대법원장님 컨디션이 안 좋아서 오늘 못 나오신다고……."

그 말에 최일환은 눈꼬리가 꿈틀했다. 앞에 놓인 잔을 들어 올리는데, 노크 소리가 들렸다.

문이 드르륵 열리더니 골프 복장을 한 강유택이 들어와 최일환 앞에 앉았다.

"대법원장 금마, 고 나이에 드라이브를 200야드를 날리네. 사위 나오믄 회사에 투자한다 캤더이 기운이 나는갑제."

강유택은 앞에 놓인 잔을 들어 송태곤에게 내밀었다.

"한 꼬뿌만 묵고 가꾸마. 도고."

최일환은 굳은 얼굴로 송태곤이 강유택에게 술을 따르는 모습을 묵묵히 보기만 했다.

"아따. 방탄복이 와 이리 속을 썩이노."

"제대로 만들었어야지. 북한군 철갑탄을 막는 방탄복을 납품하랬는데, 실탄도 관통하는 옷을 납품했으니."

"고거 납품할라꼬 군대 있는 놈, 방사청 있는 아들한테 믹인 돈이 기백억인데 물건이 지대로 나오겄나."

강유택은 술잔을 단숨에 비우더니 송태곤에게 다시 잔을 내밀었다.

"일환아, 고 성능검사 비밀문서를 기자한테 준 놈이 누군지 아나?"

송태곤이 잔을 따르다가 멈칫했다.

"내는 안데이."

강유택이 송태곤을 보며 씨익 웃자, 술병을 따르는 그의 손이 떨렸다.

"일환이가 시키더나? 고 문서 방송에 내보내가 내는 감옥에 보내고 정일이는 내쫓으라고."

송태곤은 떨리는 손으로 술병을 천천히 내렸다.

강유택은 비릿한 미소를 지으며 송태곤을 계속 몰아붙였다.

"법전만 뒤적이던 내 아들 손에 피 묻히고로 만든 기 니가?"

송태곤의 눈동자가 심하게 요동쳤다.

"벌써 겁을 무믄 우야노? 아끼나라, 일환아. 인자 내리나라. 밑에 아들 고마 다치고로 하고."

강유택은 할 말을 다 하고는 양손으로 탁자를 탁 치며 일어나 인사도 없이 나가버렸다.

"대…… 대표님……. 전 대표님 지시대로 했습니다……."

송태곤은 두려운 얼굴로 변명했다.

최일환은 굳게 입을 다물고 묵묵히 앞만 보았다. 그때 탁자 위에 놓인 휴대폰이 진동했다. 최일환은 화면에 뜬 이동준의 이름을 확인하고 송태곤에게 건넸다.

"동준이한테 술 한 잔 따라줘."

장현국 대법원장이 칼을 빼 든 상황이니 일이 금방 끝날 줄 알았는데 쉽게 풀리지 않자, 정일은 수연을 찾아갔다.

"이동준 씨 모친, 녹취를 하겠다는데도 그날 이동준이 요양원에서 잤다고 주장하고 있어. 내사팀은 모친을 위증으로 엮을 생각이고."

"진술이 상충되겠네. 어쩌면 시간이 걸리겠다. 확실한 증언이 필요한데……."

그때 수연의 집무실 문이 열리며 조경호가 서류 한 장을 들고 들어왔다.

"야, 딴놈들보다 연봉은 따블로 주면서 일은 트리플로 시키냐. 호주 쪽 펀드 미팅 끝내고 하루 종일 신영주 팔로했다. 지금 병원에 있어."

조경호가 들고 온 서류를 책상에 올려놨다. 신창호의 진단서였다.

"신창호, 폐암 3기란다."

정일과 수연은 놀란 얼굴로 마주 봤다.

"정일아, 우리도 건강 챙기면서 살자. 너도 인마, 올해는 빼먹지 말고 건강검진 받고."

정일은 잠시 뭔가 생각하다 수연을 보며 엷은 미소를 지었다,

"이번 내사 빨리 끝나겠는데."

수연과 조경호가 영문을 모르겠다는 얼굴로 정일을 바라봤다.

"확실한 증언을 해줄 사람이 생겼어."

좋은 생각이 떠오른 듯 정일의 입가에 웃음이 번졌다.

*

영주는 의사에게서 폐암이라는 말을 듣고 믿을 수가 없었다. 신창호는 담배도 안 피웠고 작년에 의료보험으로 종합건강검진을 받았을 때도 괜찮았다.

"비흡연성 폐암입니다. 다른 부위로 전이가 안 된 건 다행인데 진행 속도가 너무 빠릅니다."

영주는 믿을 수 없어 말문이 막혀버렸다.

"형 집행정지를 신청하세요. 형 집행정지는 해당 지역 검사장이 결정하니 검찰에 신청서 제출하시고요."

영주는 앞에 놓인 종이컵의 물을 마시려는데 손이 떨려 그냥 내려놓았다.

"받아들이는데 며칠, 눈물로 또 며칠. 이해는 하는데요, 보호자분, 지금 이 시간에도 종양은 자라고 있어요. 서둘러야 합니다."

의사는 하얗게 질려 덜덜 떨고 있는 영주를 안타까운 눈으로 바라보았다.

영주가 힘없이 비서실로 들어가는데 휴대폰이 울렸다. 영주는 발신자가 강정일이라는 걸 확인하고 뒤를 돌아봤다. 유리벽 너머에서 정일이 전화를 받으라는 시늉을 했다. 영주는 통화 버튼을 눌렀다.

—전에 빌려간 책, 돌려줬으면 하는데.

"형 집행정지 신청하는 사람이 그렇게 많아?"

영주가 책을 책상 위에 올려놓으려 하는데 정일이 마주 앉은 남자에게 물었다. 영주는 멈칫했다. 영주는 소파에 앉은 남자의 정체가 누군지 알아차리고는 정일을 쳐다보았다.

"신청하면 뭐 하냐. 나가는 놈은 열에 하난데. 부탁할 사람 있어? 네 말이면 어떤 놈이든 오케이지."

영주는 정일이 자신을 부른 의도를 알아차렸다. 그 비열함에 영주는 분노가 치밀었지만 애써 꾹 참았다.

"정권이 바뀌면 기존 정권 라인 탔던 선배는 검사 옷 벗겠네. 태백으로 와."

"정일아, 나 국가에 대한 사명감 하나로 살았다. 나 간다."

"그 사명감, 내가 보답한다니까, 선배."

검사장은 알겠다는 표시로 손을 흔들어 보이며 문을 열고 밖으로 나갔다. 문이 닫히자 영주는 정일에게 물었다.

"저 사람인가요. 형 집행정지 결정권을 가진 검사장이……."

정일은 영주가 책상에 올려둔 책을 들고 서가로 가 꽂으며 고개를 끄덕였다.

"어쩌면 이렇게 다를까. 같은 나라에서 같은 시대를 사는 사람인데."

"다양성을 인정하는 게 민주주의의 기본이죠."

영주는 정일의 뻔뻔함에 구역질이 날 것 같았다.

"사람을 죽이고 눈물이라도 흘렸을까?"

"고해성사를 할 만큼 우리가 친한 사이던가?"

"취조실에서 울게 해드리죠. 조만간."

정일은 숨결이 느껴질 정도로 영주에게 가까이 다가가 낮은 목소리로 천천히 말했다.

"부친의 장례식장에서 먼저 볼지도 모르겠네. 신영주 씨 눈물."

영주는 그 말에 신창호의 얼굴이 떠오르며 숨이 턱 막혀왔다.

"신창호 씨가 형 집행정지로 나오는 데 도움이 되고 싶은데요."

영주는 이러지도 저러지도 못한 채 복잡한 얼굴로 정일을 쳐다봤다.

"내사팀이 올 겁니다. 이동준 결혼식 전날 밤 일, 사실대로 말하세요. 신영주 씨하고 나, 같은 걸 원하고 있었네. 진실."

그 순간 영주는 정일을 한 대 갈기고 싶었다. 하지만 그럴 수 없는 상황이어서 손만 부르르 떨렸다. 그때 영주의 휴대폰이 진동으로 울렸다. 동준의 전화였다.

"신영주입니다."

영주는 정일을 똑바로 쳐다보며 동준과 통화했다.

—수연이 금고 열쇠 확보했습니다.

전화기 너머로 동준의 들뜬 목소리가 들려왔다. 영주는 전화를 끊고 정일을 쳐다보았다.

"심플 이즈 베스트. 간단하게 생각합시다. 신창호 씨를 감옥에 넣은 판사를 응징하고 아버지는 수술을 받는다. 클리어!"

"수갑이 잘 어울릴 손목이네. 스타일이 좋아서 죄수복도 아주 잘 받겠어요."

영주는 책상 위에서 깍지를 낀 정일의 손목을 보며 그를 비웃었다.

정일은 영주가 끝까지 객기를 부린다고 생각했다.

"생각할 시간이 필요하면 드리죠, 시간. 나는 뭐 충분한데, 신창호 씨는 어떨지."

"시간, 네가 써. 앞으로 감옥에서 보낼 시간, 남은 인생으로는 부족할 테니까."

송태곤은 동준의 책상에 올려놓은 반지 케이스의 용도를 설명했다.

"지문은 비서실 인사 서류에서 발췌했고, 우리 동준이 바쁠 거 같아서 선배가 털이범들한테 샘플도 떠왔다."

갑자기 문이 열리더니 영주가 동준의 집무실로 들어왔다. 송태곤은 약간 당황하며 영주를 바라봤다. 동준은 괜찮다는 의미로 고개를 끄덕였다.

"3D 샘플 가격이 원래는 백인데 전직 검사 디씨 좀 받았다. 동준아, 살아라. 그래야 내가 산다. 젠장."

"금고는 어디 있습니까?"

"법 위에."

동준은 그 말의 의미를 알겠다는 듯 고개를 끄덕였다.

송태곤은 떨떠름한 얼굴로 입맛을 다시며 밖으로 나갔다.

"금고 안에 방탄복 성능검사 비밀문서가 있는 건 확실하겠죠?"

"수연이가 개인 문서를 보관하는 곳은 거기뿐이에요. 서둘러야 합니다. 오늘 밤에 수연이가 퇴근하고 나서……."

"늦어요. 지금 밖으로 불러내요. 내가 들어갈게요."

대법원 내사팀이 태백에 오지 못하게 할 방법은, 사라진 방탄복 성능검사 비밀문서를 찾아내는 것뿐이었다. 그걸로 정일과 다시 협상을 해야 했다.

"내가 불러내면 의심할 겁니다. 밤까지는 기다려야 합니다."

그 말에 영주가 난감한 표정을 짓는데, 방 안 스피커에서 정일의 목소리가 흘러나왔다.

—긴급 전략 회의를 시작합니다. 각 팀장과 선임 변호사는 지금 즉시 회의실로 집합합니다.

동준과 영주는 집무실 한쪽 모서리에 설치된 스피커를 쳐다보았다.

유리벽 밖으로 회의실로 향하는 변호사들의 모습이 보였다. 수연도 그들 사이에 섞여 있었다. 동준과 영주는 집무실을 나와 회의실로 향하는 수연의 모습을 보며 회심의 미소를 지었다.

"대서양로펌. 대민법무법인. 업계 2, 3위 로펌에서 영입한 판사 출신 변호사가 향응을 제공받은 혐의로 내사 중이라는데, 우린 미리 털어냅시다. 곧 내사팀이 올 테니."

"호주 펀드 운용에 대한 회의로 알고 있었는데……."

동준은 정일의 기습에 조금 당황했다.

"돈도 벌어야지. 그 전에 태백의 명예부터 지킵시다. 태백은 이동준 씨 이전에도 있었고, 이후에도 있을 거니까요. 조변호사, 불러오세요."

정일의 지시에 조경호가 영주를 호출하러 나갔다. 잠시 후 회의실로 호출된 영주는 안으로 들어서다 깜짝 놀랐다. 벽면 텔레비전 화면에 신창호의 프로필 사진이 떠 있었다.

정일은 입구에 놀란 눈으로 서 있는 영주에게 동준의 옆자리를 가리키며 앉으라는 손짓을 했다.

"본명 신영주. 살인 혐의로 복역 중인 신창호 씨의 딸. 왜 조연화라는 이름으로 태백에 들어왔을까? 이동준 변호사는 알고 있을 것 같은데요."

동준은 자신과 영주가 위기 상황임을 알고, 재빨리 문자메시지 작성 버튼을 눌렀다.

송태곤은 '콜 어서!'라고 보낸 동준의 문자메시지를 확인했다. 그는 인상을 살짝 찌푸리다 어쩔 수 없다는 듯 전화기를 들었다.

"신창호 씨 재판의 담당 판사가 이동준 변호사. 피고인의 딸과 판사라……."

정일은 리모컨 버튼을 눌러 텔레비전 화면에 동침 동영상의 스틸 컷을 띄웠다.

"그리고 태백. 염상구."

화면을 보던 변호사들이 다소 놀란 얼굴로 서로 시선을 주고받았다.

"이동준 씨, 태백의 명예는 지킵시다. 사실관계를 인정하고 사직서를 내면 조금은 덜 다치게 해줄 수도 있습니다."

동준은 정일의 말은 무시한 채 초조한 얼굴로 회의실 문을 쳐다보고 있었다. 똑똑. 노크 소리가 들리더니 여비서가 문을 열고 들어왔다.

"이동준 변호사님, 대표님 호출입니다."

여비서의 말과 동시에 영주가 탁자 아래로 반지 케이스를 동준의 손에 재빨리 쥐어주었다.

동준은 반지 케이스를 주머니에 넣고 일어났다.

"대답은 다녀와서 해도 될까요?"

정일은 어쩔 수 없다는 듯 동준을 보며 피식 웃었다.

회의실 밖으로 빠져나온 동준은 주위를 둘러보다 누구의 눈에도 띄지 않게 수연의 집무실로 들어가 유리창마다 버티컬을 모두 쳤다. 동준은 다급하게 서가의 책들을 손으로 훑었다. 원서, 교양서들을 훑던 손이 법전에서 멈췄다. 그 위는 성경책과 찬송가로 덮여 있었다. 그 책들을 치웠더니 그 안에 소형 금고가 있었다. 동준은 반지 케이스를 열고 지문이 새겨진 3D 샘플을 꺼내 금고 표면의 지문 인식기에 댔다. 그 순간 드르륵 하고 금고가 열렸다. 그제야 동준은 안도의 한숨을 내쉬었다. 그런데 지문 인식판이 열린 부분에 비밀번호 키판이 있었고, 액정 화면에 '비밀번호를 입력하세요'라는 메시지가 나타났다. 뜻밖의 상황에 놀란 동준은 들고 있던 샘플을 툭 떨어뜨렸다. 그 바람에 숫자가 눌리면서 낮은 '삐' 소리와 함께 '비밀번호 입력 횟수가 2회 남았습니다'라는 메시지가 떴다. 동준은 난감한 얼굴로 비밀번호의 단서를 찾기 위해 주변을 둘러봤다.

회의실에서는 정일이 동준의 결혼식 전날 밤 일을 영주에게 집요하게 물었다. 동준이 비밀문서를 확보할 수 있도록 영주는 최대한 시간을 끌며 정일을 상대했다.

동준은 책상 위에 놓인 탁상용 달력을 다급하게 뒤적이다 손을 멈췄다. '8월 29일'에 아래 '정일 오빠 생일'이라고 쓰여 있었다. 동준은 '0829'를 누르고 마른침을 삼켰다. 다시 들리는 '삐' 소리와 함께 액정 화면에 '비밀번호 입력 횟수가 1회 남았습니다'라고 떴다. 곧이어 화면에는 '60초 후에 경보장치가 가동됩니다'라는 메시지와 함께 60, 59, 58, 57…… 숫자가 점점 줄어들었다.

"내사팀이 오늘 안에 올 거예요. 묵비권은 행위 사실의 인정으로 받아들이겠죠."

영주는 수연의 말을 무시한 채 버티컬이 쳐진 그녀의 집무실 창에 시선을 고정시켰다.

아직도 영주는 아무 말도 하지 않고 있었다. 정일과 수연의 협공에도 영주는 끝까지 침묵으로 응했다. 수연은 더 이상 영주의 침묵을 견디지 못하고 자리에서 일어나려 했다.

"그만하자. 내사팀 오면 그땐……."

"말하죠. 이동준 변호사님하고 나 사이에 무슨 일이 있었는지……."

영주는 아직 동준이 수연의 집무실에서 나오지 않자 시간을 좀더 끌어야겠다고 생각했다. 수연은 자리에서 일어나려다 영주가 입을 열자 다시 의자에 앉았다.

35, 34, 33, 32……. 시간이 줄어들고 있었다. 동준은 수연의 집무실을 나가지도 머무르지도 못한 채 서가 앞을 서성이며 생각을 집중했다.

"재판이 진행되던 중에 이동준 판사를 만났어요. 1심 구형 공판 직전이었는데……."

"듣고 싶은 건 핵심입니다. 둘 사이에 무슨 일이 있었는지."

정일이 재촉했다.

"차를 마셨어요. 처음 만났을 땐 눈에 보이는 증거를 가져오면 도와주겠다고 했어요."

정일은 살짝 짜증이 났지만 영주의 말을 참고 들었다.

숫자는 12, 11까지 줄어들었다. 동준은 절망적인 얼굴로 서가에 기대서는데, 그 옆에 자신이 치워놓은 성경 책이 보였다. 동준의 눈이 빛났다. 그 성경 책을 보던 동준은 떠오르는 말이 있었다.

'그러므로 형제들아, 우리가 예수의 피를 힘입어 성소에 들어갈 담대함을 얻었나니. 히브리서 10장 19절.'

낚시터에서 수연이 읊조렸던 구절이었다. 동준은 금고 문이 열리기를 간절히 바라며 천천히 '1019'를 눌렀다. 그러자 띠리릭 소리와 함께 마침내 금고 문이 열렸다. 동준은 안도의 한숨을 내쉬며 서류를 꺼냈다. 맨 위에 있는 서류는 신창호의 진단서였다. 신창호. 폐암 3기라고 적힌 진단서를 동준은 착잡한 눈으로 보다가 이내 마음을 털고 다른 서류들을 보았다. 그런데 방탄복 성능검사 문서는 없었다. 빠르게 다시 서류들을 뒤져보는데 대법원장 사위의 회계 서류가 눈에 띄었다. 그 순간 서류를 보던 동준의 눈빛이 빛났다. 그는 휴대폰으로 어디론가 전화를 걸었다.

"대법원장님, 이동준입니다."

동준은 통화를 하며 서류들을 챙기고 서둘러 수연의 집무실을 빠져나왔다. 그 모습을 유리벽 너머로 보고 있던 영주는 아무도 모르게 살짝 안도의 한숨을 내쉬었다.

"결혼식 전날 이동준 변호사를 만났어요. 그날은……."

정일은 기대에 찬 얼굴로 영주의 입을 뚫어지게 쳐다보았다.

"그날도 차를 마셨네. 일자리를 부탁했어요."

"신영주 씨!"

정일은 짜증이 폭발했다.

"살인자의 딸. 그런 신분으로는 어렵겠다 싶어 친구 이름을 빌렸어요. 그게 다예요. 이제 나가봐도 될까요?"

"내사팀이 오면 텔레비전 화면에 있는 저 얼굴이 누군지 드러날 겁니다."

정일은 협박하는 듯한 얼굴로 영주를 쳐다보았다.

"그 전에 드러날 거예요. 여러 사람들의, 진짜 얼굴이."

담담한 표정으로 말하는 영주를 정일은 분노하며 바라봤다.

회의가 끝나고 정일과 함께 자신의 집무실에 들어서던 수연은 경악했다.

집무실 안이 아수라장이 되어 있었다. 흩어져 있는 성경 책. 열려 있는 금고. 사라진 서류들. 수연은 몹시 불길한 예감에 인상을 구겼다.

지금 만나주지 않으면 사위의 2심 재판장에서 증인으로 보게 될 거라는 협박에, 대법원장은 동준을 만나고는 있었으나 영 마음이 내키지 않았다.

"자넨 피고의 딸을 유인, 겁탈했어."

"사위분은 분식 회계를 저질렀습니다. 실제 장부상으로로 횡령액이 1000억 원이 넘습니다."

"자네는 그 딸을 비서로 채용, 부적절한 관계를 지속했어."

"사위분은 수백 명의 노동자를 부당하게 해고, 두 명이 목숨을 끊었습니다."

"회사를 경영하다 생긴 실수야. 법은 실수를 처벌하진 않아. 자넨 진실을 숨기려 하고 있어."

동준과 장현국은 한 치의 양보도 없이 날 선 신경전을 벌였다.

"드러낼 겁니다. 제가 지은 죄만큼만 벌받는다면. 근데 제가 벌을 받아도 대법원장님은, 사위분은, 태백은, 그대로 있겠죠."

동준은 수연의 방에서 가져온 회계 서류를 탁자에 올려놓았다.

"대법원장님이 선택하세요. 모두의 진실이 드러나서 공평한 세상.

모두의 진실이 숨겨져서 공평한 세상. 어느 쪽이든."

대법원장은 노여움이 가득한 눈빛으로 동준을 노려봤다. 그때 동준의 휴대폰이 울렸다. 발신자는 최수연이었다. 동준은 대법원장에게 휴대폰을 내밀었다.

"사위분을 버리세요. 따님도 포기하시고요. 그럼 날 감옥에 넣을 수 있을 겁니다."

"날세. 법조계가 동요하고 있어. 나라가 시끄러운데 우리라도 중심을 잡아야지. 내사는 중단할 생각이네."

"퇴임하시는 날, 모시러 가겠습니다. 대법원장님은 태백에서 일하기에 모든 걸 갖춘 분이시니까요."

동준은 장현국에게 정중하게 인사하고 밖으로 나갔다.

자신의 집무실에서 장현국과 통화를 마친 수연은 전화를 끊으며 정일에게 소리를 질렀다.

"오빠, 제발 이동준 그 인간 좀 치워줘!"

정일은 수연을 안아 다독여주며 의미심장한 표정을 지었다. 아무래도 이동준을 하루 빨리 멀리 치워버려야 할 것 같았다.

*

"우리 영주 초등학교 때였나. 방학 숙제로 연 만들 때, 남들 다 사는 문방구 연 말고 제대로 된 걸 만들겠다고, 한지에 풀 먹이고 연실에 유리 갈아서 며칠을 만들었는데……."

"뜨지도 않았잖아. 균형이 안 맞아서. 그 연 아직 내 방에 있어."

"손재주만 엉망인 줄 알았는데 인생도 젬병이었어. 좋은 세상 만들어서 영주 너한테 주려고 했는데 짐만 됐구나. 미안하다, 영주야."

그들은 하나같이 똑같았다. 자기 자식에게는 부당한 세상을 물려주지 않기 위해 싸우고 또 싸웠다. 그러는 동안 온몸에 생긴 생채기 때문에 참으로 아이러니하게도 그 자식들은 자신들보다 더욱 혹독하게 세상의 부당함에 맞서 싸워야 했다.

"……미안하다. 방송국에서 해고만 안 당했으면 영주 너도 법대 갔을 텐데. 장학금 때문에 경찰대 보내서……."

영주는 눈물이 그렁한 채 신창호를 바라봤다.

"미안하다. 네 엄마 반찬 가게 융자 절반은 남았는데…… 어떡하냐."

"아빠……."

"영주야, 미안한 게 너무 많아서…… 나 살고 싶다."

그사이 신창호는 많이 약해져 있었다. 아빠의 입에서 "살고 싶다"라는 말을 듣자 영주는 목이 메어 아무 말도 할 수 없었다. 신창호는 이제껏 불의 앞에서 단 한 번도 살고 싶다는 말을 한 적이 없었다. 영주는 하루하루 생명이 꺼져가는 아버지를 먹먹하게 바라봤다.

동준은 무거운 마음으로 카페 창가에 앉아 있었다. 동준은 앞에 앉아 있는 영주를 잠시 복잡한 눈으로 바라보다 무겁게 입을 열었다.

"방탄복 성능검사 비밀문서는 다시 찾아보죠. 시간이 걸릴 겁니다."

"얼마나……."

영주의 목소리가 싸늘했다. 솔직히 영주는 수연의 금고에 비밀문서가 없었다는 걸 믿을 수 없었다. 이번에도 동준은 자신이 빠져나갈 길만 찾았다. 아버지의 생명이 서서히 꺼져가고 있는데 아무것도 해줄 수 없다는 생각에 영주는 화가 치밀었다.

"수연이 주변을 탐문해보죠. 신영주 씨가 도와주면 시간이 줄어들 겁니다."

"내가 도와주면 당신은 더 안전해지겠네."

영주의 말에 날이 서 있었다. 동준은 그런 영주의 상황과 그 마음을 알 것 같았다. 어젯밤 동준은 최일환을 찾아갔었다.

"신창호 씨 형 집행정지로 나오게 해주십시오. 수술은 한강병원에 맡길 겁니다."

이 정도 부탁은 최일환이 당연히 들어줄 거라 생각했다.

"다른 이름으로 들어왔다 들었어. 내보낼 이유는 그걸로 되겠지."

최일환은 동준의 부탁을 무시한 채 서류 한 장을 내밀었다.

'조연화를 해직한다'라고 쓰여 있는 인사명령서였다.

"신창호 씨는 폐암 3기입니다. 수술이 급합니다."

동준은 간절한 마음으로 최일환에게 부탁했다.

"아버지를 구하겠다고 몸까지 던진 아이야. 지금은 네 손을 잡고 있지만, 언젠가는 널 위험하게 만들 거다. 버려라! 동준아."

최일환의 서슬 퍼런 목소리에 동준은 어떤 말도 할 수 없었다.

"아빠가 취재한 방탄복 비리 내역이에요. 이건 태백하고 연관된 자료고. 이건 낚시터 살인 사건 수사한 자료들."

영주는 챙겨온 수첩과 서류들을 테이블 위에 올려놓았다.

"이거 대법원장한테 넘겨요."

"신영주 씨."

"당신이 대법원장 멱살 잡고 있잖아. 내사팀 돌려서 전면 조사하면 되겠네. 이 정도 증거에 대법원장이 움직이면 태백도 무너지겠지."

"이건 위험합니다."

"위험해지는 건 당신이죠."

영주의 단호한 태도에 동준은 어쩔 수 없다고 느꼈다. 동준은 안주머니에서 태백 로고가 새겨진 편지 봉투를 꺼내 탁자 위에 올려놓았다. 영주가 의아한 눈빛으로 봉투를 집으려는데 휴대폰에서 메시지 수신음이 울렸다. 메시지는 인사명령서의 하단 부분 '조연화 해직'이 확대된 이미지 파일이었다. 동시에 영주의 휴대폰이 울렸다.

"신영주입니다."

―강정일입니다.

영주는 얼굴을 살짝 찌푸렸다.

정일은 조경호가 가져다준 오늘자 인사명령서를 보며 통화를 했다.

―해고는 최일환 대표가 직권으로 결정했습니다. 이동준 씨가 통보하러 갔을 텐데.

영주는 정일의 말을 들으며 동준을 묵묵히 바라봤다. 가슴이 요동치고 있었지만 표정을 감추려 최대한 노력했다.

―어떤 표정일까. 부친을 청부 재판하고, 지금 신영주 씨를 버리려는 남자의 얼굴은.

영주는 미동도 않은 채 동준을 뚫어질 듯 쳐다보았다.

―먼저 버려요. 이동준을. 그럼 당신 아버지, 살 수 있습니다.

전화기에서 들려오는 정일의 목소리를 들으며 영주는 동준에 대한 분노로 정일의 손을 선뜻 잡을지 갈등했다.

영주는 창밖으로 고개를 돌리다 신호등에 걸려 서 있는 장의 버스와 그 앞의 검은 승용차를 봤다.

―신창호 씨 오래 사셔야죠. 좋은 분 같던데.

순간 영주의 눈에 검은 승용차에 탄 사내가 들고 있는 영정이 신창호의 얼굴로 보였다. 영정을 들고 있는 사람은 영주로 바뀌어 있었다. 영주는 다가올 현실을 직면한 기분으로 장의차를 응시했다. 동준은 그런 영주를 보다가 그녀의 시선을 따라가보았다. 동준은 영주가 과거 자신과 똑같은 상황에 놓여 있음을 직감했다. 동준은 뭔가 확인하려는 듯 영주를 보면서 강정일에게 전화를 걸었다. 띠띠띠— 통화 중 신호음이 들렸다. 동준은 그 신호음을 들으며 창밖을 보는 영주를 바라봤다.

—오늘 밤 이동준을 부두로 보내요. 그럼 신창호 씨를 병원으로 보내드리죠.

영주는 환상처럼 보이는 신창호의 영정을 한참 동안 바라보다 천천히 말했다.

"그러죠."

동준은 그 말의 의미를 알 것 같았다. 두 사람은 마음을 가다듬으며 잠시 서로를 외면했다.

"방탄복 비리를 제보하겠다는 사람이에요. 오늘 밤에 보자네요."

동준은 표정을 숨긴 채 고개를 끄덕였다.

"어쩌죠. 난 다른 제보자를 만나기로 했는데."

"혼자 나갈게요."

영주는 그러라는 듯 가볍게 고개를 끄덕이고는 찻잔을 들고 창밖을 바라봤다. 동준은 씁쓸한 얼굴로 영주를 한 번 보고 밖으로 나갔다.

II

차에서 내린 동준은 한강병원을 바라보다 굳은 결심을 한 얼굴로 병원을 향해 저벅저벅 걸어갔다.

"성형센터 문제는 제가 해결하겠습니다. 법률적 검토도 끝냈습니다, 아버지."

"동준아, 고맙다. 지난주에 감사 헌금 두 장이나 냈는데, 우리 기도를 들어주셨나봐요."

정미경은 환하게 웃으며 호들갑을 떨었다.

"동민이한테 성형센터 의료진 구성 서두르라고 해. 당신은 재단 건물 리모델링할 업체 선정하고. 동준아, 난 뭘 하면 되냐."

이호범은 소파에 깊숙이 기대앉으며 물었다. 이호범은 아무 조건 없이 아들이 자신을 도울 거라고 생각지 않았다. 이호범은 '거래'라는 것도 할 줄 아는 아들을 보며 이제 다리를 거의 다 건너왔다고 생각했다.

그날 오후 이호범은 청와대에 들어가 비서실장을 만났다.

"VIP의 병세가 알려지면 혼란이 생길 거예요. 임기가 1년 남았습니다. 그때까지만 버티게 해주세요."

비서실장은 난감한 표정을 지었다.

"완치는 불가능합니다. 진행 속도를 늦출 수는 있지만……."

"국가의 명운이 걸린 일입니다. 이원장, 부탁합니다."

"저도 부탁 하나 드리겠습니다, 비서실장님."

이호범은 동준의 부탁을 들어주기로 결심했다. 이렇게 아들도 권력의 맛을 알아가게 될 거라 여겼다.

"약속은 같습니다. 조건이 달라진 것뿐. 신창호 씨 취재 수첩, 신영주 씨가 확보한 관련 자료들 가져오면 형 집행정지 절차에 들어갈 겁니다."

'이런 거였나?' 영주는 사람의 목숨을 갖고 장난치는 정일을 보며 분노를 넘어 허탈한 듯 피식 웃었다. 정일은 영주의 반응에 아랑곳하지 않고 서류 한 장을 서랍에서 꺼내 책상 위에 올려놓았다.

"2심 항소도 취하하세요. 신창호 씨가 김성식 기자를 살해했다는 사실! 인정하세요."

영주의 미간이 꿈틀거렸다. 약속과 달리 정일은 수작을 부리려 했다.

"방탄복 문제를 취재한 건 국방 산업을 이끌어온 선량한 기업을 협박해서 돈을 뜯어내기 위한 자작극이었다. 자술서입니다. 날인해서 법원에 제출하세요."

정일은 모든 일을 한번에 매듭지어버리고 싶었다.

"아버지 인생을 짓밟을 순 없어요."

"짓밟힐 인생이라도 남겨놓읍시다. 죽은 연꽃보다 살아 있는 잡초가 낫지 않나."

영주는 정일의 비열한 미소를 보고 있자니 분노로 머리가 터져버릴 것 같았다.

"신창호 씨한테 남은 시간을 버릴 순 없잖아요."

'인생에 남은 시간…….'

영주는 정일과 똑같은 말을 했던 동준이 떠올랐다.

'판사 자리. 변호사 등록. 다 버릴 수 있는데 내 인생, 나한테 남은 시간은 버릴 수가 ……없었습니다.'

'내 인생…….'

영주는 마음이 조금 가라앉으며 무기력한 표정을 짓고 있었다. 그때 엄마에게 전화가 왔다. 영주는 옆으로 돌아서서 전화를 받았다.

"어, 엄마, 내가 나중에……."

—영주야, 이기 무신 말이고? 너거 아부지가 형 집행정지로 나온다 카네. 교도소에서 의무실장이 전화를 해가 수술 날짜도 잡았다 카더라. 병원이…… 한강병원이라 카던데.

영주는 그사이 동준이 손을 썼다는 걸 알고 눈을 감았다.

—아이제? 너거 아부지 마이 아푼 거 아이제? 수술이 웬 말이고…… 영주야.

"가서 얘기할게, 엄마."

영주는 전화를 끊고 돌아서서 정일을 쳐다보았다. 정일은 일어나더니 영주에게 다가가 서류를 내밀었다.

"검찰 인사 시즌입니다. 검사장이 바뀌면 나도 형 집행정지 장담 못 해요. 서둘러요. 당신 아버지만 생각하세요, 신영주 씨."

영주는 서류를 받아 들고 천천히 씹듯이 말했다.

"그래야죠."

정일은 순순히 받아들이는 영주가 조금 미심쩍었지만 워낙 다급한 처지여서 그러는 거라 생각하고 흡족한 미소를 지었다.

영주는 정일의 집무실을 나오자마자 분노로 치를 떨며 갖고 나온 서류를 구겨 휴지통에 던져버렸다. 영주는 잠시 뭘 해야 할지 안절부절 못하다 뭔가 생각난 듯 다급히 동준에게 전화를 걸었다.

"뭐야? 당신."

—개자식. 살고 싶어서 신창호 씨를 청부 재판한 개자식!

전화기에서 동준의 자조적인 목소리가 들려왔다.

"근데 왜!"

—나도 살고 싶었는데…… 신창호 씨도 살아야죠.

그 말에 영주는 마음이 쿵 내려앉았다. 영주는 앞만 보고 달리느라 동준의 진심을 읽지 못했던 자신이 원망스러웠다.

"거긴 위험해! 덫이에요. 가지 말아요. 이동준 씨 다칠 거예요."

—다칠 겁니다.

영주는 숨이 막혀왔다. 동준이 무슨 일을 벌이려는 건지 두려웠다.

—내가 다쳐야 당신 친구 박현수 경위가 그놈들을 현행범으로 잡을 거니까. 그놈들 뒤에서 지시한 강정일도 교사범으로 체포될 겁니다.

영주는 동준에 대한 마음에 길을 잃고 아무 말도 하지 못한 채 듣기만 했다.

—그동안 미안했습니다, 신영주 씨.

영주는 동준이 전화를 끊은 뒤에도 한참 동안 귀에서 휴대폰을 떼지 못하고 멍하니 서 있었다. 그러다 결심한 듯 입술을 깨물며 밖으로 뛰쳐나갔다.

동준은 현수를 대동하고 부둣가로 향했다. 정일이 파놓은 함정이라는 걸 뻔히 알면서 스스로 미끼가 되기로 결심했다. 처음에 현수는 이 일이 썩 내키지 않았지만, 영주를 위해 동준을 따라 나섰다. 부둣가에 도착한 동준은 현수의 차에서 내려 폐창고가 있는 곳으로 저벅저벅 걸어갔다. 늦은 밤 인적 없는 부둣가는 을씨년스럽기 그지없었다. 현수는 거기서 조금 떨어진 곳에 차를 세우고 창고로 들어가는 동준을 복잡한 얼굴로 보고 있었다. 현수의 차 옆에는 대기 중인 형사들이 타고 있는 승합차 한 대가 서 있었다.

동준이 심호흡을 한 번 하고 창고 문을 열고 들어가자 문 앞에서 기다리던 백상구의 수하들이 곧바로 동준을 가격했다. 백상구의 수하들은 쓰러지는 동준의 양팔을 잡아 질질 끌다시피 폐창고 한가운데 장작이 타는 드럼통 앞에 내팽개쳤다. 그곳에는 백상구가 소독이라도 하려는 듯 나이프를 불길에 이리저리 달구고 있었다.

"먼 길 가실 분이다. 살살 모셔라이."

동준은 백상구의 나이프를 보자 호흡이 거칠어졌다.

영주는 급히 차를 몰아 부둣가로 향하면서 현수에게 전화를 걸었다.

"현수야, 그 사람 같이 있지? 못 들어가게 막아줘."

차 안에서 상황을 지켜보던 현수는 영주의 전화를 받자 화가 치밀었다. 머릿속에 동준과 영주의 동침 영상이 섬광처럼 스쳐 지나갔다.

"영주 너한테…… 이동준은 뭐야?"

—필요한 사람. 앞으로도.

그 말을 들은 현수의 얼굴이 돌처럼 딱딱하게 굳었다.

—현수야, 그 사람 다치면 안 돼.

"왜? ……왜?"

영주의 걱정스런 목소리가 현수의 신경을 자극했다. 현수는 거칠게 전화를 끊어버렸다. 그는 씩씩거리며 폐창고를 잠시 바라보다 결심한 듯 차 안에 장착된 무전기의 송신기를 들었다.

"전원 철수한다. 즉시!"

현수는 한 번 더 폐창고를 노려보고는 차에 시동을 걸었다.

그 시각 정일과 수연은 호텔 방에서 즐거운 시간을 보내고 있었다. 신창호 사건도 해결됐고, 오늘 밤 동준도 해치워버리면 그동안 골치 아팠던 모든 일이 해결되는 것이었다.

"배는 준비해놨어. 이동준은 필리핀으로 보낼 거야. 며칠 뒤에 기사가 나겠지. 도박에 빠진 전직 판사가 필리핀 도박장에서 체포됐다고. 두테르테가 범죄와의 전쟁 중이니 쉽게 송환되진 않을 거야."

정일은 확신에 찬 얼굴로 수연을 보며 웃었다.

"곱게 자란 양반들이라 근가. 일을 어렵게 하는구만."

백상구는 불가에 앉아 나이프를 달구고 있었다. 칼날이 점점 붉게 달아올랐다. 그 앞에는 백상구의 수하들에게 제압당한 동준이 꼼짝도 못하고 서 있었다.

"테레비 소리가 시끄러우믄 꺼불믄 되는 것이제."

백상구는 달구어진 나이프를 들고 동준을 보며 아무렇지도 않은 듯 푹 찔렀다. 순간 동준은 숨이 멎는 듯했다. 백상구는 무심히 동준의 복부에 꽂은 나이프를 쓱 그어내듯 위로 올렸다.

"이 방 저 방 테레비를 머 땀시 들고 다닌당가. 안 근가?"

백상구는 복부에 꽂힌 나이프를 쓱 한 번 돌려 뺀 뒤 동준에게 보여줬다.

동준은 나이프에 묻은 피를 보았다. 숨이 점점 가빠오며 온몸에서 모든 힘이 빠져나가는 듯했다.

백상구는 표정 변화 없이 호일로 싼 고구마를 장작 위에 꺼내놓고 호호 불며 껍질을 벗겼다.

"서쪽 바다라 꽃게들이 많을 것인디. 고놈들 포식하겄구만. 올해 꽃게는 못 먹겄네. 잘 가소."

백상구는 수하들의 손에 끌려 나가는 동준을 흡족한 듯 쳐다보며 고구마를 먹음직스럽게 한입 베어 물었다.

차를 몰고 속도를 올리며 부둣가로 들어오던 영주는 스치듯 지나가는 현수의 차와 그 뒤를 따르는 승합차를 보며 불길한 예감에 사로잡혔다.

'설마…….'

영주는 액셀을 끝까지 밟으며 정일이 말한 장소로 달려갔다. 그때 저만치서 백상구의 수하들 손에 끌려 나오는 동준의 모습이 눈에 들어왔다. 백상구의 수하들이 동준을 차에 태우려 했다. 영주는 거칠게 경적을 울리며 상향등을 비추면서 전력 질주해 동준을 태우려던 차를 그대로 받아버렸다. 그 충격에 백상구의 수하들이 쓰러졌다. 영주는 차에서 내려 일어나려는 수하들을 물리치고 쓰러져 있던 동준을 자신의 차에 태웠다. 그 순간 폐창고 안에서 백상구의 수하들이 떼 지어 나왔다. 백상구의 수하들은 서너 대의 차에 나눠 타더니 영주의 차를 뒤쫓았다. 영주는 그들을 피해 컨테이너 사이를 이리저리 질주했다. 백상구의 수하들은 집요하게 추격해왔다. 한참을 도망치던 영주는 급브레이크를 밟으며 멈췄다. 거대한 컨테이너가 가로막고 있었다. 영주는 어찌할 바를 모르고 컨테이너 벽을 망연자실한 채 바라봤다. 놈들의 목소리가 점점 가까워지고 있었다. 백상구의 수하들이 뒤에서부터 영주를 압박해오고 있었다. 잠시 고민하던 영주는 결심한 듯 동준을 부축하며 차에서 내려 컨테이너 사이로 들어갔다. 뒤늦게 영주의 차를 발견한 백상구의 수하들은 차 안에 사람이 없는 걸 알아차리고 주변을 수색하기 시작했다.

영주는 한 손으로는 동준을 안듯이 뒤에서 부축하고, 다른 한 손으로는 동준의 복부를 눌러 지혈하면서 컨테이너 사이에 숨어 있었다. 두 사람이 들어가면 꽉 낄 정도의 좁은 공간에 마주 선 채 숨어 있었다. 과다 출혈로 백짓장보다 창백해진 동준을 영주는 걱정스럽게 바라봤다.

"가요. 당신 친구…… 박현수 경위가 기다리고 있습니다. 내가…… 끌려가면…… 그 사람이 나를……. 저놈들은…… 현행범으로……."

"현수는……."

현수는 이미 떠났다는 말을 하려는데 가까이서 "여깁니다!" 하고 외치는 목소리가 들려왔다. 영주는 얼굴이 파랗게 질렸다.

백상구는 수하가 있는 곳으로 다가갔다. 바닥에 핏자국이 쭉 이어지다 뚝 끊겨 있었다.

"워메. 법 공부한 양반이 몸도 날래구만."

백상구는 일부러 들으라는 듯 큰 소리를 내며 수하들에게 두 무리로 갈라져 찾으라는 손짓을 했다.

영주는 숨소리마저 죽인 채 동준을 부축하며 컨테이너 사이에 서 있었다.

"나오쇼! 판사질하던 양반이 쥐새끼처럼 숨으믄 쓰겄는가. 나오쇼!"

"여기…… 있다."

동준은 자신의 위치를 백상구에게 알리려 애썼다.

영주는 고개를 가로저으며 부축하던 왼손으로 동준의 입을 막으려 했지만 여의치 않았다.

"여기……."

영주는 필사적으로 고개를 가로저으며 상처를 지혈하던 오른손을 떼고 그의 입을 막으려 했지만 복부에서 피가 쏟아지자 다시 손으로 막았다.

"나…… 여기……."

영주는 동준의 입을 자신의 입술로 막았다. 동준은 두 눈을 동그랗게 뜬 채 그러지 말라는 듯 고개를 가로저었다. 놈들의 발소리가 점점 다가왔다. 세상에서 떠밀려 좁은 컨테이너 사이에 마주 선 동준과 영주는 두 눈을 뜬 채 서로를 바라보며 입을 맞추고 있었다. 수하들의 발소리, 말소리가 점점 가까워지고 있었다. 동준은 납득할 수 없는 눈으로 영주를 바라봤다. 영주는 가만있으라는 듯 낮게 끄덕이며 숨소리조차 죽였다.

동준과 영주는 그렇게 바라보며 숨 막히는 침묵을 지켰다. 하지만 바로 옆 땅바닥에 그림자가 보였다. 그 그림자는 한 걸음씩 한 걸음씩 가까워왔다. 발각당할 위기에 처한 그 절체의 순간, 밤하늘을 찢는 듯 요란한 경찰차 사이렌 소리가 들렸다. 그 소리에 놀란 듯 놈들이 흩어지며 발소리가 다시 멀어졌다. 영주는 그제야 안도한 듯 입술을 떼며 동준의 시선을 외면했다. 두 사람은 참았던 호흡을 낮고 거칠게 내뱉었다.

"경찰입니다. 어서 피해야 합니다!"

부둣가를 달려오는 현수의 차와 승합차의 경광등이 빛나고 사이렌이 요란하게 울렸다.

컨테이너 사이사이에 흩어져 있던 백상구의 수하들은 다급하게 그곳을 빠져나갔다.

백상구는 귀찮게 됐다는 듯 컨테이너 쪽을 잠시 보다가 다가오는 사이렌 소리에 쫓기듯 몸을 돌려 다급히 사라졌다.

백상구는 대기하고 있던 차에 재빨리 올라타면서 정일에게 전화를 걸었다.

"일이 쪼까 꼬여부렀소."

백상구와 그 수하들이 탄 차들이 부둣가를 빠져나가는 모습을 차 안에서 지켜보던 현수는 휴대폰을 꺼내 통화 버튼을 눌렀다.

"영주야."

―현수야, 이 사람 자상이 심해. 내부 출혈도 심한 것 같아.

"넌 괜찮아?"

―어, 이 사람 어서 병원으로…….

"괜찮냐고, 넌!"

현수는 버럭 소리를 질렀다.

―……어.

현수의 반응에 영주의 당황한 목소리가 들렸다.

"그럼 됐다."

현수의 목소리가 얼음장처럼 차가웠다.

―현수야!

현수는 영주의 부름도 무시한 채 전화를 끊고 부둣가를 떠났다. 영주는 모두가 떠나버린 부둣가에서 호흡이 점점 잦아드는 동준을 막막한 눈으로 바라봤다.

*

"한강병원 성형센터는 1일 시술 예상 인원이 삼백 명, ……연 매출액 2000억 이상으로…… 예상됩니다. 중국관광협회와…… 협조 체제를 구축, 연간 십만 명…… 이상의 중국 성형…… 관광객을 유치할 계획…… 입니다."

한강병원 브리핑 룸에서 이동민은 고위급 인사들 앞에서 브리핑을 하고 있었다. 이호범은 아들의 더듬거리는 브리핑 태도도, 그 내용도 모두 못마땅했다. 옆에 앉아 있는 정미경도 아들이 혹시나 일을 망치지는 않을까 불안한 모습이었다.

"사드 문제로 한한령이 심각한 상황이야. 이런 시점에……."

의사 중 한 명이 부정적인 반응을 보였다. 이호범은 그럴 줄 알았다는 표정으로 이동민을 보며 고개를 절레절레 흔들었다. 이호범은 휴대폰이 울리자 전화를 받았다.

"이따 전화하마."

—……아…… 버지…….

전화기에서 들릴 듯 말 듯한 동준의 목소리가 들렸다.

이호범은 잠시 멈칫했으나 표정 변화 없이 전화를 받았다. 이호범이 통화하는 사이 브리핑은 잠시 중단되었다.

"알았다."

이호범은 짧게 전화를 끊고 아까 말하던 의사에게 계속하라는 손짓을 했다.

"중국에선 여행도 금지하는 판국에 성형 관광이 말이 되나? 원장님! 시기가 안 좋습니다. 논의를 처음부터 다시 하는 게……."

"황사도 한때야. 정권이 바뀌면 중국에서 불어오는 바람도 방향이 바뀌겠지. 동민아, 그대로 진행해."

의자 옆 팔걸이를 손가락으로 톡톡 치며 뭔가 딴 생각에 잠겨 있던 이호범은 의사의 말을 끊고 회의를 서둘러 끝내버렸다. 그러고는 무슨 급한 일이라도 있는 사람처럼 브리핑 룸을 빠져나갔다. 이호범이 나가자 이동민과 정미경은 서로 눈빛을 교환하며 안도의 한숨을 내쉬었다.

이동민은 사람들이 모두 나가기를 기다렸다 정미경에게 다가갔다.

"성형센터 건립, 반발이 심해요. 능력도 없는 놈이 센터장 되려 한다고들."

"부모 잘 둔 게 능력이야. 까탈스런 양반. 수익 구조부터 제대로 기획하라고 호통이라도 칠 줄 알았는데. 봤지? 딴소리 나오기 전에 서둘러 회의 끝내는 거. 아버지도 네 편이야."

정미경은 아들을 격려해줬다. 사실 정미경은 아들을 어떻게든 의대에 보내기 위해 얼마나 노력했는지 모른다. 그런데 어찌 된 일인지 이동민은 아버지 이호범도, 이복형제 동준의 머리도 닮지 않았다. 게다가 동민은 성품까지 여리기 그지없었다. 정미경은 그런 아들이 속상하면서도 안타까웠다.

영주는 과다 출혈로 생사를 넘나드는 동준을 데리고 한강병원 응급실에 도착했다. 대기하고 있던 조연화와 남자 간호사들이 달려와 동준을 부축해 병상에 눕혔다.

"수술 팀이 대기 중이야. 지혈부터 하고 CT 찍을 거야."

남자 간호사들과 조연화가 서둘러 이동 침대를 끌고 응급실로 들어갔다. 영주는 급히 이동하는 침대를 따라갔다. 동준은 서서히 정신을 잃어가고 있었다.

"하복부에 자상이 심합니다."

동준을 진찰한 의사가 진료 차트와 사진을 들고 이호범에게 보여주며 빠르게 걷고 있었다. 이호범은 수술실을 향해 걸으며 의사의 말을 주의 깊게 들었다.

"기역 자 형태로 내부 손상이 있습니다. 장기 출혈도 심합니다. 수술 도중 쇼크가 일어나면…… 위험할 수도 있습니다."

그 말에 이호범은 걸음을 멈추고는 진료 사진을 뺏다시피 해 심각한 얼굴로 들여다봤다.

수술대에 누운 동준은 죽은 사람처럼 얼굴에 핏기가 없었다. 조연화는 잠시 걱정스런 얼굴로 동준을 내려다보다 천천히 마취제를 주입했다. 수술대에는 여러 명의 의사들이 수술 준비를 마친 채 대기하고 있었다. 그때 수술실 문이 열리면서 이호범이 수술복 차림으로 들어왔다. 모두들 의외라는 눈빛이었다. 요즘 이호범은 웬만하면 수술실에 잘 들어오지 않았다. 그런데 동준의 상황이 퍽 심각한지라 차마 다른 의사에게 맡길 수 없었다.

"내가 집도하지. 한숨 자라. 아비가 깨워주마."

이호범은 평정심을 잃지 않은 얼굴로 동준을 바라봤다. 그 얼굴을 보자 이상하게도 동준은 편안한 마음이 들었다. 이호범은 마취 상태로 접어드는 동준을 보며 수술 도구를 손에 쥐었다.

"경찰청장 연락해."

최일환은 정일과 수연이 저지른 일을 송태곤에게 보고받고는 길길이 날뛰었다. 도대체 수습하지도 못할 일을 왜 벌이고 다니는지 도무지 알 수가 없었다.

"정일이 통화 기록 확보해서, 누구라고 했지?"

"백상구라고 합니다."

긴장한 얼굴로 서 있던 송태곤이 재빨리 대답했다.

"그놈한테 지시한 통화 내역, 돈이 오간 흔적, 다 찾아내."

"백상구 씨, 경찰에서 찾아갈지도 몰라요. 이번 일 지시한 사람 나라고 진술해요."

문이 벌컥 열리더니 수연이 백상구와 통화하면서 들어와 소파에 다리를 꼬고 앉았다.

"수연아!"

"낚시터에서 있었던 일도 내가 지시한 거라고 하면 되겠네."

수연은 눈 하나 깜짝 않고 최일환을 빤히 바라보며 백상구와 통화를 했다.

"내가 체포되면 비밀문서도 검찰에 제출하게 될 거고, 그 문서 유출한 사람도 조사받겠네."

그 말에 수연은 흠칫 놀라는 송태곤을 재밌다는 듯 쳐다보았다.

"입이 무거운 분은 아닌데…… 걱정이다. 견딜 수 있을까? 아빠도, 태백도."

"대표님……."

송태곤이 걱정스런 얼굴로 최일환을 바라봤다.

"걱정 말아요. 딸은 버려도 태백은 못 버리는 분이니까."

수연은 계속 비아냥거렸다.

"아빠 태백을 살려요. 이동준 씨는 원장님이 살리겠죠. 대통령 주치의에, 꽤 실력 있는 흉부외과 의사잖아요. 무산됐던 성형센터도 살려냈고, 의과 대학도 인수해서 살려냈죠. 필요한 건 다 살리는 분이잖아요. 아직은 아들이 필요하니까 살려내겠죠."

수연은 걱정할 필요 없다는 듯 생긋 웃어 보였다.

12

책상에 앉아 노트북을 보며 일하던 수연은 노크 소리에 문 쪽을 힐긋 보았다. 영주가 책 한 권과 작은 화분 하나를 들고 들어왔다.

"거슬린다, 정말."

그 말에 영주가 힐긋 쳐다보자, 수연은 생긋 웃어 보이며 변명했다.

"그쪽 말고. 매일 물 줘야 하는 화초를 선물한 사람은 무슨 생각일까? 내일은 화초용 영양제도 부탁해요."

영주는 수연의 책상 뒤 서가에 화분을 놓고, 들고 온 책을 그 옆에 꽂아두었다.

"싫어?"

영주가 대답이 없자 수연은 다시 물었다.

"해야죠. 독재자 밑에서도 공무원들은 일을 하고, 추악한 대통령 밑에서도 군인들은 나라를 지키는데."

수연은 살짝 빈정이 상했지만 속내를 드러내지 않았다.

"인사 서류 정리됐더라. 조연화는 사라지고 신영주로. 영어 연설문 하나 부탁해요. 오늘까지."

"오늘 반차 냈습니다. 병원에 가봐야 합니다. 이동준 변호사, 오늘부터 식사 시작했어요. 어제까진 미음만 먹었죠. 가벼운 보행도 가능하고, 참 링거도 뺐어요. 그러고 보니 벌써 열흘이나 됐네요."

"아버지를 청부 재판한 남자한테 몸을 던지고, 그 남자의 손을 잡고. 궁금하네. 자존심은 어디 뒀을까?"

수연은 좀전에 빈정 상했던 감정을 그대로 돌려주고 싶었다.

"그날 밤 내 남편 어땠어?"

"훌륭했어요. 아주. 아, 궁금하면 직접 느껴보세요, 최수연 팀장님."

수연은 조금도 흔들리지 않는 영주의 태도가 몹시 불쾌했다. 수연은 그 감정을 담아 영주를 똑바로 쳐다보았다. 영주도 그 눈빛을 그대로 받으며 수연을 빤히 쳐다보았다. 두 사람은 조금도 밀리지 않는 시선으로 서로를 바라보았다.

"영어 연설문은 내일까지 드릴게요. 영어가 약하신 것 같으니 쉬운 단어로 준비하겠습니다."

정중하게 인사하고 나가는 영주를 수연은 기분 나쁜 얼굴로 한참 동안 쳐다보았다.

수술한 지 열흘이 지나자 동준은 이제 제법 몸을 움직일 수 있게 되었다. 동준은 창가에 서서 뭔가를 기다리는 듯 아까부터 창밖을 보고 있었다.

"달에 300, 보너스 300프로. 카! 제가요, 변호사님 운전기사로 취직했다니까 엄마는 벌써 돈 모아서 장가가라고 적금 알아보고 있습니다.

에휴, 철없을 땐 여자를 모으고 살았는데 철드니까 돈을 모으게 되네요. 헤헤."

동준의 병실을 찾은 노기용은 의자에 앉은 채 과일 바구니에서 과일 하나를 빼 먹으며 넉살을 떨었다.

"기사로 변호사님 모시지만요, 필요한 대로 쓰십쇼. 저 변호사님 압니다. 한 번 한 실수, 다신 안 할 분 아닙니까."

동준은 뭔가 내막이 있음을 알면서도 묻지 않고 따라주는 노기용이 고마웠다.

"근데 이 많은 과일 바구니들 다 엄마 갖다드려도 됩니까? 진짜 안 드세요? 이놈들 무지 비싼 건데."

동준은 그러라는 듯 노기용에게 미소 지으며 몸을 돌려 창밖을 보았다. 그때 병원 앞에 호송차 한 대가 도착하더니 신창호와 교도관이 내리는 모습이 보였다.

신창호가 형 집행정지를 받고 한강병원으로 오는 날이었다.

신창호의 병을 알게 된 영주 엄마는 사람들에게 묻고 또 물어 용하다는 점집에서 부적 두 장을 받아왔다. 평생 처음으로 해보는 일이었다. 미신이라 여기며 점집 드나드는 여편네들을 미친 여편네라 생각했는데, 막상 신창호가 저리 되고 나니 지푸라기라도 잡고 싶은 심정이었다. 영주 엄마는 가방에서 부적 두 장을 꺼낸 뒤 주변을 둘러보다 침대 옆에 한 장을 척 붙였다.

"이거는 요따 붙이믄 되고, 좀 일나보이소."

"됐어. 그만해."

신창호가 말려도 영주 엄마는 신창호의 머리를 일으키고 베개를 빼냈다.

"엊그제 신내림을 받아가 신빨 직이는 무당한테 받은 부적임미더. 요거 베고 자면 당신 팔순 잔치까지 한다꼬."

"이런 거 다 미신이야. 믿지 마, 이 사람아."

"그래서 당신은 뭐를 믿는데예?"

착 가라앉은 영주 엄마의 목소리에 날이 서 있었다. 신창호는 멈칫했다. 영주는 안으로 들어오다 심상찮은 분위기를 느끼고 입구에 서서 두 사람을 가만히 바라보았다.

"좋은 세상 온다면서예. 방송국에서 쫓기나고 손가락질 받아도 양심만 지키고 살믄 웃을 날이 온다꼬 안 했슴미꺼. 하이고, 영주 아버지요. 당신이 평생 믿어온 기 미신임미더."

신창호는 정곡을 찔린 기분이었다. 아내의 말이 맞을지도 몰랐다. 신창호는, 어쩌면 자신이 맹신했던 정의, 신념, 이런 것들이 진짜 미신일지도 모른다는 생각이 불현듯 들었다.

영주 엄마는 베개 지퍼를 열어 베갯속에 부적을 넣었다.

"내 나노코 어데 갈라꼬예. 몬 감미더. 안 보낼 낌미더."

영주와 신창호는 그녀의 마음을 알 것 같은 얼굴로 서로를 먹먹하게 바라보았다.

영주는 노트북을 들고 동준의 병상을 찾았다.

"방탄복 성능검사 비밀문서가 어딨는지 찾고 있는 중이에요."

영주는 노트북을 병상에 내려놓고 그 옆에 놓인 의자에 앉아 USB을 꽂았다.

"최수연 씨가 누굴 만나고 어딜 가는지 체크 중이에요. 당신 아내에 대해 궁금한 거 있음 물어봐요."

영주는 동준을 알고 나서 처음으로 농담을 건넸는데 아무 반응이 없자 머쓱해졌다. 묵묵히 자신을 바라보는 동준의 시선이 어색해서 외면한 채 노트북의 영상을 클릭했다.

"주문한 게 있나? 해외 배송 정보에 매시간 접속하네."

영주는 수연의 집무실에 설치한 카메라를 통해 집무실 내부와 수연의 노트북 화면을 일일이 체크했다.

"은행 비밀 금고나 사설 금고에 접속한 흔적은 없어요."

"비밀문서를 확보해야 최일환 대표가 움직일 겁니다."

동준은 나지막이 말했다.

"알아요. 딸을 다치게 할 순 없겠죠. ……연쇄강간범을 체포한 적이 있어요. 구속되면서 딸 걱정을 하더군요. 정말 역겨웠는데……."

"이 세상에 돈, 힘, 다 나쁜 놈들이 가지고 있는데, 보기 싫어도 만나야죠."

영주는 오래전 자신이 한 말을 되새기는 동준을 쳐다보았다. 동준은 영주를 보다가 침대에서 일어나 창가로 가 밖을 보았다.

"최일환 대표가 움직여야 강정일을 제거할 수 있습니다."

"그래야 아빠가 무죄로 풀려나겠죠. 당신은 태백에 남겠네. 언젠가 당신이 최일환의 힘을 가질 거고. 미래의 법조계, 기대된다, 정말."

"조금은 나아질 겁니다."

너무나 진지한 동준의 반응에 영주는 조금 멈칫했다. 동준은 창가에서서 커튼을 조금씩 치기 시작했다.

"일제시대 때 판사 하던 사람들, 해방되고 나서 양심적인 판사들은 일제에 부역한 게 부끄러워 판사 자리를 버렸어요. 반성할 줄 모르는 사람들이…… 남았죠. 그래서 이런 세상이 됐나…….”

동준이 커튼을 치자 영주의 얼굴을 비추던 따가운 햇살이 조금씩 가려지다 완전히 사라졌다. 그는 천천히 돌아서면서 영주를 바라보았다.

“평생 기억하면서 살아야죠. 내가 어떻게 태백에 들어왔는지.”

영주는 무슨 말을 하려 했지만 입 밖으로 나오지는 않았다.

“……난 신창호 씨처럼 살 수 있는 사람은 아닙니다.”

영주는 좀 전에 엄마가 했던 말이 떠올랐다.

‘하이고, 영주 아버지요. 당신이 평생 믿어온 기 미신임미더.’

“하지만 최일환 대표처럼 살지도 않을 겁니다.”

영주는 마음에 물결이 이는 것을 느꼈지만, 지금은 애써 외면하고 싶었다.

“그러세요……. 그럴 수 있으면.”

“신창호 씨 수술, 이 병원 원장이 할 겁니다. 대통령 주치의죠. 좋은 사람은 아니지만 의사로선 최고입니다.”

동준은 할 말을 다하고는 영주에게 눈길도 주지 않고 다시 앉아 노트북에 시선을 고정시켰다.

영주는 동준에 대한 분노가 서서히 식어가고 있는 것을 느꼈다. 대신 그 자리에 그에 대한 연민이 싹트는 것을 느끼고 흠칫 놀랐다.

어둠이 짙게 깔린 부둣가에 스산하게 서 있는 폐창고를 정일은 잠시 말없이 바라봤다. 며칠 전 동준이 칼침을 맞은 곳이었다. 그는 영 내키지 않는 얼굴로 천천히 창고 안으로 들어갔다.

장작이 타오르는 드럼통 앞에 앉아 있던 백상구가 정일을 보더니 씩 웃었다. 주변에는 수하들 몇몇이 서 있었다.

"아따, 나가 갈 것인디 바쁜 분이 직접 온다고 그라요?"

백상구가 능글맞게 정일을 맞았다.

"태백에는 보는 눈이 많습니다. 배에 태우라고만 했잖아요."

정일은 치밀어 오르는 화를 겨우 누르며 백상구를 똑바로 쳐다봤다.

"시키는 대로 하세요. 일 키우지 말고."

백상구는 흔쾌히 고개를 끄덕이더니 수하에게 받은 서류 봉투를 정일에게 건넸다.

"쪼깐한 건설 회사 하나 인수할라는데 융자 좀 알아보쇼."

"백상구 씨!"

정일은 분노가 폭발했다. 다시는 백상구와 패를 섞고 싶지 않았다.

백상구는 피식 웃으며 정일의 손에 서류 봉투를 억지로 쥐어주었다.

"시키는 대로 하쇼이. 일 키우지 말고이. 내 입 열리믄 여럿 상할 것인디."

백상구가 비릿하게 웃었다. 정일은 어쩔 수 없이 그 봉투를 받아 들었다.

"더 부탁할 일이 있으믄 은자든지……."

"없을 겁니다."

정일은 단호하게 말했다. 다시는 이 인간과 얽혀서는 안 된다는 걸 처절하게 깨달았다. 백상구와 그 일행들이 모두 떠난 폐창고에 홀로 선 정일은 굳은 얼굴로 불타는 장작을 한없이 바라보았다.

"오빠네 별장에 도난 신고 있었다더라. 경찰까지 왔었고."

정일은 부듯가 폐창고에서 곧바로 수연의 집무실을 찾았다.

"대표님이 보낸 사람들이겠지."

정일이 대수롭지 않게 생각하자 수연은 책상에서 노트북 화면을 보며 피식 웃었다.

"우리 아빠, 그 비밀문서를 얼마나 갖고 싶을까? 결혼식 전에는 집안 리모델링도 했었다. 벽까지 뜯었어. 내 차도 몇 번이나 들여다봤고, 피트니스 로커도 뒤졌네. 없으니까 오빠네 별장까지."

"수연아, 비밀문서를 대표님이 갖게 되면 우린……."

"네버. 나한테 없거든."

수연은 묘한 웃음을 지어 보였다.

그날 낚시터에서 집무실로 돌아온 수연은 비밀문서를 들고 안절부절못하다 서랍에서 해외 우편용 서류 봉투를 꺼냈다. 수연은 문서에 묻은 물기를 다급하게 휴지로 닦아내고 봉투에 넣었다.

"내 손에 없는 걸 가져갈 순 없잖아."

영주는 비서실에서 노트북을 열고 수연의 집무실을 지켜보고 있었다. 수연은 노트북을 통해 해외 배송물을 추적하고 있었다. 영주는 의아한 듯 고개를 갸웃거렸다.

그때 수연의 말소리가 들려왔다.

―그 문서, 나한테 돌아오고 있어.

영주는 그 말에 눈이 커지며 마우스를 클릭해 수연의 노트북 화면을 확대했다. 마침 수연이 옆에 두었던 백화점 쇼핑백을 집어 들며 일어났다.

"하나 샀어. 내일 입을 거야. 아주머니가, 오빠 어머님이 그러셨거든. 나한텐 검정 원피스가 잘 어울린다고. 지금 입어볼까?"

정일은 수연을 사랑스럽게 바라봤다.

"입혀줄래?"

수연이 장난스런 미소를 짓자 정일이 다가가 그녀를 꼭 껴안으며 소파로 무너졌다. 두 사람이 사라지자 영주는 수연의 노트북 화면을 잘 볼 수 있었다.

발송인: 최수연

배송지: 인도네시아

현재: 반송 중

사유: 주소지 오류

도착: 익일 오전 공항 도착 후 반송 예정

영주는 수연의 노트북 화면에 떠 있는 글자들을 하나도 빼놓지 않고 머릿속에 새기며 곰곰이 생각에 잠겼다.

*

"인도네시아에 섬이 수천 개인데. 아, 이 섬에는 우리 태백하고 연관된 업무가 없을 텐데."

영주에게 건네받은 주소를 갖고 태백의 총무과 직원은 배송 장부를 뒤적이고 있었다.

"이 섬에 들어가는 배가 한 달에 한 번, 나오는 데 또 한 달, 중간에 살짝 헤매고, 아이고, 넉 달 만에 돌아오네."

"발송 날짜가 언제죠?"

"가만 보자. 3월 28일이네. 근데 이거 무슨 서류입니까?"

'3월 28일…….'

영주가 씁쓸한 미소를 지으며 서둘러 밖으로 나가는데, 저만치서 황보연이 휴대폰으로 통화를 하며 걸어왔다. 그녀는 살짝 짜증이 난 표정이었다.

"오늘 두 번째 녹화가 있어요. 방송 전에 샵도 가야 하고……."

—중요한 거니까 꼭 직접 받아서 챙겨놔.

휴대폰에서 수연의 카랑카랑한 목소리가 새어나왔다. 수연은 정일의 어머니 기일이어서 강유택의 집안 선산을 가야 하는 상황이었다. 수연은 택배를 직접 받을 수 없게 되자 황보연에게 신신당부했다.

"어디서 오는 겁니까? 인도네시아?"

황보연을 스쳐 지나가던 영주는 인도네시아라는 말에 걸음을 멈추고 힐긋 돌아본 뒤 자신의 책상으로 다급히 돌아가 서류 봉투 하나를 들고 지하 주차장으로 내려갔다.

영주는 배송 차량 위치를 알려주는 스마트폰 앱을 켜고 차를 출발시켰다. 화면에서 배송 차량의 현재 위치가 지도 위에 붉은 점으로 깜빡였다. 영주는 붉은 점을 따라 급히 차를 몰았다. 그 시각 황보연은 태백 건물 앞에서 시계를 보며 못마땅한 얼굴로 배송 차량을 기다리고 있었다.

태백 근처 어느 건물 앞에 택배 차량이 도착하자 뒤따라온 영주는 주변에 차를 세우고 그 차를 지켜보았다. 택배 차량에서 기사가 내린 뒤 뒷문을 열고 배송물을 꺼내기 시작하자, 영주는 잠시 생각하다 안경 박스에서 선글라스를 꺼내 차에서 내렸다. 영주는 기사 옆을 스치듯 지나가며 선글라스를 펴서 문틈에 걸어놓았다. 짐을 다 내린 기사는 양팔에 배송물을 가득 든 채 어깨로 문을 툭 밀었다. 기사는 문이 저절로 닫혔으리라 생각하며 건물로 들어갔다.

그 순간 몸을 숨기고 있던 영주가 짐칸 문을 열었다. 부서진 선글라스의 다리가 바닥에 툭 떨어졌다. 영주는 주변을 한 번 둘러보고는 안으로 재빨리 들어갔다.

영주는 살짝 열린 문틈으로 새어 들어오는 빛에 의지해 배송물을 빠르게 뒤졌다. '태백'이라는 이름이 보이자 영주는 그 근처를 집중적으로 찾아봤다. 잠시 후 영주는 '최수연', '인도네시아'라고 쓰여 있는 봉투를 발견했다. 영주의 얼굴이 밝아졌다. 영주가 봉투를 들고 차량에서 내리려는데 기사가 휘파람을 불며 걸어왔다. 그 순간 영주는 이러지도 저러지도 못하고 있다가 커다란 택배 상자 뒤로 얼른 몸을 숨겼다. 짐칸 문이 열려 있는 걸 발견한 기사는 고개를 갸웃하며 차 안을 잠시 둘러보더니, 대수롭지 않게 문을 닫고 다시 출발했다. 문이 닫힌 차 안은 깜깜해 아무것도 보이지 않았다. 영주는 다리에 힘이 풀린 듯 바닥에 주저앉았다. 택배 기사가 운전하며 휴대폰으로 텔레비전을 보는지 방송 소리가 들렸다.

―선거 때마다 새로운 피를 수혈한다는데, 그럼 뭐하나요? 그분들 국민들하고 혈액형이 안 맞잖아요.

택배 기사는 황보연이 출연하는 정치 예능 프로그램을 곁눈질하며 운전하고 있었다. 그는 머리를 쓸어올리며 말하는 황보연의 모습에 홀린 듯 눈을 떼지 못했다.

영주는 짐칸에 갇힌 채 빠져나갈 방법을 궁리했다. 그런데 갑자기 차가 멈췄다. 휴대폰으로 차량 위치를 확인해보니 태백 앞이었다. 영주는 몹시 당황했다.

택배 기사는 태백 앞에 차를 세우고 차에서 내리려다 건물 앞에 서 있는 황보연을 보고 눈이 휘둥그레졌다. 그는 휴대폰 화면에 나오는 황보연과 차 앞에 서 있는 황보연을 번갈아 보고는 차트와 펜을 들고 차에서 내려 짐칸으로 다가갔다. 발소리가 들리자 영주는 잔뜩 긴장한 얼굴로 택배 상자 사이에 몸을 숨겼다. 그때 문이 열리더니 택배 기사가 짐칸으로 올라왔다. 그는 태백에 배달할 물건들을 하나씩 챙기면서 영주 바로 앞까지 다가왔다. 영주의 심장이 쿵쿵 뛰었다. 그 소리가 기사에게 들릴까봐 마음을 졸이는데, 택배 기사는 바로 코앞까지 왔다가 뒤돌아가더니 차에서 내렸다. 영주는 참았던 숨을 내뱉으며 안도의 한숨을 내쉬었다.

황보연은 택배 기사를 발견하고 그에게 다가가 최수연에게 온 우편물을 받았다. 황보연이 수령 사인을 하고 돌아서는데, 택배 기사가 수줍게 차트 뒤의 백지를 내밀었다.

"저…… 사인 좀……."

황보연은 이런 관심이 싫지 않은지 약간 새침한 얼굴로 펜을 받아 사인을 했다. 사인을 받은 택배 기사는 내친김에 셀카도 부탁했다. 그녀는 잠시 생각하더니 함께 셀카를 찍었다. 그러는 사이 영주는 주위를 살피며 차에서 내린 뒤 서류를 품고 서둘러 태백 건물로 들어갔다.

"몸조리하고 있어. 나머진 내가 하지."

최일환은 비밀문서를 확보했다는 동준의 전화를 받고 몹시 흡족한 미소를 지었다. 이제 강유택을 공격할 무기가 생긴 것이다. 최일환은 잠시 생각하더니 어딘가로 전화를 했다.

"박의원, 오늘 대정부 질의를 한다고. 팩스 하나 보내지. 허허허. 아직 재선인데, 벌써 그리 질문이 많으면 어떡하나. 잘 읽을 수 있겠지?"

최일환은 만족스럽게 전화를 끊고 소파에 깊숙이 기대며 옆에 서 있던 송태곤을 쳐다보았다.

"송비서, 오늘이 유택이 집사람 기일이지?"

"네. 두 분 사이가 안 좋았던 걸로 압니다."

"그래도 유택이가 오늘은 좀 슬프겠지."

최일환은 송태곤을 보며 묘한 미소를 지었다.

수연과 정일, 강유택은 추모를 끝낸 뒤 선산에 있는 묘소 앞에 둘러앉았다. 강유택은 마음이 쓸쓸한지 퇴주를 한번에 쭉 들이켰다.

"조는(저기는) 한 2000평 갈아가 해바라기 심을 기고, 요는 너거 엄마 좋아하던 사쿠라를 좌악 심어놀 기다."

"살아 계실 때는 꽃 한번 못 받아보셨는데, 돌아가셔서 꽃밭에 사시겠네."

정일은 담담한 어조로 말했지만, 앙금이 배어나오는 건 어쩔 수 없었다.

"가방끈이 짧아노이 긴 여자 만나가 구색 맞출라꼬 러시아 문학 전공한 교수하고 겔혼을 했다 아이가. 너거 엄마가 전공한 도스토엡스킨가 금마, 평생 도박하다가 세상 베렸다매. 아, 금마는 그래 이해하믄서 내는 와 무시를 하노."

강유택은 퇴주를 한 잔 더 들이켰다.

"그래서 겔혼은 맞는 사람끼리 하는 기데이."

"그래서 수연이 옆에 간 겁니다."

"작년부터 고향 안 간데이. 아, 종놈의 자식하고 사돈 맺는다꼬 입 달린 것들이 얼매나 떠드는지. 수연이 너, 내가 니 싫어하는 거 알제?"

"네. 저희 사이 이해해주셔서 고맙게 생각해요."

"이해하는 기 아이고, 말리다 손을 든 기다. 정일이 인마한테."

마음이 좋지 않은 듯 강유택이 퇴주를 한 잔 더 들이키려는데, 비서가 다급하게 달려왔다.

"회장님! 국회에서 문제가 생겼습니다."

그 시각, 국회 연단 위에서 최일환에게 제보를 받은 박의원이 연설을 하고 있었다.

"보국산업 강유택 회장이 방사청 간부 및 고위 장성들과 공모, 조직적인 방산 비리를 저질러왔다는 제보가 들어왔습니다. 국산 잠수함 사업, 차세대 항공기 사업, 신형 방탄복 사업. 나라를 지키는 데 투자한 국민의 혈세 수천억, 수조 원이 사익을 추구하는 집단의 주머니에 들어가고 있다 이겁니다."

박의원은 열변을 토하며 강유택의 비리를 낱낱이 밝혀냈다.

국회에서 벌어지고 있는 일에 대해 전해 들은 정일과 수연은 서둘러 회사로 돌아왔다. 두 사람은 곧장 수연의 집무실로 들어갔다.

"대표님이 움직인 거 같아."

수연은 아빠가 움직일 거라고 짐작했지만 이렇게 빠를 줄은 몰랐다.

"오빠, 걱정 마! 내가 멈추게 할 수 있어."

수연은 책상 위에 놓인 우편물 중에서 인도네시아에서 반송된 우편물을 찾아낸 뒤 봉투를 거칠게 뜯었다.

"컨트롤 가능한 경찰 섭외해줘. 뇌관만 보여주자. 터뜨리진 말고."

수연은 정일에게 자신의 계획을 말하면서 봉투에서 서류를 꺼냈다. 그런데 그 서류는 영주에게 부탁한 영어 연설문이었다. 영어로 빽빽하게 작성된 연설문에는 몇몇 단어에 한글로 발음도 적혀 있었다. 수연과 정일은 황당한 얼굴로 서로를 쳐다봤다. 그 순간 휴대폰이 울렸다. 수연은 발신자가 신영주라는 걸 확인하고 전화를 받았다.

—부탁하신 연설문이에요.

휴대폰에서 영주의 목소리가 들려왔다.

"신영주 씨, 그 문서는……."

—이 문서, 김성식 기자가 아빠한테 전하려던 거예요. 제가 전하죠. 참, 어려운 단어는 밑에 한글로 발음을 적어뒀으니 읽기 편할 거예요.

영주는 할 말을 마치고 전화를 끊었다. 수연은 영어 연설문을 힘없이 내려놓았다. 또다시 원점이었다. 수연은 이 지긋지긋한 제로섬 게임을 언제면 끝낼 수 있을지 답답하기만 했다.

"일환아, 몇 호실이고? 어데로 가믄 되노?"

국회에서 터진 일이 확대될 조짐이 보이자 강유택은 다급히 최일환을 찾아 동준이 입원해 있는 한강병원까지 왔다. 최일환의 대답을 들은 그는 비서에게 휴대폰을 던지듯 건네고 날카로운 얼굴로 한강병원 로비를 저벅저벅 걸어갔다. 언젠가 그는 이런 걸음으로 최일환을 찾아간 적이 있었다.

30여 년 전 강유택은 최일환의 변호사 사무실을 찾아갔었다. 최일환은 낡고 허름한 사무실에서 혼자 짜장면을 먹고 있었다. 문이 벌컥 열리며 강유택이 들어오자 최일환은 소파에 앉아 텔레비전을 보다 그를 쳐다보았다.

"아따, 일환아. 판검사도 못 달고, 재판 몇 번 지노이 손님도 몬 끌고, 쯔쯔. 내캉 일하자. 인자 우리 세상이 올 끼다."

최일환은 무슨 말인지 모르겠다는 표정으로 강유택을 보았다. 강유택은 텔레비전을 가리켰다. 흑백 화면에서는 5·18 관련 뉴스가 보도되고 있었다.

—오늘 새벽 진압군은 도청을 지키던 폭도들을 진압했습니다. 군은

질서 유지에 최선을 다하고 있으며…….

최일환은 영문을 모르겠다는 표정으로 강유택을 쳐다보았다.

"광주에 탱크 밀고 가서 정권 잡은 사람들. 고향 선배들이고 유택이 친구들이었지."

최일환은 동준의 병실 창가에 서서 바깥을 보며 옛 생각에 젖어 있었다.

"그들을 기반으로 무기 브로커를 시작한 거군요."

최일환은 고개를 끄덕였다. 그는 다시 젊은 시절을 회상했다.

최일환과 강유택은 낡고 허름한 변호사 사무실 소파에 앉아 있었다. 최일환은 테이블 위로 계약서를 내밀었다. 강유택은 뭔 내용인지 힐긋 쳐다보았다. 계약서에는 '태백과 보국산업은 일방이 원할 때는 언제든 상호협의하에 분리한다.'라고 쓰여 있었다.

"아따, 친구끼리 이기 뭐고?"

"할아버지가 일군 황무지는 소작쟁의 때 빼앗겼고, 아버지가 만든 염전은 주인집 어장 땅이라고 빼앗겼어."

"니는 머리를 대고 내는 돈을 대는 기라. 수연이 어제 돌이었제? 아, 수연이 키우믄 니 아 아이가. 태백도 잘 키우믄 니 끼다."

강유택은 어떻게든 계약서에 도장을 찍지 않으려 최일환을 설득하며, 옆에 두었던 '태백'이라고 적힌 족자를 펼쳐 보였다.

"일환아, 어떻노? 내가 쓴 기다. 서초동에 사무실 준비했데이. 잘 보이는 데다 걸어놔라. 크크크."

강유택은 호방하게 웃으며 '태백'이라 쓴 족자를 최일환에게 건넸다. 최일환은 잠시 망설이다 무거운 얼굴로 그것을 받았다.

"아따, 친구야. 밥은 묵나."

강유택이 동준의 병실로 호탕하게 웃으며 들어왔다. 그는 최일환을 향해 걸어가 소파에 앉았다. 병상에 누워 있는 동준이나 최일환 옆에 서 있는 송태곤에게는 눈길 한번 주지 않았다.

"국회에서 청문회 준비한다 카든데 우야믄 좋노? 내 주머니 털믄 니 먼지도 한 뭉티 나올 낀데."

강유택은 능글맞게 웃으면서 뼈 있는 말을 했다.

"강유택이 바빠지겠군. 정부에서 대북 방공망 재정비 사업을 한다던데. 미사일에 신형 레이더에 10조가 넘는 사업이야. 미국 쪽 군수업체 사람이 내일 온다는데 같이 만나지."

"아따, 작별 선물이 커가 두 손으로 들고 갈 수 있겄나?"

강유택은 최일환의 의도를 간파하고 능글맞게 맞받아쳤다.

"정일이하고 같이 들고 가."

최일환과 강유택은 서로 노려보았다.

"크크크. 버티믄 같이 죽는다 이거가? 정일이 데리고 나가믄 한몫 챙기주겠다 이거고."

최일환은 옆에 선 송태곤에게 손을 내밀었다. 송태곤은 들고 있던 서류 봉투를 건넸다. 강유택은 그 봉투 안에서 누런 종이를 꺼내 탁자에 놓았다. 그 종이를 보는 순간 강유택의 눈꼬리가 올라갔다. 누렇게 바랜 종이는 30년 전 도장을 찍지 않은 그 계약서였다.

'이 계약서를 아직도 갖고 있었다니…….'

강유택은 헛웃음이 나왔다. 최일환은 송태곤에게 인주를 받아 엄지에 묻힌 뒤 계약서에 지장을 찍었다.

"아따, 일환이 일 야무지게 하네. 너거 장인이 서울 올라오고 두 달만에 사투리 고친 놈이데이. 와 고향이 그래 싫더나?"

"황무지하고 염전도 돌려받고 싶은데. 시가의 두 배로 쳐주지."

최일환은 강유택의 말은 무시한 채 계약서를 내밀었다.

강유택은 최일환의 의도를 간파하고 계약서를 도로 최일환 앞으로 밀쳤다. 최일환은 강유택이 거절하자 멈칫했다.

"너거 할아부지가 개간한 황무지, 너거 아부지가 맨든 염전, 깨끗하게 정비해가 그냥 주꾸마. 친구 아이가."

최일환은 그 의도를 모르겠다는 듯 강유택을 보았다.

"정일이 손에 묻은 피 깨끗하게 씻어가 내한테 보내도고. 그라믄 내 손에 인주 묻히꾸마."

강유택은 비열한 미소를 지었다.

"신창호라 캤나? 정일이 대신 옥에 간 놈. 요 병원에서 수술받는다 캤제."

강유택은 얼굴을 들이밀며 최일환의 얼굴에 가까이 대고 속삭였다.

"금마가 수술실에서 못 나오믄 범인이 죽었으이 사건은 끝난 거 아이겠나, 그자?"

두 사람의 대화를 듣고 있던 동준은 경악했다. 동준은 사람의 목숨을 거래하는 두 사람에게 분노를 넘어 두려운 마음이 들었다.

"사람을 죽이란 말이야?"

"누가 죽이라 캤나? 살리지 말라 캤지."

"장인어른!"

동준이 다급하게 최일환을 만류하려 하는데, 강유택이 탁자에 놓인 귤 하나를 톡 던져주었다.

"어른들 얘기에 아가 와 끼드노? 그거나 까무라. 정일이 손에 피가 묻어 있는데. 내가 그 손 잡고 나올 꺼 같나. 우짤래, 일환아?"

최일환은 뭔가 결심한 표정으로 앞에 놓인 티슈 한 장을 뽑아 엄지에 묻은 인주를 닦았다.

"닦아주지."

강유택은 몹시 만족스러운 듯 고개를 끄덕였다. 충격에 빠진 동준은 아무 말도 못한 채 두 사람을 바라볼 뿐이었다.

*

영주는 병상에 기대앉은 신창호에게 비밀문서를 건넸다.

"성식이 아저씨가 아빠한테 남긴 거야. 아저씨는 떠났고 우리는 남았어. 할 일이 많네. 어서 나아야겠다."

신창호는 서류에 묻은 김성식의 핏자국을 애틋한 눈빛으로 바라보았다.

수연은 강유택의 부름을 받고 레스토랑으로 들어섰다. 단 한 번도 자신을 따로 부른 적은 없던 터라 조금 불안한 마음이 들었다. 강유택은 창가 자리에 앉아 게걸스럽게 립 스테이크를 먹고 있었다. 잠시 그 모습을 지켜보던 수연은 강유택에게 다가가 맞은편에 앉았다.

"정일이한테 선물을 하나 할라 카는데, 금마를 젤 잘 아는 기 니 아이가?"

강유택은 옆에 있던 사진 두 장을 펼쳐 수연에게 보여주었다.

"야는 신문사 사장 딸내미고, 야는 전직 총리 막내 딸내미데이."

수연은 그제야 강유택이 자신을 부른 이유를 눈치챘지만 담담하게 받아들였다.

"정일 오빠 성형수술 많이 한 여자 별로일 거예요. 문란한 여잔 더 싫어하고요. 소문이 안 좋아요."

수연은 사진 두 장을 모두 치우고 그 위에 서류 두 장을 올려놓았다.

"두 가지 플랜이 있어요. 아빠가 메이킹한 청문회를 정면 돌파할 방안이 1안이고요."

"아따, 내 재산 가지고 너거가 와 노름판에 앉을라 카노?"

그 말에 수연은 멈칫했다.

"니나 정일이나 부모 재산 믿고 노름판에 앉은 거 아이가. 부모가 판돈 거두겠다는 기다."

"……아저씨."

"돌잔치 때 니는 실을 집었는데, 니하고 이동준이 사이에 태어난 아는 돌잔치 때 뭐를 집을란고."

수연은 생각도 하기 싫은 표정으로 몸서리쳤다.

"그 사람하곤 같이 못 살아요."

"정일이 엄마, 내하고 하루도 몬 살겠다 카더이 20년을 살다 갔다 아이가. 살아진데이. 살다 보믄. 근데 인물은 야가 낫제?"

수연은 넘을 수 없는 벽을 보는 기분으로 강유택을 바라봤다.

최일환은 정일을 자신의 집무실로 불렀다. 이제 모든 걸 정리할 시간이었다. 정일은 집무실에 들어가는 순간부터 분위기가 심상치 않음을 감지했다. 정일은 소파로 가서 최일환 옆에 앉았다. 최일환은 정일에게 인자한 미소를 지어 보이더니, 송태곤에게 눈짓을 했다.

"이달 말 날짜로 퇴직 처리될 거다. 수임료는 정산 끝났고 퇴직금은……."

송태곤은 서류를 보다 그 금액에 흠칫 놀랐다.

"넉넉히 챙겼다."

"태백을 글로벌 로펌으로 키우겠습니다. 대표님에 대한 예우도 확실히 하겠습니다. 대표님, 10년 동안 태백을 위해 일했습니다. 전 아버지하곤 다릅니다."

정일은 간절했다. 아버지처럼 살고 싶지는 않았다.

"다르지."

최일환은 옆에 놓인 두 나무가 있는 분재를 가져와 만졌다.

"자넨 할아버지를 닮았어. 기억나. 10년 동안 일군 염전을 하루아침에 가져가셨지."

최일환은 부드러운 어조로 말하며 분재의 나무 하나를 움켜쥐곤 힘주어 뿌리째 뽑아버렸다. 정일은 최일환의 뿌리 깊은 분노가 느껴져 움찔했다. 최일환은 뽑아낸 분재를 송태곤에게 내밀며, 정일을 똑바로 바라봤다.

"버려!"

정일은 절대 부서지지 않는 벽을 만난 듯 암담하기만 했다.

동준은 병원 정원에 있는 벤치로 영주를 불러냈다. 강유택과 최일환이 무슨 짓을 꾸미려 하는지 말해줘야 할 것 같았다. 그런데 막상 영주의 얼굴을 보니 아무 말도 할 수 없었다.

"아빠가 비밀문서 검토하면서 크로스 체크하고 있어요. 수술 끝나면 자료 보강해서 바로 기사 쓰려나봐요. 이동준 씨는 퇴원하는 대로 방탄복 공급에 개입한 군 장성하고 방사청 간부들 파악해서……."

영주는 묵묵히 앞만 보고 있을 뿐 자신의 얘기를 듣지 않는 동준을 보며 헛웃음이 나왔다.

"먼저 보자고 한 건 그쪽 아닌가? 마음이 급한 줄 알았어요. 이동준 씨를 이렇게 만든 강정일 팀장. 방탄복 비리로 법정에 세우고 싶어서 서두를 줄 알았는데……."

동준은 여전히 입을 굳게 다문 채 침묵했다. 영주는 황당한 기분으로 잠시 동준을 쳐다보다 보자기에 싼 작은 반찬통을 내밀었다.

"명란젓이에요. 대통령 주치의가 수술한다니까 엄마가 주라네. 알잖아요. 어른들 그런 높은 자리에 약한 거."

동준은 그제야 복잡한 눈으로 영주를 바라봤다. 그들이 꾸민 일을 영주에게 차마 얘기할 수 없었다.

신창호를 살리지 않기로 결정 내린 최일환과 강유택은 이호범을 동준의 입원실로 불렀다.

"이원장, 한 번의 실수가 필요하네."

이호범은 무슨 말인지 도무지 이해가 되지 않는 표정이었다.

"신창호 금마가 수술실에서 살아 나오믄 거래는 파톤 기라. 보국산업은 문 닫고, 태백은 무너질 끼다. 그 서까래에 니 사위도 깔릴 끼데이. 숨이나 붙어 있겄나."

강유택은 최일환과 이동준을 번갈아가면서 위협하듯 말했다. 이호범은 그제야 내막을 알겠다는 얼굴로 동준을 쳐다보았다. 하지만 동준은 어떻게 해야 할지 알 수 없었다.

"……신영주 씨."

동준은 이러지도 저러지도 못하는 얼굴이었다. 영주는 그다음 말을 기다렸지만 동준의 입은 열리지 않았다.

"그쪽이 내 이름 불렀어요."

영주는 답답하다는 듯 보다가 낮게 헛웃음을 웃었다.

"갈게요."

영주는 동준이 뭔가 결정을 내리지 못했다는 생각이 들어, 자리에서 일어나 돌아갔다.

동준은 결국 한마디도 못한 자신을 자책하며 자리에서 일어났다. 그 바람에 무릎 위에 놓아두었던 얇은 재킷이 바닥에 떨어졌다. 동준이 허리를 숙여 재킷을 주우려 하는데, 배가 당겨 제대로 몸을 숙일 수 없었다. 한 손으로 배를 만지며 허리를 숙이는데, 누군가 그 재킷을 집어 들었다. 동준이 고개를 들어보니 영주가 서 있었다.

"이호범 원장에 대해 알아봤어요. 그분한테 폐암 수술 받은 환자들 완치율, 생존율이 국내 톱이던데요. 고맙…… 다네, 엄마가."

영주는 재킷을 건넨 뒤 옅은 미소를 짓고 뒤돌아갔다. 동준은 멀어지는 영주의 뒷모습을 하염없이 보고 있었다. 자괴감이 몰려와 견딜 수가 없었다.

'고맙…… 다네, 엄마가.'

영주의 목소리가 동준의 마음을 흔들었다. 동준은 저 깊은 곳에서 뭔가가 꿈틀대는 걸 느꼈다. 동준은 결연한 눈빛으로 원장실을 향해 걸어갔다.

원장실에 들어서던 동준은 난감한 표정을 지었다. 원장실 안에는 이복동생 동민과 정미경이 소파에 앉아 이호범과 얘기를 나누고 있었다.

"성형센터 수익 구조 다시 만들어. 중국 쪽에서 고객 확보하는 건 몇 년간 어려울 거야."

"아버지, 브리핑 땐 괜찮다고 하셨는데……."

동준은 문가에 서서 들어갈지 말지 고민하다 소파에 가 앉으며 탁자 위에 보자기를 올려놓았다.

"내일 수술할 신창호 환자가 드리는 선물입니다. 아버지한테는 어려운 수술 아니니까 잘될 거라고 말했습니다."

"돌려줘라. 김영란법 대상에 의사도 포함돼."

이호범은 이 선물을 누가 보냈을지 짐작이 갔다.

"내일 수술이 잘못되면 의료법에 따라 법정에 서게 될 겁니다."

둘 사이에 뭔가 있음을 눈치챈 이동민은 어색한 표정으로 어쩔 줄 모르고 있었다.

"일본 고객을 주요 타깃으로 해서 다시 만들어라. 동민아, 그만 가 봐. 당신도."

정미경은 이호범의 눈치를 보며 아들을 데리고 나갔다.

"폐암 3기 환자 수술 성공률 90퍼센트, 5년 이상 생존율 70퍼센트, 완치율 50퍼센트. 아버지 수술 실적입니다. 신창호 씨 수술도 꼭……."

"내일 실수를 할 예정이다."

"아버진 의사예요!"

"넌 판사였다."

그 한마디에 동준은 가슴이 내려앉는 듯했다.

"청부 재판을 했지. 네가 살려고. 난 수술 중에 실수를 할 거다. 널 살리려고."

동준은 이호범이 모든 걸 간파했다는 걸 알아차렸다.

"장인어른, 이건 안 됩니다."

강유택이 병실을 나가자마자 동준은 최일환을 설득하려 했다.

"신창호 그 사람이 살아나면 비밀문서를 갖고 세상을 시끄럽게 만들겠지."

"강정일 팀장만 다칠 겁니다."

"동준아, 방탄복 비리로 걸린 소송 마무리한 게 우리다. 그 재판을 맡았던 판사, 지금 태백에 있어."

송태곤이 난감한 얼굴로 동준에게 말했다.

동준은 놀란 얼굴로 송태곤을 보았다.

"그때도 판결문은 대표님이 썼다."

동준은 얽히고 설킨 태백 사람들의 고리가 무서웠다.

"장례식도 이 병원에서 치르는 게 좋겠어. 특실 하나 비워둬."

최일환은 이호범에게 지시했다.

"발인이다 뭐다 정신없을 때 문서 챙겨와."

"네."

최일환의 지시에 송태곤은 정중하게 대답했다.

동준은 사람 목숨을 두고 일사분란하게 움직이는 그들을 그저 황망한 눈빛으로 바라봤다.

"문서가 있다면서 내 아들 목 조를 사람을 살릴 애비는 없을 거다."

"아버지를 위해서겠죠. 최일환 대표한테 뭘 받았습니까?"

동준은 조롱하듯 이호범에게 물었다.

"부탁하면 살려주마."

동준은 예상치 못한 아버지의 대답에 놀란 표정이었다. 동준은 아버지의 진짜 마음이 뭔지 도무지 알 수가 없었다. 이호범은 결코 속내를 쉽게 드러내지 않았다.

이호범은 몸을 숙여 동준에게 얼굴을 가까이 하고 속삭이듯 물었다.

"동준아, 넌 어떤 사람이냐?"

이호범은 마지막 한 발자국을 떼지 못해 아직도 다리를 건너지 못하는 아들이 안타까웠다. 사실 이호범은 아들이 다리를 건너 자신이 있는 곳으로 오면 편하겠지만, 다리 건너편에서 자신과 마주하고 있어도 무방했다.

"신창호가 떠나면 강정일이란 놈도 태백에서 나갈 거고, 넌 안전해질 거다."

동준은 강하게 반박하고 싶었지만 그럴 수 없었다.

"동준아, 부탁해봐라. 신창호를 살려달라고. 어서."

이호범은 답을 이미 알고 있다는 표정으로 동준을 바라보았다. 동준은 그 어떤 말도 할 수 없었다.

"못난 놈. 같은 문제를 여러 번 풀고 있구나."

이호범은 고개를 절레절레 흔들며 자리에서 일어났다.

"일반 병실 마스터키 구할 수 있습니까?"

이호범은 동준을 힐긋 쳐다보았다. 동준의 눈빛이 달라져 있었다.

"신창호 씨도 살고 저도 살아야겠습니다, 아버지."

이호범은 아들이 다리 위에서 다시 갈등을 시작했다는 걸 알 수 있었다.

"아저씨는 날 밀어내고, 아빠는 오빠를 밀어내고. 두 분 앙숙이었는데, 옛 친구라 그런가."

수연은 정일의 집무실을 서성이다 불쑥 말을 내뱉었다.

"계약이 우정보다 강하지. 친구 사이 분쟁, 가족 사이 소송, 승자를 결정하는 건 계약서니까."

정일의 말에 수연은 고개를 끄덕였다. 그때 조경호가 문을 벌컥 열고 다급히 들어왔다.

"야, 호주 펀드 철수한단다. 젠장, 우리가 전제 조건을 안 지켰다고 계약을 깬다는데, 아, 조건 한두 개쯤 딜레이시킬 수도 있는 거 아니냐?"

정일은 조경호의 말에 불현듯 떠오르는 것이 있었다.

"전제 조건이 무너지면…… 계약은 파기되겠지."

조경호는 무슨 소리냐는 눈으로 그를 보았고, 수연은 이미 그 의미를 파악하고 씩 웃었다.

정일은 영주에게 다급히 전화했다.

"내일 오전에 수술이라고 들었습니다. 오늘 밤에 신창호 씨하고 대화 많이 나누세요."

정일은 옆에 선 수연에게 의미 있는 미소를 보냈다.

"수술실에 들어가면 못 나오실 텐데."

—무슨 말이야? 당신!

휴대폰에서 영주의 날카로운 목소리가 들려왔다.

영주는 정일과 통화를 끝내고 잠시 멍하니 복도에 서 있다가 동준의 병실로 뛰어갔다. 병실 안에 동준의 모습이 보이지 않았다. 영주는 신창호의 병실로 뛰어갔다.

동준은 신창호가 잠들어 있는 병실을 뒤지고 있었다. 동준은 개인 로커를 마스터키로 열고 그 안을 뒤졌지만 문서는 없었다. 문서 대신 행복했던 영주네 가족사진이 있었다. 동준은 그 사진에 잠시 시선을 주다 로커 문을 닫았다.

동준은 문서가 보이지 않자 한숨을 쉬며 주변을 둘러보았다. 잠든 신창호의 팔 밑에 뭔가 불쑥 삐져나와 있었다. 동준은 그것이 문서임을 알아차렸다. 그는 침대로 다가가 신창호의 팔을 들고 문서를 천천히 빼냈다. 그 순간 영주가 문을 벌컥 열고 들어왔다.

"이동준 씨!"

영주는 거친 숨을 몰아쉬며 분노로 온몸을 부들부들 떨었다.

동준은 난감하고도 미안한 얼굴로 영주를 바라봤다.

13

“강정일 팀장이 그랬어요. 아빠가…… 수술실에서 못 나올 거라고…….”

동준과 영주는 정원 벤치에 나란히 앉았다. 영주의 목소리는 가라앉아 있었다.

동준은 영주의 물음에 앞을 보며 고개만 끄덕였다.

“……말도 안 돼.”

“올바른 기자가 살인범이 된 건 말이 되나요? 아버지의 무죄를 밝히던 경찰이 파면된 건 말이 되나? 최일환 대표가 원하는 건 뭐든 이뤄지는 세상……. 여깁니다.”

영주는 충격으로, 분노로 헝클어진 마음을 수습할 길이 없었다.

“……여기가 지옥이네.”

“지옥에선 죄인이 벌을 받죠……. 여기보단 공평하네.”

영주는 할 말을 잃었다.

"그 사람들, 장례식도 준비해뒀어요. 사망 원인도 벌써 준비해뒀고! 그 사람들……."

"당신은요?"

영주의 말이 칼끝처럼 예리하게 동준의 가슴을 파고들었다.

"막을 수 있잖아. 당신이."

"최일환 대표가 무너지면……. 나도…… 넘어져요."

"나하고 같이 방탄복 비리 밝힐 수 있잖아요, 이동준 씨."

"나는…… 신창호 씨가 아닙니다. 그렇게는 못 살아요. 나……."

동준은 영주에게 자조적인 웃음을 지어 보이더니 천천히 일어나 가버렸다.

"이동준 씨!"

영주는 동준을 애타게 불렀다. 아무것도 잡히지 않는 사막에 버려진 것 같은 기분이었다.

동준은 다시 아버지 이호범을 찾아갔다. 그는 휴대폰을 테이블 아래로 내려 영주가 이호범과 자신의 대화를 모두 들을 수 있도록 통화 버튼을 눌렀다.

"내일 수술에서 실수를 할 거라 하셨습니다."

"그랬다."

"나를 위해서, 아버지의 아들을 위해서 그리한다고 했습니다."

이호범은 고개를 끄덕였다.

"수술 전에 비밀문서가 사라지면…… 신창호 씨 수술, 최선을 다해주시겠습니까?"

영주는 신창호의 병실로 들어가려다 동준의 전화를 받았다. 영주는 병실 문에 기대서서 휴대폰을 통해 고스란히 전달되는 동준과 이호범의 대화를 듣고 있었다. 이제야 동준이 왜 아버지의 병실을 뒤졌는지 알 것 같았다. 영주는 휴대폰을 귀에 댄 채 저만치 병상에 기대 수첩과 문서를 하나하나 대조하며 들여다보고 있는 신창호를 바라보았다.

—내가 안전해지면 신창호 씨 살리겠냐고요!

—그렇게 하지.

영주는 복잡한 얼굴로 두 사람의 대화를 들었다.

—내 실수로 신창호 씨 인생이 짓밟혔습니다. 신영주 씨, 제 아버진 실수 안 하게 해주세요.

영주는 벽에 기댄 채 신창호를 보며 동준의 절규를 들었다.

—제발…… 내가…… 최일환처럼은 안 되게…… 해달라고요.

거기서 통화는 끊겼다. 영주는 휴대폰을 아래로 내리며 힘빠진 얼굴로 아버지를 바라보았다. 신창호가 사람 좋은 미소를 띠며 그녀에게 손짓했다.

"성식이 취재 수첩이다. 녀석, 신입 때 내가 사수였어. 첩보, 팩트, 크로스 체크된 사실. 따로 기록해뒀다. 나처럼…… 내가 가르친 놈이 남긴 거야. 내가 마무리해야지."

영주는 자신의 마음을 숨기려고 어색한 미소를 지으며 신창호에게 고개를 끄덕여주었다.

영주는 비밀문서를 동준에게 넘기는 것만이 아버지를 살릴 유일한 방법이라는 걸 알고 있었지만 차마 그럴 수 없었다. 그 문서는 아버지에게 생명과도 같다는 걸 영주는 너무도 잘 알고 있었다.

*

"수술 집도의를 바꾼다고? 왜?"

샌드위치 가게에 영주와 마주 앉은 조연화는 화들짝 놀랐다.

"절차 좀 알아봐줘. 한강병원 흉부외과 의사만 수십 명이잖아. 경험 많은 사람이면 좋겠어."

조연화는 탁자 위에 흩어진 빵 부스러기들을 가리키며 말했다.

"의사는 이만큼 많지. 근데 영주야. 그 의사들, 원장님이……."

조연화가 입김을 후 하고 불자 부스러기들이 날아가 바닥에 우수수 떨어졌다.

"불면 저렇게 돼. 원장님 실력 못 믿겠다고 캔슬한 환자, 누가 수술실에 들어가겠니?"

"그럼 수술 미룰 거야. 병원도 옮길 거고."

"그건 교도소 의무과 허가를 받아야 할 텐데…… 무슨 일이야?"

영주는 잠시 생각에 잠기더니 다급히 밖으로 나갔다. 그녀는 교도소 의무실장을 만나러 갔다.

"수술도 미루고 병원도 바꾸시겠다. 오케이. 오케이. 형 집행정지 취소될 겁니다."

의무실장은 어이없다는 표정으로 비아냥거렸다.

"의무실장님!"

영주가 소리 질렀다.

"내일 다시 교도소로 데려옵시다. 언제 다시 나갈진 뭐……."

"폐암 환자예요."

영주는 강하게 항의했다.

"그런 환자가 왜 수술도 미루고 병원도 옮기시나?"

이유를 말해봐야 의무실장은 절대 납득하지 않을 거라는 걸 알고 있었다.

"민주주의가 좋아. 살인까지 하신 분이 지 몸은 되게 챙겨요."

영주는 난감한 얼굴로 의무실장을 쳐다보았다.

"예정대로 수술 받으시든지, 여기 독방에 모시든지, 선택은 그쪽."

의무실장은 할 말을 다 한 듯 자리를 떠났다. 막막한 상황에 영주는 깊은 한숨이 나왔다.

영주는 신창호의 병실로 들어서다 문가에서 걸음을 멈췄다. 엄마가 아버지의 얼굴을 물수건으로 닦아주고 있었다.

"세상의 암 덩어리 치우겠다고 살던 양반이 자기 몸에 암 덩어리 커지는 줄은 와 몰랐으꼬?"

"살살 좀 해."

신창호가 나지막하게 아내를 타박했다.

"미분데 때리지는 못하겠고."

일부러 얼굴을 더 세게 문지르는 아내를 신창호는 서운한 듯 바라보다 그만 웃고 말았다. 영주는 오랜 세월을 함께한 부부의 삭은 웃음을 먹먹하게 바라보았다.

'예정대로 수술 받으시든지,여기 독방에 모시든지.'

영주는 의무실장의 말이 머릿속에서 떠나지 않았다.

"나 다 나으면 우리 태국으로 여행 가자."

"하이고, 신랑 잘 만나가 환갑에 신혼여행 가게 생겼네. 영주 아버지요, 내캉 약속한 거 다 지킬라믄 백 살 넘도록 살아야 될 낌미더."

'수술 전에 비밀문서가 사라지면…… 신창호 씨 수술, 최선을 다해

주시겠습니까?'

영주는 동준의 말이 귓속에 맴돌았다. 영주는 병실 문가에 서서 엄마와 아빠를 애틋한 눈으로 하염없이 바라보았다.

"영주야……. 와 거기 서 있노? 무슨 할 말 있나?"

영주 엄마는 이제야 문가에 서 있는 딸을 발견했다.

"아빠 수술…… 잘될 거야. 걱정 마, 엄마."

영주는 병든 아빠와 그 아빠 없이 살 수 없는 엄마를 보며 차마 교도소로 가자는 말을 꺼낼 수가 없었다. 가슴이 사정없이 저려왔다.

영주는 옥상 바닥에 취재 수첩과 비밀문서를 천천히 놓았다. 그러고는 자신이 아버지에게 했던 말을 떠올렸다.

'성식이 아저씨가 아빠한테 남긴 거야. 아저씨는 떠났고 우리는 남았어. 할 일이 많네.'

영주의 눈가가 젖어들었다. 눈물을 참느라 눈이 붉게 충혈되었다.

'성식이 취재 수첩이다. 내가 가르친 놈이 남긴 거야. 내가 마무리해야지.'

아버지의 목소리가 귓가에 맴돌았지만, 영주는 이를 악물고 의료용 알코올을 수첩과 비밀문서에 들이부었다. 그런 다음 크게 심호흡을 하고 떨리는 손으로 불을 붙였다. 불은 순식간에 횃불처럼 화르륵 타올랐다. 그 횃불 위로 눈물이 떨어졌다. 영주는 눈물을 훔치고 서류와 수첩이 타들어가는 모습을 휴대폰으로 촬영했다. 그 영상은 그대로 동준에게 전달되었다. 동준은 그 영상이 담긴 휴대폰을 들고 서둘러 수술실 앞으로 달려갔다. 그곳에서 이호범은 동준을 기다리고 있었다. 동준은 이호범 앞에 휴대폰을 내밀었다. 이호범은 일을 복잡하게 만드는 동준이 마음에 안 들었지만 고개를 끄덕여주었다. 그는 내키지 않는 얼굴로 수술실에 들어갔다. 그제야 동준은 안도의 한숨을 내쉬었다.

집을 나서던 최일환은 배웅 나온 윤정옥을 돌아보았다.

"오늘 호스피스 센터에 봉사 활동 하러 간댔나? 말기 암 환자분들 하루가 아까운 분들이니까 잘 챙겨드려."

그 말에 옆에 있던 수연은 어이가 없어 웃음이 나왔다.

'오늘 다른 사람 목숨을 빼앗으려는 사람이 그런 말을…….'

아무리 아버지이지만 수연은 최일환의 저런 모습은 도무지 이해할 수 없었다.

"가는 길에 회사에 들러. 기부금을 따로 준비해두지."

"알았어요. 수연아! 내일 이서방 퇴원하는 날이니?"

"내가 갈게요. 퇴원 수속도 내가 하고, 태우고 올게요."

최일환이 뜻밖이라는 얼굴로 수연을 쳐다보았다.

"살아지겠죠. 살다 보면……."

수연은 아버지를 보며 묘한 미소를 지었다. 최일환은 그 웃음의 의미가 불안했지만 더 이상 묻지는 않았다.

"폐, 간, 췌장까지 전이가 됐더군."

이호범은 원장실에서 성형센터 조감도를 보며 무덤덤하게 말했다. 그 말에 동준은 제일 먼저 영주의 얼굴이 떠올랐다.

"검사에선…… 전이가 안 됐다고……."

동준은 제발 사실이 아니길 바라며 이호범에게 재차 확인했다.

개복하고 보니 손을 댈 상황이 아니었다. 이호범은 아무것도 하지 못하고 어쩔 수 없이 덮을 수밖에 없었다.

"열어보기 전에는 모르는 게 사람이다. 3개월, 길어도 6개월이야. 다행이다."

이호범은 성형센터 조감도만 신경 쓰며 건성으로 말했다.

"항암 치료를 하면 가망이 있습니까?"

"재판은 중단될 거다. 신창호가 사망하면 공소는 취하되겠지."

"신창호 씨를 살릴 방법이 없느냐고 물었습니다."

동준은 좀전에 이호범이 다행이라고 한 말의 의미를 알 것 같았다.

"사건은 종결될 거야."

마치 자신은 동준과의 약속은 지켰다는 듯 이호범은 끝까지 대답하지 않았다. 동준은 그런 이호범이 매정하게 느껴졌다.

"성형센터 문제 서둘러라, 동준아."

이호범은 말을 마친 듯 다시 조감도를 들여다보며 체크해나갔다. 차갑고 냉정한 아버지를 동준은 더 이상 참을 수 없었다.

병원 옥상으로 향하는 동준의 발걸음은 한없이 무거웠다. 동준은 저만치 서서 먼 곳을 보고 있는 영주의 뒷모습을 보니 울고 싶은 심정이었다. 무거운 짐을 지고 있는 가녀린 어깨가 너무도 애처로워 보였다. 동준은 깊은 한숨을 쉬고 영주에게 다가갔다. 그녀 옆에는 재가 돼버린 수첩과 비밀문서가 흔적만 남아 있었다.

"아빠가 남긴 증거는 그쪽이 불태웠는데."

그 말에 동준은 재떨이 위에서 불타던 메모리칩의 모습이 섬광처럼 떠올랐다.

"성식이 아저씨가 남긴 건 내가…… 없앴네."

동준은 영주의 마음이 어떨지 잘 알았다. 그녀의 젖은 눈가를 보니 얼마 전 자신을 보는 것 같아 연민이 생겼다.

"이제 뭘 하지? 아빠 대신 누명 쓸 다른 사람을 찾아야 되나?"

영주는 그렁한 눈으로 자학하듯 어색한 미소를 지었다.

"최일환 대표를 도우면, 방산 비리에 협조하면, 아빠가 나올 수 있나? 가르쳐줘요. 그쪽이 선배잖아. 나보단……."

영주는 말을 잇지 못하고 참았던 눈물을 흘렸다.

동준은 자신의 눈물을 닦는 마음으로 손을 뻗어 영주의 눈가에 흐르는 눈물을 조심스레 손으로 만져 지워주고 싶었다.

"……난 내가 대단한 줄 알았는데……. 버틸 줄 알았는데……."

동준은 차마 그냥 보고 있을 수만은 없어 영주의 눈물을 지워주었다.

"신영주 씨, 당신은 대단하……."

"창녀."

영주는 자학하듯 내뱉었다. 동준은 그 말에 마음이 내려앉았다.

"가진 게…… 그거밖에 없어서 몸을 던졌는데……. 비참하다, 지금. 당신하고 방에 들어가던 그날보다……."

동준은 자신이 저지른 죄의 대가를 응시하고 있는 것 같아 마음이 무너져 내렸다.

"당신 말이 맞아요. 양심은 버려도 살 수 있고 신념은 바꿔도 내일이 있지만, 인생은…… 한 번인데……."

동준은 영주의 말 한 마디 한 마디가 가슴을 후벼 파는 것 같았다.

"아빠 나으면 시골에 갈 거예요. 다 잊고…… 나만…… 우리 가족만…… 생각……."

순간 동준은 영주를 끌어안았다. 여자가 아닌 인간을, 영주가 아닌 자신을 안는 기분으로 그녀를 안았다. 시련과 고난 앞에 무너져 내리는 인간들의 나약함에 대한 연민으로 영주를 안았다.

"그런 날은…… 안 올 겁니다."

동준은 영주를 안은 채 눈물이 그렁그렁한 눈으로 말했다.

"무슨……."

영주는 동준의 말과 행동을 납득할 수 없었다. 가슴이 철렁했다.

"미안합니다. 미안해요, 신영주 씨."

동준은 영주가 주저앉지 않도록 그녀를 더 힘껏 안았다.

"아빠는……."

영주의 목소리가 불안한 듯 심하게 떨렸다.

"가을을 맞기 어려우실 거예요."

영주는 그 말에 눈을 질끈 감았다. 그녀는 두려움에 떠는 작은 새처럼 동준에게 안겨 겨우 몸을 지탱했다.

*

최일환은 강유택과 정일을 자신의 집에 초대했다. 오늘 밤 지긋지긋한 악연의 고리를 끊어낼 생각이었다. 저녁 식탁에는 수연과 정일, 강유택, 최일환, 윤정옥이 둘러앉아 있었다.

강유택이 젓가락으로 동태전을 하나 집어 들고 먹으려다 뭔가 생각나는지 비릿하게 웃었다.

"일곱 살 땐가, 우리 집에서 잔치를 하는데 일환이 저거 엄마가 전 부치러 왔다가 니 준다꼬 동태전 훔치 가다가 들킨 거 기억나나?"

최일환은 아픈 기억이 떠오른 듯 미간이 꿈틀거렸다.

"아따, 땅바닥에 떨어진 거 흙 털어가 내가 니 줬다 아이가. 크크. 저거 어매 매 타작 당하는 것도 모르고 얼매나 맛있게 먹든지. 요새도 동태전 자주 묵나? 지나니까 다 추억이다. 그 시절이 참 좋았는데. 그자?"

"좋았지. 수연아, 너 어릴 때 할머니가 안 업어준다고 칭얼댔지? 그 때 다친 허리 때문에 그러셨다."

수연이는 이 지긋지긋한 이야기를 더는 듣고 싶지 않았다. 아버지의 마음을 알지만 그 마음을 따를 생각은 없었다.

"두 분 30년 동업하신 거 정리하는 식사 자리예요."

최일환과 강유택의 기싸움이 불편한 듯 윤정옥이 분위기를 바꿔보려 했다.

"동……업? 정일아, 법에 우째 돼 있노? 돈 대고 사무실 대주고 변호사 쓰는 걸 동업이라 카나?"

그때 가정부가 활어회 접시를 식탁 가운데 놓자 강유택이 가정부에게 물었다.

"니도 이 집서 한 10년 일했제? 나갈 때 한 살림 차리주라이. 일환이랑 동업한 거 아이가?"

윤정옥은 불편한 분위기를 어떻게든 바꿔보려 애썼다.

"두 분 함께하는 마지막 식사 자리라고 들었어요."

"고래는 안 될 낌미더."

최일환은 그 말에 눈썹을 치켜떴다. 강유택은 아직 숨이 붙어 있는, 아가미가 미약하게 움직이는 활어를 젓가락으로 가리켰다.

"일환아, 숨이 끊어지야 될 놈이 아직 살아 있으믄 안 되는 거 아이가?"

수연과 정일은 신창호에 관한 얘기라는 걸 알고 동시에 최일환을 바라보았다.

"두면 꺼질 목숨이야."

최일환이 활어를 보고 있었고, 미약하게 움직이던 아가미가 멈췄다.

"단풍 들기 전에 신창호 금마 숨줄이 떨어진다 이기가?"

"꺼지는 불이야. 손대서 문제를 더 키울 필요는 없어."

식사를 마치고 최일환과 강유택은 서재로 자리를 옮겼다.

최일환이 누래진 계약서와 인주를 테이블 위에 올려놓자 강유택은 실소를 머금었다.

"발인이 끝나야 내 손에 인주 묻힌다 했을 낀데."

"청문회 개최하라고 국회가 시끄러워. 겨우 볼륨 줄여놨는데, 소리 좀 키울까?"

두 사람은 한 치 양보도 없이 팽팽하게 맞붙었다.

"아따, 우리 일환이, 내하고 겸상도 하고 맞담배도 하더이 마이 늘었네. 우리 정일이 건드리믄 태백은 뿌사질 끼다. 약속 지키래이."

"지난 30년간 약속 많이도 했지. 안 지킨 건 언제나 너야."

"보국산업도 손대지 마래이."

"너라니까."

강유택은 알았다는 얼굴로 능글맞은 미소를 지었다. 강유택이 엄지에 인주를 묻혀 도장을 찍으려는데 전화가 울렸다.

"와?"

무슨 전화인지 강유택의 얼굴이 붉으락푸르락하더니 리모컨으로 다급히 텔레비전을 켰다.

—장현국 대법원장이 오늘 오후 전국 법원장 회의를 열고, 재판에 계류 중인 방산 비리 사범에 대한 엄중 재판을 지시했습니다. 장현국 대법원장은 국가 안보와 직결된 무기 거래 및 방위산업을 개인적 치부에 이용한 사범에 대해 법정 최고형을 선고하라고 특별히 강조했습니다.

강유택은 화면을 집어삼킬 듯한 얼굴로 뉴스를 보았다.

"재판에 걸린 우리 식구가 수십 명이데이. 일환아, 보국산업 손대지 말라 캤제?"

강유택은 노여움으로 부들부들 떨었다. 최일환은 예상치 못한 상황에 당황하면서도, 누가 이 일을 꾸몄는지 알 것 같았다.

"아빠한테 두통약 챙겨드려야겠다. 신창호 씨는 살아서 나와, 대법원장은 방산 비리를 두들겨……."

최일환의 집 거실에 정일과 마주 앉은 수연은 마치 서재의 상황을 알고 있는 것처럼 말했다.

"전제 조건이 붕괴됐어. 대표님하고 아버지 사이의 거래는 무산될 거야."

"그렇겠지. 근데 대법원장은 왜 그렇게 이동준 씨를 싫어할까?"

"대표님이 날 싫어하는 거하고 똑같은 이유지."

수연은 무슨 말인지 납득이 안 간다는 표정이었다.

"자신을 부끄럽게 만들었으니까. 보이기 싫은 모습을 기억하고 있으니까."

정일은 자신의 치부를 알고 있는 사람은 어떻게든 없애고 싶은 법이라고 생각했다. 그는 오전에 장현국을 찾아갔었다.

"이동준 변호사를 태백에서 나오게 해드리겠습니다."

장현국은 정일의 그 말 한마디에 깊은 관심을 보였다.

"태백의 울타리에서 벗어나면 이동준 변호사는 대법원장님 손에 들어갈 겁니다. 전국 법원장 회의를 열어주세요, 대법원장님."

장현국은 정일의 말에 흥미를 보였다.

"태백, 시끄러워지겠네. 아저씨 성격에."

"아버지, 평생 장사만 하신 분이야. 좌판은 태워도 점포는 안 다치게 하실 분이다. 적당한 선에서 멈출 거야."

"다치는 건 이동준 씨뿐이겠네."

수연은 생글거리며 찻잔을 들었다.

동준은 멀리서 어둠속에 혼자 벤치에 앉아 있는 영주를 발견하고는 그쪽으로 다가가 옆에 앉았다.

"신창호 씨 깨어날 시간…… 됐을 텐데……."

"수술 성공했다고…… 곧 나을 거라고 거짓말할까?"

동준은 할 말이 없었다.

"이번 여름이 아빠한테 마지막 시간이라고…… 말할까?"

영주는 처연한 얼굴로 동준에게 물었다.

"뭐라고 하죠. 아빠한테?"

수심 가득한 영주의 얼굴을 보며 동준은 결심했다. 그 말만은 영주가 하게 내버려둘 수 없었다. 그건 영주에게 너무 가혹한 일이었다. 동준은 자리에서 일어나 신창호의 병실로 향했다.

저만치 병실 앞 의자에 영주 엄마가 머리를 무릎에 파묻고 앉아 있었다. 옆에는 찢어진 부적이 나뒹굴고 있었다. 동준은 그녀가 이미 모든 걸 알고 있음을 직감했다. 동준은 영주 엄마를 지나쳐 병실 안으로 들어갔다.

동준이 병실로 들어서자, 병상에 기대앉아 있던 신창호가 담담하게 바라보았다. 동준은 심호흡을 한 번 하고 신창호에게 다가갔다.

"1심 재판을 했던 이동준입니다. 신창호 씨 수술은……."

"압니다, 판사님. 집사람도 영주도 안 오는 거 보면……. 올해 넘길 수 있습니까?"

동준은 슬픈 얼굴로 고개를 가로저었다. 신창호는 이미 예상했던 듯 허탈한 웃음을 보였다.

"얘기 들었습니다. 형 집행정지도 주선해주고, 수술도 대통령 주치의가 집도하게 해주셨다고. 고맙습니다, 판사님!"

고맙다는 말에 동준은 비겁했던 자신에 대한 자괴감이 들었다.

"제가…… 잘못했습니다. 따님이 준 증거도 제가 없앴습니다. 무서워서 무릎…… 꿇었습니다."

신창호는 자책하듯 고개를 가로저었다.

"나도 파업 때 무릎 꿇었으면 집사람 고생 안 시키는 건데……."

"판사로서 해서는 안 될 일을 했습니다."

동준의 목소리가 떨렸다.

"나도 판사님처럼 살았으면 우리 영주 뒷바라지 제대로 했을 텐데……."

"……."

"그때 후회하느냐고 물었죠? 후회합니다. 이렇게 끝날 줄 알았으면……. 세상 바꾸려고 하지 마세요. 있는 세상에서 잘 살아요. 나처럼…… 살진 말아요, 판사님."

동준은 자기 때문에 이렇게 된 것 같아 자신이 너무 원망스러웠다.

"당신은 좋은 기자였습니다."

"살인범으로 기록되겠죠. 후배한테 빌린 돈 때문에 사람을 죽인 놈으로…… 기억될 텐데……."

"재판 다시 할 겁니다."

뜻밖의 말에 신창호는 동준을 뚫어질 듯 바라보았다.

"제가 잘못 내린 판결, 다시 심판하겠습니다."

동준은 마음을 추스르고 신창호를 보며 단단히 약속했다. 동준은 다리 위에서 한 걸음 남겨두고, 왔던 곳으로 돌아갈 생각이었다.

동준은 병상에 앉아 '대법원장, 방산 비리 엄중 처리 지시'라고 쓰여 있는 신문 기사를 읽고 있었다. 수연은 동준에게 다가갔다.

"정일 오빠가 사과한대. 부둣가에서 그 일, 계획한 거 아니라고."

동준은 신문을 내리며 물었다.

"전국 법원장 회의는 계획한 거야?"

수연은 피식 실소를 흘렸다.

"당신을 제일 미워하는 사람이 나인 줄 알았는데, 대법원장이 1등이더라. 내가 밀렸어. 두고 가는 건 없나."

"내 건 다 챙겼어. 내 거 아닌 건 두고 가고. 뭘 버려야 할지, 뭘 남겨야 할지 이젠 알았거든. 가자, 수연아."

동준은 수연을 보며 묘한 미소를 짓더니, 앞장서서 병실을 나섰다.

이호범은 원장실 의자에 앉다가 책상 위에서 동준에게 선물했던 넥타이핀을 발견했다. 그는 아들이 방향을 바꾸었다는 걸 알고 허탈하게 웃었다.

*

동준은 자신의 집무실로 들어서자마자 소파에 앉아 있는 정일을 보고 불쾌한 표정을 지었다.

"부둣가에서의 일, 사과는 수연이한테 들었을 테고, 난초 화분 하나 준비했습니다."

책상 위에는 '쾌유를 빕니다'라는 띠를 두른 화분이 놓여 있었다.

"이것들은 그동안 밀린 업무들."

동준은 정일이 내민 서류를 받아 들고 책상으로 가서 앉았다.

"더 줄 게 없으면 혼자 있고 싶은데."

"기회를 주죠. 태백에서 안전하게 나갈 수 있는 마지막 기회. 수연이도 태백도 남겨두고 떠나면 대법원장님 멈추게 해드리겠습니다. 이동준 씨, 견디기 힘들 겁니다."

동준은 피식 웃었다.

"견디기 힘들어서…… 싸울 겁니다. 눈감고 살자 결심했는데 신창호 씨 살아온 인생이 보이고, 귀도 막고 살자 생각했는데 귓속말이 들리네."

정일은 의아한 듯 동준을 쳐다보았다. 동준은 정일에게 다가가 그의 귀에 대고 속삭였다.

"자수해. 네가 김성식 기자를 죽였다고."

정일은 동준의 낯선 모습에 살짝 당황했다.

"꽤 괜찮은 판사였어요. 증거가 사라진 살인 사건. 진범을 어떻게 잡을 수 있는지 잘 압니다. 변기 옆에서 식사도 하고 식기도 직접 씻어야 하는 교도소 생활을 버틸 수 있을지. 강정일 씨, 견디기 힘들 겁니다."

정일은 동준을 보며 잠시 생각하더니, 대수롭지 않은 표정을 지었다.

최일환은 대표실로 이어지는 복도를 심각한 얼굴로 걷고 있었다. 송태곤이 그 뒤를 따랐다. 송태곤은 뭔가 할 말이 있는 얼굴이었지만, 최일환의 표정이 심상치 않아 쉽게 말을 꺼내지 못하고 있었다. 최일환은 방금 장현국과의 식사 자리를 마친 뒤 다시 곱씹어보고 있었다.

"방산 비리 재판을 엄중 처리하는 바람에 우리 변호사들이 바빠졌습니다. 허허. 그 사건들 우연히 우리 태백이 다 맡고 있습니다."

"우연이 반복되면 필연이 되는 법입니다. 허허. 태백, 좋은 로펌이지요. 근데 그 태백에 어울리지 않는 사람이 있습니다."

"내 사위를 버리면 주워 가시겠다……. 동준이는 태백의 사위입니다. 제가 지켜야지요."

"허허허. 저는 사위를 못 지켰는데 잘 보고 배워야겠습니다. 이동준 변호사를 어떻게 지키실지…… 드세요."

최일환은 만만찮은 장현국을 어떻게 요리해야 할지 고민 중이었다.

"강유택 회장이 통보해왔습니다. 자기 식구들 재판 해결 안 되면, 거래는 무산될 거랍니다. 태백이 위험합니다. 대법원장님 말씀대로 동준이를……."

송태곤은 갑자기 말을 멈췄다. 최일환의 집무실 앞에 동준이 버티고 서 있었다.

"뭘 버리실 겁니까? 접니까? 태백입니까?"

최일환은 아무 말 없이 깊은 눈으로 동준을 바라보다 그를 데리고 집무실 안으로 들어갔다.

14

“10년 전인가. 미국 로펌하고 MOU를 맺었다. 한미 FTA에 대비하려던 건데, 미국 금융 위기에 그 로펌이 연루됐어. 나한테 도움을 청했는데 내가 버렸다. 태백을 위험하게 할 순 없었어. 동준아…… 난 너를 버릴 생각이다.”

최일환은 창가에 서 있다가 소파로 다가와 동준 앞에 앉았다.

“5년 전인가. 이주민 절도범을 재판한 적이 있습니다. 우리말이 서툴러 누명을 쓴 사람이었죠. 그 사람들 얘길 들어주려고 영어를 배웠습니다. 그렇게 살았는데……. 대표님, 전 태백을 떠날 생각입니다.”

최일환은 뜻밖의 말에 흠칫 놀라더니 충고를 한마디했다.

“대법원장이 널 가만두지 않을 거다.”

“위자료로 선물 하나 챙겨가겠습니다. 전 계획이 있고, 태백에는 힘이 있습니다. 대법원장의 가면을 벗긴 뒤에 나가겠습니다.”

“일개 변호사가 대법원장을 건드리겠다…….”

"전 국내 최대 로펌의 대표 최일환이 선택한 사위입니다. 대표님의 안목을 믿으세요."

최일환은 동준의 계획이 무엇인지, 그 마음이 무엇인지 가늠해보려 애썼다.

"대법원장이 사라지면 전 태백을 떠날 겁니다. 강회장과의 거래대로 수연이와 강정일 씨도 갈라질 거고. 그럼 태백은 대표님 손에 남을 겁니다."

"태백의 주인이 될 기회를 스스로 버리겠다는 건가."

"전 정의가 없는 힘을 버리고, 힘이 없는 정의를 선택하는 겁니다."

최일환은 납득할 수 없었다. 태백은 거대한 힘이었다. 그 유혹을 뿌리치기는 결코 쉽지 않은 일이었다.

"엄마 배 속에서 버려진 의사 아들놈하고, 평생 지은 농사, 소작료로 뺏기게 된 머슴의 아들하고 손잡고 소작쟁의 한번 해보시겠습니까?"

최일환은 과거에 자신이 했던 말을 똑같이 하는 동준을 보며 허허허, 너털웃음을 터뜨렸다.

*

영주는 한강병원 로비에서 증오심 가득한 얼굴로 텔레비전 화면을 뚫어질 듯 보고 있었다. 화면에는 최일환이 단상 위에서 표창을 받는 모습이 나오고 있었다.

—오늘 법의 날을 맞아 법률회사 태백의 최일환 대표는 서민층 법률지원을 위한 기금을 조성한 공로로 대통령 표창을 받았습니다. 법률회사 태백은 이주민 가정, 청소년 가정 등 사회적 약자를 위한 법률 지원을 위해 작년 한 해 동안…….

뉴스를 보며 영주는 떠오르는 말이 있었다.

'그 사람들, 장례식장도 준비해뒀어요. 사망 원인도 벌써 준비해뒀고! ……최일환 대표가 원하는 건 뭐든지 이뤄지는 세상. 여깁니다.'

영주는 자리에서 벌떡 일어났다. 저만치서 힘없이 다가오는 엄마가 보였다.

"영주야…… 너거 아부지가 찾는다."

영주는 걸어오던 속도 그대로 엄마를 지나쳐가며 말했다.

"아니, 할 일이 많아. 전해줘. 아빠, 살인범인 채로는 안 보낸다고."

영주는 결연한 표정으로 걸어갔다. 이대로 끝낼 수는 없었다.

*

장현국 대법원장은 출근하자마자 자신의 책상 위에 가지런히 놓인 대여섯 종류의 조간신문에 실린 1면 머리기사를 보고 기겁했다. 모든 신문 1면 머리기사에 '장현국 대법원장 사위 횡령액 추가로 밝혀져', '횡령액 일부 대법원장에게 흘러갔다는 추측'이라고 쓰여 있었다. 장현국은 얼굴빛이 변하며 다급히 정일에게 전화를 했다.

"이동준이 움직인 것 같습니다, 대법원장님! 추가 취재는 제가 막겠습니다."

정일은 심각한 얼굴로 태백의 복도를 걸으며 장현국과 통화했다. 텅 빈 복도에 정일의 목소리가 울려 퍼졌다.

"강정일 팀장님은 제가 막죠."

멀리서 들리는 말소리에 정일은 놀란 눈으로 전화를 끊고 앞을 보았다. 저만치서 영주가 걸어오고 있었다.

"아버님 일은 안타깝게 생각합니다. 가시는 길 지켜드리세요. 도움이 필요하면 언제든지…….”

“아빠는 곧 떠나겠지만, 그쪽한테 남은 인생은 길어요. 몇 십 년 감옥에 있다 나오면 칠순은 되려나. 그땐 가족도 없을 거고, 이동준 씨 어머님 요양원에 가서 마무리하면 되겠네. 말해요. 요양원이 필요하면.”

“어리석군요. 당신 아버지처럼. 피는 못 속이나?”

“피를 왜 속이죠? 파렴치한 무기 브로커에 방산 비리의 대부 강유택 회장의 아들 강정일. 당신은 피를 속이고 싶었나보네.”

정일은 아킬레스건을 찔린 기분이었다.

“강정일 팀장님. 잘 자랐어요. 강유택 회장의 아들답게.”

영주는 이들 부자가 아버지에게 한 짓을 생각하면 치가 떨렸지만, 최대한 자제하며 침착하게 말했다.

“같은 교도소에 있으면 아버지하고 사이는 더 좋아지겠네.”

영주는 정중하게 고개 숙여 인사하고 정일의 옆을 스쳐 지나갔다.

정일은 치밀어 오르는 분노를 누르며 영주의 뒷모습을 쳐다보았다.

동준이 백반 하나를 시켜 집무실에서 막 식사를 하려는 참에 영주가 들어왔다. 영주는 물도 없이 밥을 먹고 있는 동준을 보고 정수기에서 물을 떠왔다.

“집에서 아침밥도 못 먹을 처지인가보네.”

영주는 동준 앞에 물컵을 내려놓고 앉으며, 아직 뜯지 않은 젓가락을 집어 들었다.

“젓가락은 내가 쓸게요. 어제 밤새 울었더니 배가 고프네.”

동준은 밥을 아주 조금 덜어 영주 앞 접시에 놓아주었다.

“아직도 이기적이네, 이동준 씨.”

동준은 무슨 말인가 하며 묵묵히 보다가 의미를 알아차리고 영주에게 밥을 더 덜어줬다.

영주는 그제야 만족스러운 듯 식사를 시작했다. 각자 고개 숙이고 식사를 하는 터라 달그락달그락 수저 소리만 들렸다.

"신창호 씨는……."

"항암 치료 효과 없대요. 식이를 하면서 일주일에 두 번 통원 치료를 하라네. 엄마는 반찬 가게 때문에 간병이 힘들어요. 요양원 따로 알아볼 필요는 없겠죠."

동준은 알겠다는 듯 고개를 끄덕였다.

영주는 탁자 위에 놓인 신문에 실린 대법원장 기사를 힐긋 보더니 다시 식사를 시작했다.

"사실로 밝혀져도 사위만 다칠 거고, 횡령액이 대법원장한테 흘러간 건 사위가 입을 안 열면 밝혀질 리가 없는데. 무슨 생각일까?"

"대법원장이 움직일 겁니다. 나한테 했던 것처럼. 대법원장 사위의 2심 재판을 맡고 있는 판사, 그 판사를 찾아가게 만들 겁니다."

식사를 마친 영주가 고개를 끄덕이고는 그릇들을 치우려는데 동준이 제지했다.

"내가 치우죠. 각자 잘하는 걸 합시다."

동준은 서랍에서 카메라를 꺼내 영주에게 건넸다.

"형사였으니까 잠복 근무도 미행도 꽤 했을 거고."

동준이 무슨 말을 하는지 알아차리고 영주는 고개를 끄덕였다. 그때 동준의 휴대폰이 울렸다.

"이동준입니다."

—동준아 대법원장이 온다는구나.

휴대폰을 통해 들려오는 최일환의 말에 많은 의미가 담겨 있었다.

장현국 대법원장은 그날 오후 최일환의 집무실을 찾았다. 그는 송태곤의 안내를 받으며 최일환의 집무실 앞까지 왔다. 그런데 집무실 앞에서 여비서가 서랍을 열자 그의 얼굴에 불쾌한 기색이 역력했다.

"이 나라의 대법원장이야. 예우를 하게."

옆에 있던 송태곤이 아차 하는 얼굴로 여비서를 질책했다.

"이분이 누구신 줄 알고! 대법원장님 스마트폰, 두 손으로 공손하게 받아드려."

송태곤은 더 이상의 예우는 없다는 눈으로 장현국을 바라보았다. 그는 몹시 불쾌한 얼굴로 휴대폰을 건네고 안으로 들어갔다. 그가 안으로 들어가자 송태곤은 밖에서 문을 닫았다.

장현국은 책상 앞에 돌아앉은 남자를 향해 저돌적으로 걸어갔다.

"현명한 분으로 알고 있습니다. 사위를 구하자고 태백을 위험에 빠뜨릴 분이 아니라고……."

장현국의 말이 채 끝나기도 전에 책상 앞의 남자가 돌아앉았다. 그가 누구인지 확인하고 장현국은 황당하고 놀란 눈으로 그를 바라보았다.

"장인어른은 선약이 있으셔서요. 제가 모시겠습니다, 대법원장님!"

동준은 일어나 소파로 가서 장현국에게 자리를 권했다. 장현국은 잠시 이글거리는 눈으로 동준을 쳐다보다 자리에 앉았다.

"횡령액 중에 수십억의 사용처가 불확실해서 좀 알아봤습니다. 아드님 출판사 창업 자금도 의심이 되고, 사모님은 골프선수도 아닌데 회원권을 다섯 장이나 보유하셨던데, 횡령액이 가족한테 흘러간 걸 몰랐으면 포괄적 뇌물죄, 알았으면 김영란법 위반."

"모두 추론일 뿐 확증은 없네."

"회계 서류도 있는 거 아실 텐데."

"아랫사람의 실무 착오로 처리될 거야."

"사위분 본인이 전결한 서류도 증거로 제출될 겁니다."

장현국은 동준에게 참을 수 없는 분노가 끓어올랐지만 마음속 깊은 곳으로 꾹 눌러 담았다.

"상식적인 재판부라면 중형을 선고할 겁니다, 대법원장님."

"허…… 대한민국 재판의 상식. 그 기준을 만드는 사람이 날세. 자네가 법정에 설 날이 기다려지는군."

장현국은 벌떡 일어서더니 인사도 없이 저벅저벅 걸어 나갔다. 그 뒷모습을 보며 동준은 피식 미소를 지었다.

"1인당 12만 원 상당의 한정식으로 식사를 했어요. 결제는 대법원장 판공비 카드로 했고요."

"대법원장이 후배 판사를 격려하는 자리였을 수도 있지 않나."

간단한 술상이 차려진 일식집에 동준과 영주는 죽을상을 하고 앉아 있는 한 남자와 마주하고 앉아 있었다. 테이블 위에는 장현국과 그 남자가 레스토랑에서 식사를 하고 나오는 장면이 찍힌 사진이 여러 장 놓여 있었다.

"대법원장을 만난 이후 재판이 일방적으로 사위에게 유리하게 진행됐어요."

영주는 이번에는 '재판 진행 과정'이라고 적힌 서류를 탁자에 올려놨다.

"유불리는 시점에 따라 다르게 볼 수 있지 않나."

동준이 이번에도 심드렁하게 답했다.

영주는 다시 휴대폰 통화 내역을 탁자에 올려놓았다.

"대법원장하고 수시로 통화를 했어요. 재판 당일에는 네 번이나 통화를 했습니다."

"이건 좀 문제네. 동기들은 법원장 다는데 부장판사로 버티기 힘들었죠, 유종수 판사님?"

그제야 동준은 고개를 끄덕이며 영주를 보던 시선을 앞에 앉은 남자에게로 옮겼다.

"대학 때처럼 편하게 부를게, 선배. 법원장 진급을 약속했어? 아님 청와대에 힘 있는 자리를 보장했나, 대법원장이?"

그 남자는 장현국의 사위 2심 재판을 맡은 판사로, 동준의 대학 선배였다. 동준은 궁지에 몰리면 장현국이 분명 자신에게 했던 것처럼 판사를 찾아갈 거라 생각했다.

"동…… 준아……."

그는 금방이라도 울 것 같았다.

"오늘 밤이 선배한테 중요하겠네. 비리 판사가 될 수도 있고, 사법개혁의 기수가 될 수도 있어. 내 잔 받았음 좋겠다, 선배."

동준은 술병을 들고 그를 바라보았다. 그는 곤혹스러운 표정으로 동준의 얼굴을 보다 어쩔 수 없다는 얼굴로 잔을 받았다.

―장현국 대법원장이 사위의 재판에 부당한 압력을 행사했다는 글이 법원 내부 게시판에 올라와 논란이 일고 있습니다. 유종수 판사는 대법원장이 법원장 진급을 제안하며 재판을 유리하게 이끌어달라고 회유했다고 밝혔습니다. 평판사들은 오늘 긴급 대책 회의를 열고, 1심 재판을 맡았던 이동준 판사의 재임용 탈락 배경에 관해 진상 규명을

요구할 방침입니다. 이동준 판사는 현재 언론의 인터뷰 요청에 응하지 않고 있습니다.

다음 날 모든 언론 매체는 하루 종일 시끄럽게 장현국에 대해 떠들어댔다. 최일환은 자신의 집무실 소파에 앉아 흐뭇한 얼굴로 뉴스를 시청했다.

—장현국 대법원장은 회유 사실을 전면 부인하고 있지만, 법원 내부의 논란은 커져가고 있습니다.

정일과 수연은 수연의 집무실에서 당황한 얼굴로 뉴스를 보았다.

"이건 음해입니다. 유종수 판사 그 사람, 진급에 불만이 많았던 친구입니다."

"1심을 맡았던 이동준 판사가 재임용에서 탈락한 것도 회유를 거부한 대가입니까?"

지금까지 여유를 보이던 장현국 대법원장은 기자의 질문에 멈칫했다. 이 일이 왜 벌어졌는지 대충 윤곽이 잡힐 것 같았다.

"이동준 판사가 사위분께 중형을 선고한 데 대한 보복이라는 소문이 있는데 아닙니까?"

기자는 끈질기게 물었고, 장현국은 헛웃음으로 이 상황을 모면하려 했다. 장현국은 대법원을 빠져나가며 다급히 동준을 찾았다.

한적한 호숫가에 동준의 차가 미끄러지듯 멈추자 노기용이 운전하는 차의 조수석에서 동준이 내렸다. 동준은 저만치 호수를 보며 서 있는 장현국에게 다가갔다.

"연락 주시면 제가 대법원으로 찾아갈 텐데."

"기자들이 자네만 바라보고 있어. 사법부가 혼란에 빠졌네. 자네 때문일세."

동준은 어이가 없었지만 옅은 웃음으로 대답했다.

"자네한테 바라는 건 침묵이야. 사법부의 명예를 지켜주게. 그럼 방산 비리 재판을 엄중 처리하라는 법원장 회의 지시를 철회하겠네."

"제가 대법원장님께 바라는 건, 대한민국 재판 상식의 기준을 지켜달라는 겁니다."

대법원장은 의미를 알 수 없다는 눈으로 동준을 쳐다보았다.

"방산 비리 재판, 더 엄중하게 처리하세요."

대법원장은 이동준이 뭔가 다른 일을 꾸미고 있다는 걸 알아차렸다.

"태백이 다칠 거야. 자네 장인도……."

"언제부터 태백을 지키는 게 재판의 기준이었습니까? 방산 비리에 연루된 사범들, 법정 최고형을 선고하세요. 이건 지시입니다."

그때 동준의 휴대폰이 울렸다. 한성일보 기자의 전화였다. 동준은 휴대폰을 들어 발신자의 이름을 장현국에게 보여주었다.

"제 지시를 따르는 동안 침묵은 지켜드리겠습니다."

장현국이 무겁게 고개를 끄덕이자 동준은 천천히 통화 종료 버튼을 눌렀다.

"오늘 재판에서 보국산업 오정필 전무가 법정 구속 됐습니다. 보국산업과 관련된 재판에서 법정 최고형이 선고되고 있습니다. 추징금도 사상 최고액이 선고됐습니다."

최일환은 자신의 집무실에서 심각한 얼굴로 송태곤의 보고를 받고 있었다. 최일환은 표정을 전혀 읽을 수 없을 만큼 딱딱한 얼굴로 찻잔만 만지작거렸다.

"대표님, 이동준 변호사가 대법원장의 멱을 잡고 있습니다. 그런데 왜 대법원장은 자기 뜻대로 계속……."

"질문이 틀리면 답이 안 나와. 질문을 제대로 해야지. 왜 동준이는 보국산업에 방아쇠를 당겼을까?"

그때 문이 벌컥 열리며 강유택이 거칠게 들어와 소파에 앉았다.

"아따, 일환아. 내캉 거래 끝나고 태백 들고 나가믄 보국산업은 뿌사불라 캤나?"

강유택은 흥분이 가라앉지 않는지 최일환이 마시려던 커피를 빼앗아 단숨에 들이켰다.

"대법원장을 먼저 움직인 건 강정일 팀장입니다. 두 분이 거래를 무산시키기 위해……."

송태곤이 거들고 나섰다.

"너거 사위 등 떠밀어가 지금 내 회사에 불내고 있는 거는 일환이 니 아이가?"

최일환은 동준의 의도가 무엇인지 아는지라 달리 강유택을 설득할 말이 없다. 아무래도 이제 강유택과는 전면전만이 남은 것 같았다.

"태백에 고문이 기백 명이 넘제. 그 절반이 낼모레 나갈 끼데이."

최일환은 그저 묵묵히 듣기만 했다.

"우리 정일이 따르는 변호사 놈들은 다 데꼬 갈 끼다. 광화문에 건물 하나 비아가 정일이 로펌 차려줄란다. 태백에 있는 아들 하나씩 데려갈 끼데이, 일환아."

최일환은 미소로 답했다. 그 미소에 강유택도 미소를 짓다가 앞에 놓인 찻잔을 '태백'이라는 글자가 쓰인 액자를 향해 던졌다. 액자가 박살나며 유리 파편들이 바닥으로 우수수 떨어졌다.

"태백에는 니만 남을 끼데이."

“보국산업도 많이 다칠 거다.”

최일환은 경고하듯 깊고 낮게 말했다.

“뿌리 깊은 나무는 한두 해 가뭄에 안 말라 죽는데이. 머슴은 새경을 주고 부렸어야 되는데 땅을 쪼매 갈라줬더이, 주인집 곳간에 불내고 물길은 지 논에 댈라 카네. 우야겠노? 갈라준 땅 도로 가와야지.”

강유택은 벌떡 일어나 문을 박차고 나갔다. 그 모습을 보던 송태곤이 다급하게 말했다.

“대표님, 대책을 세워야 합니다.”

“동준이 오라고 해라. 어서.”

최일환은 분노를 억누르며 깨진 액자를 노려보았다.

*

노기용이 운전하는 차가 요양원 앞에 도착하자 동준과 영주가 차에서 내렸다.

요양원 앞에는 이미 도착해 있던 구급차에서 신창호가 내려지고 있었다. 영주 엄마는 먹먹한 얼굴로 병상에 있는 신창호를 바라보았다. 동준은 차마 다가가지 못하고 조금 떨어져서 보고 있다가, 요양원 입구에 나온 안명선을 보고 그쪽으로 갔다.

동준은 안명선에게 옛날에 자신이 쓰던 방을 보여달라고 했다. 안명선은 의아한 눈으로 동준을 바라보았다. 작지만 온기가 느껴지는 방을 동준은 편안한 눈으로 둘러보았다. 아직 그 방에는 자신이 쓰던 물건들이 그대로 있었다. 특히 낡은 책상이 동준의 시선을 끌었다.

“도배는 얼마 전에 했으니 됐고 장판은 갈아야겠다. 이 책상, 고등학교 입학할 때 산 건데 아직 쓸 만하네. 엄마, 나 이 방으로 돌아올 거야.”

안명선은 그 말에 반색했다.

“동준아…… 내일 당장 사람 불러야겠다. 방충망도 다시 달고 보일러도 손봐야겠다.”

동준은 설레하는 엄마를 말렸다.

“천천히 해. 한 달, 어쩌면 더 걸릴지도 몰라. 나 때문에 다친 사람이 있어, 엄마.”

동준은 이 방에 돌아오기까지 아주 많은 시간이 걸릴 것을 예감하고 있었다.

“신창호 씨, 그분은 엄마가 직접 간병하마. 약이며 주사도 내가 관리하고, 산책도 하루에 두 번은 꼭꼭 챙길게.”

동준이 그런 엄마를 고마운 눈빛으로 바라보는데 휴대폰이 울렸다. 발신자는 송태곤이었다. 동준은 짐작 가는 바가 있었다.

“이동준입니다. 지금 가겠습니다.”

동준은 결전을 앞둔 병사처럼 얼굴에 비장함이 서려 있었다.

신창호의 병실에는 적막감이 감돌았다. 신창호는 병상에 누워 있고, 영주 엄마는 표정을 숨기려고 고개를 숙인 채 뭔가를 계속 치우고 닦고 있었다. 영주는 그 두 사람을 말없이 지켜보았다.

“……종신보험 들어둔 게 있어. 몇 달 못 부었는데 얼마나 나올라는지……. 알아봐.”

“아이구……, 평생 집안에 돈이 드는지 나는지 모르고 살던 양반이…….”

신창호의 이불을 덮어주던 영주 엄마는 살짝 원망이 섞인 말투였다.

“……미안하다.”

신창호는 진심으로 아내에게 사과했다. 영주 엄마는 울컥해서 차마 신창호의 눈을 마주할 자신이 없어 걸레를 들고 나가버렸다. 그 모습을 먹먹하게 바라보던 영주는 신창호에게 다가가 손을 잡고 엷은 미소를 지었다.

"걱정 마. 엄마하고 나, 잘살 거야. 결혼도 할 거고. 내 아이한테 말할 거야. 할아버지같이 살라고. 엄마가 가장 존경했고 가장 사랑했던 사람이라고."

두 사람은 손을 꼭 잡은 채 애틋하게 서로를 바라보았다.

최일환의 부름을 받고 그의 집무실에 들어와 소파에 앉으려던 동준은 깨진 액자를 보고 무슨 일이 있었는지 짐작했다.

"대법원장의 멱을 잡고 유택이 회사를 몰아붙이겠다는 계획. 왜 미리 말 안 했냐."

"저를 사위로 맞아 강정일 팀장을 몰아내겠다던 계획. 왜 결혼 전에 미리 말씀하지 않으셨습니까?"

"이동준! 강유택 회장이 지금 태백의 기둥뿌리까지 뽑아가려고 해."

최일환 대신 송태곤이 답했다.

"두려우십니까, 대표님? 태백을 잃을까봐요……. 그럼 싸우세요."

"강유택 회장 친인척들이 이 나라 힘 있는 자리에 앉아 있어."

이번에도 최일환 대신 송태곤이 대답했다.

"언제나 그들이 이겼겠죠. 하지만 가끔은 진실이 이길 때도 있습니다, 장인어른."

최일환은 아직 그의 의도를 모르겠다는 눈으로 입을 다문 채 동준을 바라보았다.

"태백에는 최고의 형사 사건 변호사들이 있습니다. 그들을 제게 주세요. 낚시터 살인 사건의 진범이 강정일이라는 것, 밝히겠습니다."

최일환은 그제야 의도를 알겠다는 듯 소파에 몸을 기대며 깊은 생각에 잠겼다.

"강정일 팀장, 3대 독자로 알고 있습니다. 살인범으로 구속되면, 보국산업도 그 집안도 대가 끊기겠죠."

"신창호 그 사람을 구하고 싶은 게로구나. 그래서 날 이용해서 대법원장 사위의 비리를 언론에 폭로하고."

"법대로 살 수는 없으니까요. 사는 법을 배웠습니다. 장인어른 덕분에요."

최일환은 그사이 동준이 참 많이 변했다는 걸 알아차렸다.

"장인어른, 저하고 소작쟁의를 계속하시겠습니까? 아니면 강유택 회장한테 무릎 꿇고 청지기로 살아가시겠습니까?"

이제 변해버린 동준의 모습에 최일환은 살짝 두려움을 느꼈다. 아무래도 그를 달리 생각해야 할 때가 다가오는 것 같았다.

15

동준은 팀장급 변호사들을 모아놓고 앞에 쌓여 있는 서류들을 한 부씩 나눠 주며 브리핑했다.

"일신상선 법정관리 신청은, 수연아, 너희 팀에서 처리하고, 제일공영 화의 신청은 손변이 가져가요. 우림산업 회생 신청은……."

정일은 동준의 그런 모습을 황당하게 지켜보다 손으로 탁자를 탁탁탁 쳤다. 그 소리에 동준은 브리핑을 멈췄다.

"우리 이동준 변호사님은 뭘 하시려고 자기 사건들을 하나씩 나눠주시나?"

"당분간 업무에서 손 놓을 겁니다. 형사 사건을 하나 변호하기로 했거든요. 김성식 기자 살인 사건."

순간 정일과 수연은 흠칫 놀라며 서로를 쳐다보았다.

"내가 1심에서 판결한 사건이라 수임은 못하지만, 섀도 애드버킷으로 변호팀을 총괄 지휘할 겁니다. 태백의 형사 사건 에이스 열 명으로 신창호 변호팀을 꾸렸습니다."

정일과 수연이 당황해서 아무 말도 못하고 있는데, 영주가 차를 들고 와 변호사들 앞에 찻잔을 내려놓았다.

"일개 형사 사건에 태백 에이스들이 왜?"

"수연아, 장인어른의 특별 지시야."

동준은 영주가 찻잔을 다 내려놓기를 기다렸다가, 말하라는 눈짓을 보냈다.

"신창호 피고인 변호팀의 실무 수석을 맡게 됐습니다. 앞으로 당 사건 변호와 관련된 모든 증거 수집, 법적 처리는 저를 통해 이뤄질 겁니다. 제가 맡고 있던 기존 업무는 각자 비서분들에게 분배해드렸습니다."

정일과 수연, 동준과 영주 사이에 묘한 기류가 형성됐다. 그 기류를 감지한 변호사들은 서로 눈치만 보았다. 분위기를 전혀 못 느낀 변호사 한 명이 받았던 서류를 정일 쪽으로 건넸다.

"화의 신청은 내가 모르는 분야라서 강팀장이 맡았으면 하는데요."

"아뇨. 지금 강정일 팀장이 맡으면 담당 변호사가 또 바뀌게 될 겁니다. 얼마 지나지 않아 곧."

동준은 단호하면서도 의미심장하게 정일을 보았다. 정일은 당황한 기색을 감추며 동준의 시선을 그대로 받았다.

"가방끈 짧은 거 균형 맞출라꼬 마이 배운 너거 엄마 만났다가 흉하게 보냈는데, 아들내미도 무기 브로커는 싫다꼬 태백 딸내미 손 잡을지 누가 알았겠노."

강유택은 시끄러운 마음을 달래볼까 하는 마음에 정일을 데리고 선산을 찾았다.

“수연이 조심해래이. 고 가시나 최일환이 딸내미데이. 얼굴에 난 뾰루지도 고름만 터지믄 나머지는 살이 되는 기라. 자슥이 아무리 속 썩이도 겔국에는 지 부모가 맨든 살이고 뼈인 기라.”

“전 수연이를 믿습니다.”

정일이 현재 유일하게 믿는 사람은 수연뿐이었다.

“풍랑이 치는 바다에 한 놈만 탈 수 있는 배가 있는 기라. 니는 우얄래? 수연이 태우고 니는 바다에 빠질래?”

정일은 거기까지는 생각해본 적이 없는 터라 쉽게 대답하지 못했다.

“크크크. 지금 니 맘이 수연이 맘인 기라. 여자 믿지 마래이. 여자가 니를 믿고로 해래이.”

“풍랑은 멈출 겁니다. 이동준이 변호팀을 꾸려도 달라지는 건 없습니다. 신창호 사건, 재판은 중단될 겁니다, 아버지.”

정일은 멀리 내다보며 장현국을 다시 움직일 방법을 궁리했다.

“이동준이 언제까지 대법원장님 뜻대로 침묵할 거라 생각하십니까?”

장현국은 자신도 답답했지만 다른 방법이 없었다. 아직도 언론에서는 ‘이동준 판사, 재임용 탈락의 진실은’이라는 제목을 달고 이동준의 입만 바라보고 있었다.

“잊고 계시네요. 이동준이 왜 재임용에서 탈락됐는지, 대법원장님 편에서 증언해줄 사람들이 아주 많습니다.”

정일은 법관 인사위원회 9인의 사진과 프로필이 한 장에 담긴 서류를 장현국에게 내밀었다. 대법원장은 정일이 뭘 하려는지 바로 알아차렸다.

정일은 수연의 집무실 테이블 위에 놓인 책과 분해된 몰래카메라를 의아한 눈으로 쳐다보며 소파에 앉았다.

"화분이 귀찮아서 버리려다가 옆에 있는 책에서 찾았어. 신영주. 다 봤겠다. 내가 비밀문서를 해외로 보내서 반송시킨 것도. 우리가 같이 보낸 시간도……. 신창호 그 사람 2심 재판, 다음 주부터래. 아까 회의실에 들렀는데, 우리 태백 변호사들이 낚시터 살인 사건 회의를 하더라. 다 지운 줄 알았는데……. 어디서부터 잘못된 걸까, 오빠."

정일은 평소보다 수연이 많이 불안해 보였다.

"백상구 그 사람한테 문건 찾아오라고 할 때부터인가, 아빠한테 오빠를 구해달라고 말한 거부터. 이동준하고 결혼한 거부터."

수연은 히스테릭하게 정일에게 물었다. 정일이 진정시켜보려 했지만, 수연은 점점 더 흥분했다.

"아님 오빠를 미국에서 만난 거부터……."

그 순간 수연은 자신의 실수를 깨닫고 입을 다물며 정일을 외면했다. 정일은 수연이 흔들리고 있다는 걸 알아차리고 살짝 불안했다.

"수연아, 신창호 재판 중단될 거야. 내가 그렇게 만들 거야."

수연은 그 말에 히스테리가 사라지며, 흔들리던 눈동자가 진정되기 시작했다. 수연은 유리벽 너머 동준의 집무실을 말없이 노려보았다. 영주가 서류를 들고 들어가는 모습이 보였다.

영주는 동준의 책상 위로 서류를 하나 올려놓았다.

"증인 출두 요구서 나왔어요. 태백 에이스들이 붙으니까 신청하고 하루 만에 나왔네. 법이 내 편이니까 이렇게 편하네요."

평소와 달리 영주의 목소리는 살짝 들떠 있었다.

"일희일비하지 마세요."

영주는 농담을 이해하지 못하고 진지하게 받아들이는 동준을 어이없는 표정으로 바라보았다.

"갈 길이 멉니다. 증인 신청은 첫 걸음……."

"이동준 씨는 두 번 모아서 한 번 좋아하고, 세 번 모아서 한 번 슬퍼하고 살았나. 희한하게 살았네. 난 일희일비할래요. 내일 변호팀 회의 준비하겠습니다."

영주는 정중하게 인사하고 밖으로 나갔다. 동준은 한 대 맞은 기분으로 멍하게 영주의 뒷모습을 보다 자기도 모르게 피식 웃음이 났다.

수연은 뭔가 좋은 일이라도 있는 듯 산뜻하고 가벼운 얼굴로 침실에 들어서다 갑자기 인상을 찌푸렸다. 얼마 전 자신이 그랬던 것처럼 동준이 소파에 앉아 와인을 마시고 있었다.

"칠레산 와인이야. 피곤할 때도 좋고, 법정 출두를 앞두고 긴장을 푸는 데도 좋고."

동준은 수연에게 다가가 증인 출두서를 내밀었다.

"다음 주 신창호 씨 재판 증인 출두 요구서야. 사건 당일 행적을 집중적으로 질문할 거야. 강정일이 낚시터에 있었다고 증언하면 금방 끝날 거야. 내가 법정까지 태워주지."

동준이 테이블 위에 놓여 있던 잔을 들어 건배하는 몸짓을 하는데, 수연은 가벼운 미소로 응대했다.

"어떡하죠? 재판은 없을 텐데."

동준은 뜻밖의 말에 멈칫했다. 그 순간 동준의 휴대폰 메시지 수신음이 들리면서 노기용이 보낸 문자메시지들이 들어왔다. 동준은 서둘러 메시지를 확인했다.

'오늘자 대법원장 외부 동선입니다'라고 쓰인 첫 번째 텍스트 문자 메시지에 이어 대법원장이 식당 앞에서 아홉 명의 사내들과 악수하고 이야기 나누고 헤어지는 사진들이 들어왔다. 동준은 그 사진들을 보면서 대법원 법관 인사위원들의 얼굴을 떠올렸다. 사진에 있는 인물들은 모두 그 자리에 있던 사람들이었다.

수연은 표정이 굳은 동준을 보며 여유롭게 포도주 잔을 들었다.

"들어요. 피곤할 때도 좋고, 계획이 무너졌을 때 마음을 달래기에는 더더욱 좋죠."

생글거리는 수연을 보며 동준은 치밀어 오르는 화를 주체할 수 없었지만, 꾹꾹 누르며 영주에게 자신이 받은 사진들을 전달했다. 다시 원점으로 돌아가는 것 같아 답답해 미칠 것만 같았다.

*

"2시에 전경련 회관 브리핑 룸에서 기자회견을 한대요. 법관 인사위원회 아홉 명 전원이 참석한다는데."

영주가 다급히 동준의 집무실로 달려왔다. 어젯밤에 노기용이 보낸 사진을 전달받고 어느 정도 짐작했지만, 이렇게 빨리 움직일 거라고는 생각지 못했다.

동준은 깍지를 끼고 책상에 앉은 채 심각한 얼굴로 뭔가를 생각하고 있었다.

"대법원장 편에서 회견을 하겠죠. 그런데 대법원장이 살아나면 강정일이 얻는 게 뭐죠?"

그 말에 동준은 하나씩 거꾸로 되짚어가기 시작했다.

'어떡하죠? 재판은 없을 텐데.'

어젯밤에 수연은 분명 재판이 없을 거라고 했다. 재판이 없다…….

동준은 며칠 전 정일과 나눈 대화를 떠올렸다.

'피고인이 병중인 사건입니다. 궐석으로 진행될 재판, 몇 달만 미루면……. 재판부를 변경하고, 관할지도 두어 번 바꾸고.'

"그러다 신창호 씨가 떠나면…… 공소권 없음으로 재판은 끝나겠죠."

"허……."

영주는 자기도 모르게 한숨이 터져 나왔다.

"뭐든 해봐요. 당신, 태백 사위잖아. 고문단만 수백 명이고, 이 나라에 돈 있고 힘 있는 놈들이 다 의뢰한다는 태백의 사위잖아."

동준은 손을 들어 영주의 말을 멈추게 하더니, 뭔가 방법을 찾은 듯한 얼굴로 뛰쳐나갔다.

그는 시계를 보며 곧장 송태곤의 집무실로 뛰어갔다. 시간이 얼마 남아 있지 않았다. 송태곤이라면 자신을 도와줄 수 있을 것 같았다.

"동준아, 태백에서 수임한 고객 명단, 개인 정보, 의뢰한 사건 내역. 이건 비밀 사항이야."

송태곤은 난감한 표정으로 입맛을 다시며 고민했다.

"강유택 회장이 태백을 삼키면 선배는 어떻게 됩니까?"

동준은 협박하듯 송태곤에게 물었다.

"내가 유출했다는 것만…… 비밀로 지켜주면 뭐."

동준은 약속한다는 듯 단호하게 고개를 끄덕였다.

법관 인사위원들의 기자회견을 앞두고 기자회견장 앞은 기자들로 북적이고 있었다. 이동준 변호사 재임용 문제가 최근 들어 가장 큰 사회적 이슈로 떠오른 터라 모든 언론이 집중하고 있었다.

—잠시 후 이곳에서는 법관 인사위원들의 기자회견이 있을 예정입니다. 장현국 대법원장 사위의 1심 재판을 맡았던 이동준 변호사가 재임용에서 탈락한 배경에 대해 의혹이 증폭되고 있습니다. 법조계가 혼란에 뒤덮인 가운데, 오늘 법관 인사위원들의 발표로 대법원장의 법관 회유에 관한 의혹이 해소될 수 있을지…….

기자회견장으로 가기 위해 복도를 걸어가던 인사위원들은 그 앞에서 있는 영주를 보고 걸음을 멈췄다. 영주는 서류 봉투 하나를 가볍게 흔들며 그들을 기다리고 있었다.

같은 시각, 대법원장 장현국은 자신의 책상에 앉아 서류를 보다가 벽에 걸린 시계를 힐긋 보았다. 1시 50분이었다. 이제 10분 뒤면 이동준을 제거할 수 있다는 생각에 웃음이 절로 나왔다. 그때 전화가 걸려왔다. 이동준이었다.

"날세."

—잠시 뵙고 싶습니다. 대법원에 아는 곳이 여기뿐이라서요.

장현국은 동준이 부탁을 하러 왔을 거라 생각하며 여유를 부렸다.

"어딘가?"

동준은 대법원장 장현국을 대법원 법관 인사위원회장으로 불렀다. 안으로 들어서던 장현국은 동준을 보며 여유롭게 웃었다.

"사과를 하러 온 건가? 미리 답을 하지. 이미 늦었네."

동준은 아무 대답 없이 알 듯 말 듯한 미소만 지었다.

"법관 인사위원들이 밝힐 걸세. 자넨 판사로서 자격이 없었다고. 의료보험공단에 압력을 넣은 사실도 이야기할 거야. 이번에는 언론이 자네를 짓밟겠지."

장현국은 묵묵히 자신을 바라보는 동준을 보며 과거 일을 잠시 떠올렸다.

'내 사위한테 실형을 선고할 생각인가?'

'법정에서 판결문으로 대답 드리겠습니다, 대법관님.'

"그때 내 말을 받아들였다면 재임용 탈락은 없었을 거야. 자네는 아직도 판사복을 입고 있겠지."

"그게 판사입니까? 당신의 기준에 따라 판단하고, 당신 뜻에 따라 재판하는 게."

그 순간 장현국은 멈칫했다. 동준의 당당한 모습을 보고 뭔가 잘못되었다는 걸 깨달았다.

"후회를 하러 왔다면 저도 미리 답을 드리죠. 이미 늦었습니다."

동준이 리모컨 버튼을 누르자 벽에 걸린 텔레비전이 켜졌다.

—저희가 검토한 바에 따르면, 당시 이동준 판사는 결격 사유가 전혀 없는 훌륭한 판사였습니다. 저희는 장현국 대법원장의 강요에 의해 어쩔 수 없이…….

믿을 수 없는 얘기가 흘러나오자 장현국의 얼굴이 하얗게 질렸다.

"어떻게…… 저 사람들이……."

동준은 텔레비전을 끄고 여유롭게 장현국을 쳐다보았다.

동준은 송태곤에게 받은 서류를 영주에게 전달해 기자회견 직전에 그들을 만나게 했다.

"바쁘게 사셨네. 나쁜 일 정말 많이 하셨네요. 탈세, 부당 해고, 이분은 해외 원정 도박까지. 1년에 한 번 정도는 좋은 일도 해보는 게 어떨까요?"

영주는 인사위원들을 앞에 두고 여유 있게 말했다. 그들은 어쩔 수 없다는 듯 서로 눈치를 보며 고개를 끄덕였다.

“기자회견 일정이 알려진 건 오늘 아침이야. 어떻게 몇 시간만에 저 사람들을 회유할 수 있었지?”

장현국은 도무지 이해할 수가 없었다. 어떻게 고작 몇 시간만에 이렇게 판이 뒤집힐 수 있는지 납득이 되지 않았다.

“악을 이기려면 악보다 성실해야 하니까. 이건 대법원장님께 배웠습니다.”

동준은 이익을 따르는 자들을 움직이는 건 쉬운 일이라고 생각했다. 송태곤이나 인사위원들이나…….

동준은 과거 이곳에 왔던 자신을 생각하며 연단 위로 올라갔다.

‘김영란법으로 구속되는 첫 번째 공직자가 되겠군. 이동준 판사, 사법부의 치욕으로 오래 기억될 거야.’

동준은 그때 장현국이 앉았던 연단의 중앙 의자에 앉았다. 동준은 연단 아래 있는 장현국을 내려다보았다.

“김영란법 위반으로 구속되는 첫 번째 판사가 될 겁니다. 장현국 씨! 법조계의 치욕으로 오래 기억될 겁니다.”

그 말에 장현국은 충격으로 휘청하며 쓰러질 뻔했으나 다리에 힘을 주며 겨우 버텼다.

기자회견을 마치고 퇴장하는 인사위원들의 모습 위로 기자들의 보도가 줄줄이 이어졌다.

—장현국 대법원장의 사임 및 구속 수사는 불가피할 것으로 보입니다. 상부의 압력을 거부하고 신념에 따른 재판을 했지만 재임용에서 탈락한 이동준 변호사. 존경받아야 할 판사가 법복을 벗어야만 했던 현실. 누가 만든 것일까요. 지금까지 기자회견장에서 전해드렸습니다.

영주는 기자들을 뒤로하고 한시름 놓은 얼굴로 기자회견장을 빠져 나갔다.

*

“대법원장이 무너졌으니까 아빠 재판은 계속 진행되겠죠?”

영주는 집무실로 들어서며 소파에 앉아 있는 동준에게 조심스럽게 물었다. 그는 천천히 고개를 끄덕였다.

“기분을 알 수가 없네. 당신을 여기 오게 만든 대법원장이 무너졌는데, 표정이 영…….”

“신영주 씨, 나도 오늘부터…… 일희일비하면서 살 겁니다.”

영주는 무슨 말인가 하다 생각나는 것이 있어 피식 웃었다. 동준도 멋쩍게 피식 웃었다. 만난 이후 처음으로 서로를 보며 편하게 웃었다.

그 모습을 지켜보던 수연은 유리벽 너머에서 뭔가 생각하는 표정으로 혼잣말처럼 황보연에게 물었다.

“신영주 씨…… 여잔가.”

옆에 서 있던 황보연은 질문의 의미를 모르겠다는 표정을 지었다.

“내 남편한테.”

“……서로를 믿는 파트너인 것 같습니다, 아직은…….”

“그럼 못 믿게 만들어야겠다.”

수연은 유리벽 너머 동준과 영주를 보며 생각에 잠기더니, 어디론가 다급히 전화를 걸었다.

밤이 깊은 시각, 다들 퇴근한 한적한 태백의 팀장층이 갑자기 소란스러워졌다. 수연이 앞장선 가운데 카메라를 든 두 남녀 기자가 뒤를 따르고 있었다. 수연은 조금도 주저하지 않고 곧장 동준의 집무실로 가서 문을 벌컥 열었다. 집무실 안에는 동준과 영주가 소파에 앉아 재판 관련 서류를 뒤적이고 있었다. 갑작스런 수연의 방문에 동준은 난감한 표정을 지었다.

"기자분들이 당신 보고 싶대요."

뜻밖의 방문에 동준이 불쾌한 표정을 가까스로 감추며 거절하려 하자, 수연은 동준의 손을 잡았다. 동준은 잡힌 손이 어색해 수연을 쳐다보았지만, 그녀는 전혀 개의치 않았다.

"이 사람, 내 부탁은 거절 못해요. 대법관의 회유를 뿌리치고 재임용에서 탈락한 신념의 법조인. 내 남편 자랑 좀 하게 해줘요, 동준 씨."

동준은 수연이 처음으로 성을 빼고 자신의 이름을 부르자 몹시 어색했다. 영주는 나가지도 못한 채 난감한 얼굴로 수연에게 붙잡힌 동준의 손과 다정하게 동준을 보는 수연을 바라보았다.

"먼저 사진부터 찍자, 동준 씨."

동준은 잠시 곤란한 얼굴로 말없이 서 있다가 기자들이 주섬주섬 카메라를 챙기자 어쩔 수 없이 포즈를 취했다. 다정한 부부인 듯 포즈를 취하고 사진을 찍히는 가운데, 기자가 수연에게 질문을 던졌다.

"남편분이 첫사랑인가요?"

"아뇨. 뜨거웠던 사람 몇 있어요. 이이한테 말했죠. 그랬더니 괜찮다고. 자기한테도 추억은 있다고. 참, 이런 말도 했었다."

수연은 동준과 계속 다정한 포즈를 취한 채 사진을 찍으며 저만치 서 있는 영주를 보았다.

"내 머리가 희어지고 근육이 시들어가는 모습 보면서 같이 늙어가자고."

수연은 책상에 올라앉은 채, 동준과 마주 보는 다정한 포즈를 취하며 의미심장하게 말했다. 동준은 담담한 얼굴로 수연이 하는 대로 따랐다.

"두 분이서 같이 하는 취미가 있나요?"

수연은 동준의 얼굴을 만지는 포즈를 취했다.

"와인을 자주 마셔요. 어젠 이이가 칠레산 와인을 준비해놓고 날 기다렸어요."

수연은 서로의 입김이 느껴질 정도로 동준에게 가까이 밀착했다.

"피곤할 때 좋다면서. 어제 많이 마셨다, 우리."

수연은 동준을 사랑스럽게 바라보는 포즈를 취하다 뭔가 떠올랐는지 옅은 미소를 지었다.

"요샌 이런 사진도 잡지에 나오던데."

수연은 동준의 입술에 자신의 입술을 가볍게 갖다 댔다.

동준은 몹시 당황했지만, 기자들이 그 모습에 미소를 지으며 사진을 찍자 밀어내지 못하고 그대로 있었다.

수연은 그에게 입 맞춘 채로 맞은편에 선 영주를 보았다. 영주는 조금도 감정의 동요가 없는 얼굴로 서 있었다.

와인바에서 정일과 조경호는 창가 자리에 나란히 앉아 밖을 바라보며 술을 마시고 있었다.

"히야, 신창호 변호팀에 태백의 형사 사건 에이스들 다 모아놨더라. 검사장 출신이 세 명이야. 범인 금방 잡겠던데."

조경호는 살짝 술에 취한 듯했다.

"신창호 씨, 길어야 6개월이야."

조경호가 놀란 눈으로 정일을 보았다.

"병중이니까 법정에 나갈 수도 없어. 궐석재판이야. 시간 끌 방법을 찾을 거야. 날 믿어라, 경호야."

"너야 믿지. 근데 정일아, 네가 믿는 사람을 못 믿겠다. 수연이."

조경호는 정일을 가만히 보더니 낮은 목소리로 속삭였다.

"낚시터 살인 사건 범인. 우리가 만들자. 수연이로."

정일은 친구의 입에서 뜻밖의 말이 나오자 놀랐다.

"경호야, 난 수연이를……."

"사랑하겠지. 근데 인마, 너 10년 전에는 혜정이 사랑했어. 5년 전에는 효진이 사랑했고. 저 밖에 있는 모텔들 좀 봐라. 사랑 사태가 났네, 아주."

조경호는 아까보다 더 은밀하게 정일을 부추겼다.

"하나뿐인 걸 지키자. 우리 인생. 정일아, 메이킹해놓을까?"

"하지 마."

정일은 단호하게 말했지만, 생각이 복잡해지는 건 어쩔 수 없었다.

'어디서부터 잘못된 걸까? 오빠를 미국에서 만난 거부터…….'

수연의 목소리가 정일의 머릿속에서 떠나지 않았다. 수연은 절대 자신을 배신하지 않을 거라 믿으며 고개를 세차게 저었다.

조경호를 먼저 보내고 정일은 다시 태백으로 들어갔다. 그는 심각한 얼굴로 저벅저벅 복도를 걷다가 동준의 집무실을 습관처럼 힐긋 보았다. 그런데 동준과 수연이 입맞춤을 하고 있는 모습이 눈에 들어왔다. 아무리 연출이라지만 믿을 수 없는 광경에 그는 동상처럼 그대로 굳어버렸다.

한참을 그렇게 서 있던 정일은 무거운 발걸음으로 자신의 집무실에 들어갔다. 그는 불도 켜지 않은 채 책상 앞에 앉아 깊은 생각에 잠겨 있다가 어디론가 전화를 걸었다.

"백상구 씨, 만나야겠습니다."

정일은 결국 다시 백상구를 찾을 수밖에 없었다.

*

"오후에 시간 비워둬요. 인터뷰 두 군데 있어요. 중앙 일간지 하나, 방송 쪽 하나. 대법원장의 압박에 굴하지 않은 판사 이동준의 결혼 생활. 언론에서 관심이 많나봐."

아침 식탁에서 수연은 즐기는 듯한 어투로 동준에게 통보했다.

"대표님."

동준은 대답할 가치도 없다는 듯 최일환을 불렀다.

"동준이 네가 원하는 대로 어제 인터뷰한 기사는 막았다. 송비서가 애썼어. 너희들이 이혼하게 되면 그걸 특종으로 주기로 했다는구나."

수연은 그 말에 식사를 멈추고 최일환을 쳐다보았다.

"여보…… 이혼이라뇨."

윤정옥이 깜짝 놀라 물었다. 이혼 얘기가 나오자 못마땅했다.

"저희 곧 헤어질 겁니다, 사모님. 수연아, 오늘 2시 재판이야. 혼자 갈 수 있지?"

"변호팀에는 얘기해놨다. 내 딸이라고 생각하지 말고 김성식 기자 살인 사건의 키를 쥔 증인으로 다루라고. 힘든 시간이 될 거야. 든든히 먹어둬."

"허, 남편은 날 법정에 세우고, 아빠는 변호사 붙여서 날 증인으로 심문하고. 엄마, 나 이러고 살아."

수연은 어이없는 표정으로 숟가락을 딱 내려놓고는 자리에서 일어나 2층으로 올라갔다.

출근 준비를 마친 수연은 동준이 와이셔츠를 갈아입는 모습을 보고 있었다. 수연은 이제 동준이 옷 갈아입는 모습이 낯설지 않았다.

"재판은 5시쯤 끝날 거야. 사모님 걱정하시니까 저녁은 집에 와서 먹어."

수연은 아무리 형식적인 결혼이지만, 동준이 장모를 금세 사모님으로 바꿔 부르자 기가 막혔다. 수연은 그를 똑바로 쳐다보며 어딘가로 전화를 걸었다.

"오늘 오후 2시. 피부과 예약 잡아줘."

수연은 전화를 끊고, 자신을 쳐다보는 동준에게 한마디 했다.

"피부에 문제가 있어서요. 증인 출석 안 한다고 문제가 있나. 알고는 싶네. 김성식 기자 살인 사건에 내가 왜 증인으로 신청됐는지."

"백상구."

수연은 그 말에 미간이 살짝 움찔했다.

"김성식 기자 사망 전에 백상구가 찾아왔다는 가족 측 증언이 있었어. 회유를 하려고 했겠지. 통화 내역도 있고. 백상구는 당신 일 하는 사람 아닌가."

"당신도 내 일 하면 좋겠다."

동준이 무슨 말이냐는 듯 바라보자, 수연이 넥타이를 하나 골라와서 매주었다.

"밖은 추워요. 여기서 살아요. 우리 같은 방 써요. 침대는 넘보지 말고. 자주 이 방에 있을게요. 가끔 외박은 하겠지만. 재판 그만하죠, 이동준 씨."

"신창호 씨 재판에서 손 떼고, 강정일 팀장은 무사하고."

"당신은 태백의 사위로 살고. 최대다수의 최대행복. 어때요?"

"법원까지 데려다주고 싶은데 회의가 있어. 대신 이건 해주지."

동준은 수연의 휴대폰으로 방금 그녀가 통화한 곳에 전화를 걸었다.

"오늘 수연이 피부과 예약, 취소해줘요."

전화를 끊고 동준은 담담하게 수연을 쳐다보았다.

"오늘 증인 출석 거부하면 다음에는 소환장이 갈 거야. 잘 다녀와라, 수연아."

그 말에 수연은 흥분한 얼굴로 동준을 노려보았다.

동준은 오늘 수연이 법정에 나갈지 걱정되었다. 정신없이 일하면서도 틈틈이 시계를 계속 들여다봤다. 벌써 1시 50분이었다. 그때 노크 소리와 함께 영주가 들어왔다.

"법정에 있는 변호팀한테 연락이 왔어요. 최수연 씨 증인으로 출석했답니다."

그제야 동준은 한시름 놓은 표정이었다.

"강정일 팀장하고 최수연 씨, 4년 넘게 연인이었어요. 지금도 그렇고. 낚시터에서 있었던 일, 최수연 씨가 쉽게 입을 열 리가……."

"30년을 넘게 산 부부가 재산 분할 때문에 상대의 약점을 후벼 파는 곳이 법정입니다. 수연이는 지금 그 법정에 섰어요."

동준은 서류로 다시 시선을 돌렸다가, 영주가 아직도 앞에 서 있는 걸 느끼고 고개를 들었다.

"……아버지 병세가 안 좋아지고 있어요. 세상을 떠나는 것보다 살인자라는 누명이 더 두려운가."

"신영주 씨, 이번에는 간절한 사람이 이길 겁니다."

영주는 처음으로 동준의 목소리에서 온기를 느꼈다. 그 온기가 영주의 마음을 조금은 어루만져주었다. 그때 동준의 휴대폰이 울렸다. 반갑지 않은 전화인 듯 동준의 얼굴이 구겨졌다. 그 표정을 읽은 영주는 불안한 얼굴로 그를 바라보았다. 동준은 영주에게 엷은 미소를 짓고는 밖으로 나갔다.

정일은 회의실에서 혼자 차를 마시고 있었다. 그 맞은편에 차 한 잔이 더 놓여 있었다. 동준이 들어와 앉자 정일은 자기 앞의 찻잔을 앞으로 밀어주었다.

"남의 욕심을 과소평가하지 마라. 〈스카페이스〉라는 영화에 나오는 대사입니다. 꽤 좋아하는 영화인데, 미안합니다. 그동안 이동준 씨를 과소평가해서."

"나도 칭찬을 해드리고 싶은데……. 어쩌나? 할 말이 없네."

"법은 심판이 아니라 타협입니다. 죄인을 심판하는 게 아니라 죄인들끼리의 타협."

동준은 정일을 묵묵히 쳐다보았다.

"신창호 씨한테 필요한 걸 드리죠. 시간. 남은 시간 6개월이라 들었습니다. 법정 싸움에 매달리기에는 아까운 시간이죠. 가족분들하고 마무리도 하고, 기자였으니 회고록을 써도 좋고."

동준은 정일이 갑자기 왜 이런 말을 하는지 가늠이 되지 않았다.

"김성식 기자 살인범이 누군지 제보가 들어왔습니다."

"허."

동준의 입에서 짧은 탄식이 새어나왔다.

"백상구의 수하 중 한 사람이라는군요. 이동준 씨가 원하면 자수를 시켜드리죠."

"신창호 씨 대신 다른 사람에게 누명을 씌우겠다?"

"신창호 씨는 무죄로 풀려날 겁니다. 난 안전해질 거고, 이동준 씨는 원하는 삶을 살겠죠. 모두가 행복해지겠네."

"당신이 왜…… 당신이 왜 행복해야 하지?"

정일은 뜻밖의 말에 기분이 상했지만 얼굴에 드러내지는 않았다.

"돈으로 김성식 기자 살인의 진실을 덮고, 힘으로 신창호 씨 인생을 누른 당신이 왜……."

동준은 이해할 수 없다는 얼굴로 정일을 바라보았다. 정일은 여유 있는 웃음으로 맞대응했다.

"법으론 날 못 이겨, 이동준 씨."

"그럼…… 수연이는 이길 수 있나? 강정일 씨가."

정일은 뭔가 있음을 느끼고 멈칫했다.

"법정에서 수연이가 어떤 증언을 할까? 백상구와의 관계에 대해서……."

그 시각 수연은 법정에서 증언을 하고 있었다.

"백상구, 그 사람은 실무 용역을 맡고 있어요. 얼굴은 두 번 정도 봤나? 그것도 아주 멀리서."

수연은 얼굴 표정 하나 안 바뀌고 말했다.

"수연이가 백상구한테 방탄복 문건 처리를 지시한 증거는 없어. 김성식 기자 살인을 전후해서 백상구한테 입금한 돈도 없지. 나, 수연이, 백상구, 우리를 이을 끈은 없습니다, 이동준 씨."

"백상구가 건설 회사를 인수했더군요."

그 말에 정일은 놀랐지만 표정을 감췄다.

"거액의 융자를 받았던데. 담보도 없이. 이 정도면 살인을 은폐한 대가로 볼 수 있지 않나?"

정일은 마른침을 삼켰다. 전혀 예상치 못한 공격이었다.

"거액의 융자를 알선해준 곳은 태백이고."

그 시각, 수연은 증인석 책상 위에 놓인 융자 승인서 사본을 보고 크게 당황했다.

"수연이는 이미 태백과 백상구의 용역 관계를 인정했습니다. 백상구에게 거액의 융자를 주선해준 태백 내부의 누군가…… 그 사람이 범인이겠네. 며칠 안에 법원에서 부를 겁니다. 증인으로 출석하겠지만 곧 피의자 신분으로 전환될 겁니다."

정일은 뒤통수를 제대로 얻어맞은 기분이었다.

"드세요. 목이 마를 것 같은데."

동준은 자기 앞에 있던 찻잔을 정일에게 밀어주고 밖으로 나갔다.

정일은 나가는 동준을 보며 주먹을 꽉 쥐었다.

정일은 와인바로 강유택을 찾아갔다. 창밖을 보며 와인을 마시고 있는 그를 발견하고 정일은 다급히 다가갔다.

"검찰이 저축은행을 수사하고 있습니다. 제가 저축은행에 압력을 넣어서 백상구한테 융자를 알선해준 걸 캐낼 생각입니다. 아버지, 수사를 막아주세요."

정일의 목소리에 간절함이 묻어 있었다.

"허허……. 검찰하고 법은 일환이 앞마당 아이가. 저거 집 앞마당에서 일환이가 저래 설치는데 쉽겠나?"

"아버지가 빼낸 태백의 고문들, 그 사람들 움직여서……."

"내 재산 찾자고 구한 사람들이데이. 자슥 구하는 데 힘을 다 빼믄 우야노?"

정일은 아버지가 이렇게 여유를 부리는 게 납득이 되지 않았다.

"아버지, 제가 위험하다고요."

"내 힘은 필요하고, 내 일은 하기 싫고. 계산이 안 맞다 아이가. 무기 장사 하다가 먼지 묻은 아비처럼 안 살겠다믄서 법 장사 하겠다고 수연이를 만나더이 피를 묻히와뿠네."

정일은 그 부분에 대해서는 할 말이 없었다.

"정일아, 니가 백상구한테 융자 알아봐준 거는 드러날 끼데이."

"그럼 저는 아버지, 살인죄로 구속될 겁니다."

"사랑하는 여자를 구할라꼬 한 거믄 법이 우예 판결을 내리노?"

순간 정일은 아버지가 여유를 부리는 이유를 알 것 같았다.

"수연이가 백상구를 샀는 기라. 낚시터에서 기자 명줄 끊은 것도 수연인 기라. 백상구가 돈을 내노라 하이 수연이가 니한테 부탁을 했는 기라. 융자를 좀 알아봐달라꼬."

정일은 자신이 그렇게까지 할 수 있을지 판단이 서질 않았다.

"아비가 그린 그림이 어떻노? 정일아."

강유택은 은밀한 눈빛으로 아들을 보며 와인을 단숨에 들이켰다.

태백으로 돌아온 수연은 짜증 난 얼굴로 복도를 빠르게 걸었다. 황보연이 뒤를 따르며 상황 보고를 했다.

"건설 회사 인수에 자금이 융자된 건 체크 못했습니다. 오늘 증언 내용, 당일 알리바이, 다시 체크해서 위증죄 기소에 대비하겠습니다."

수연이 알겠다는 듯 고개를 끄덕이자, 황보연은 인사를 하고 복도로 걸어갔다. 수연이 한숨을 쉬며 잠시 서 있는데, 저만치서 영주가 그녀를 발견하고 다가왔다.

"위증죄는 벗어나기 어려워요. 살인죄는 미리 준비하면 벗을 수 있겠네. 강정일 팀장이 백상구한테 거액의 융자를 알선했어요. 당신 모르게."

영주는 수연의 눈빛이 흔들리는 것을 놓치지 않았다.

"낚시터에 있었던 사람은 세 명이에요. 강정일 팀장, 백상구, 최수연 씨. 당신을 빼고 두 사람이 만났네. 무슨 얘길 했을까. 뭘 해주기로 하고 그 큰돈을 융자해줬을까? 재판에 태백의 에이스 변호팀이 투입된 그 시점에."

"강정일 팀장, 그럴 사람 아니야."

"……어떤 사람이죠? 사람을 죽이고 다른 사람에게 누명을 씌운 사람인데, 내가 아는 강정일 팀장은. 그런 사람이 살인죄로 감옥에 갈 위기에 놓였어요. 뭔들 못할까, 강정일 팀장. 조심해요."

영주는 정중하게 인사하고 수연을 지나쳤다. 수연은 불안한 얼굴로 휴대폰을 꺼내 전화를 걸었다.

"백상구 씨, 만나야겠어요."

수연은 다시는 백상구와 엮이고 싶지 않았다. 하지만 이런 상황에서는 어쩔 수 없었다.

동준은 샌드위치를 사다 놓고 영주를 자신의 방으로 불렀다. 영주가 들어와 소파에 앉자, 동준은 테이블 위에 놓여 있던 샌드위치 하나를 건넸다.

"검찰에서 저축은행 내사에 들어갔어요. 백상구한테 해준 융자, 집중 수사할 거예요. 강정일 팀장 바빠지겠네. 최수연 씨는 외부에 있어요. 아마…….”

“백상구를 만나고 있겠죠. 강정일, 최수연, 두 사람 아직은 서로를 믿는 거 같던데.”

“믿음은 흔들리죠. 우리를 시험대에 세웠던 사람들. 자신들이 그 시험대에 섰어요. 믿는 것들이 무너지는 두려움을 느끼겠네.”

영주는 샌드위치를 한입 베어 물며 기분 좋은 표정을 지었다.

“정일아, 저축은행 전무, 상무 다 검찰에 소환됐단다.”

조경호가 정일의 집무실 문을 벌컥 열며 다급하게 소식을 전했다. 정일은 이미 알고 있다는 듯 굳은 얼굴로 책상에 앉아 있었다.

“그 사람들 입에서 네 이름이 나오면 너도 소환될 거야. 백상구도 소환되면, 정일아, 그 입에서 무슨 말이 나올지…….”

그때 정일의 휴대폰에서 메시지 수신음이 울렸다. 무심코 휴대폰을 보니 사진 한 장이 떠 있었다. 수연이 백상구와 함께 있는 사진이었다. 동시에 정일의 휴대폰이 울렸다.

“아버지.”

—수연이 뒤에 꼬리를 붙여놨더이 요런 사진을 보내왔네. 정일아, 수연이가 움직인대이. 아비가 그림 그리놓으까…….

정일은 대꾸 없이 굳은 얼굴로 사진만 들여다보았다.

—전화해라.

강유택의 전화가 끊겼다. 정일이 불안한 얼굴로 사진을 뚫어질듯 보고 있는데 조경호가 옆으로 다가왔다.

“뭐야, 둘이 지금 만나고 있어? 정일아, 낚시터에 너, 수연이, 백상구가 있었어. 근데 지금 너 빼고 둘이서 만나고 있다고.”

정일은 조경호의 말이 귀에 들어오지 않았다. 그는 떨리는 손으로 휴대폰을 들고 전화를 걸었다.

"수연아, 지금 어디야?"

—……피부과. 이제 곧 케어 시작할 거야.

휴대폰을 통해 들려오는 수연의 목소리가 평소와 달리 몹시 어색했다. 정일은 눈을 질끈 감았다 뜨며 침착하게 말했다.

"그래. 케어…… 잘 받아라."

정일은 잠시 미동도 않고 자리에 앉아 있다가 무거운 목소리로 내뱉었다.

"경호야, 메이킹 시작해라. 어서!"

16

최일환은 아무리 생각해도 동준이 아까웠다.

"동준이 말이야. 일솜씨가 좋아. 변호팀 사람들, 동준이보다 경력도 연배도 위야. 그 열 명의 변호사들을 수족처럼 부리고 있어."

송태곤은 최일환의 마음을 눈치채고 은근슬쩍 물었다.

"재판 마무리되면, 동준이 나가게 그냥 두실 겁니까?"

"그런 말이 있지. 남의 감정에 공감 못하는 사람들이 성공한다고. 먼 길 가려면 마음이 가벼워야 돼. 마음에 돌덩이 얹은 놈한테 태백을 맡길 순 없어."

"인권 변호사 출신도 태백에 와서 정리해고 업무를 하면서 잘만 사는데……. 짜식."

"어쩌겠나. 다들 견딜 만큼 사는 거지."

최일환은 동준을 놔줘야 하는 게 몹시 아쉬웠다. 동준은 잘만 손보면 크게 만들 수 있을 것 같은데, 생각이 너무 복잡한 게 탈이었다.

동준과 영주는 심각한 얼굴로 집무실 소파에 마주 앉았다. 동준은 정일의 검찰 소환을 준비하고 있었다. 당연히 정일이 응하지 않을 거라 여기고 변호사들과 다른 계획을 준비하고 있었는데, 소환에 응하겠다는 답변이 왔다.

"강정일이 소환에 응한다는 건 반론할 준비를 마쳤다는 뜻입니다."

동준은 정일이 무슨 생각으로 그러는지 이해할 수가 없었다.

"융자 루트 다 점검했어요. 강정일이 저축은행 전무를 압박했다는 증거도 있어요. 강정일 측 반론은 불가능해요. 백상구 쪽 건설 회사 인수를 위해서 융자를 주선한 걸 인정할 수밖에 없어요."

"근데 왜 우리 뜻대로 움직이는 걸까요?"

동준은 아무리 생각해도 그 의미를 파악할 수 없었다.

"상대가 우리 뜻대로 움직일 때가 가장 위험해요. 우리 뜻을 아는 거니까."

"순순히 소환에 응하겠다……. 대가성이 밝혀지면 백상구도 소환될 거고, 백상구가 낚시터에서 있었던 일을 말하면 강정일은 살인범이 될 텐데……."

"백상구의 입을 움직일 수 있다면…… 그리고 다른 증거를 조작할 수만 있다면, 강정일 팀장은 최수연 씨의 살인을 덮기 위해 융자를 알선한 죄만 쓰겠네."

영주가 동준의 생각을 이어 퍼즐을 맞췄다.

"소환 연기할 방법 찾아봐요. 재판을 미루든지. 대응책을 세워야 합니다."

"시간이 없어요. 아빠한테 남은 시간을 미룰 수 없다면 재판도 못 미뤄요."

재판을 미룰 수는 없었다. 살인죄를 뒤집어쓰고 아버지를 저세상에 가게 할 수는 없었다. 영주는 뭔가 결심한 듯 밖으로 나갔다.

수연은 법정 증언에 대비해 연습을 하고 있었다. 수연은 책상 앞 의자에 앉아 있고 황보연은 그 앞에 서 있었다.

"그날 새벽, 낚시터에서 최수연 씨는 뭘 하고 있었죠?"

"외할아버지 교회에서 철야기도를 드리고 있었어요."

"당일 알리바이는 외갓댁 교회를 통해 준비 중입니다. 반증만 막으면 됩니다."

"반증?"

"팀장님이 그날 새벽 낚시터에 갔다는 증거를 그들이 확보하게 되면……."

그 순간 수연은 그날 지하 주차장을 떠올렸다.

"보안과에 가서 지하 주차장 CCTV 영상 모두 삭제하고 와. 어서!"

황보연이 고개를 끄덕이며 서둘러 나가는데, 교차하듯 영주가 들어왔다.

"시킬 일 없는데. 부르지도 않았고."

수연의 말투에 날이 서 있었다.

"신창호 재판 변호팀 실무 수석으로 온 거예요. 아니, 누명을 써본 선배로서 후배한테 조언하러 왔다고 해두죠……. 강정일 팀장, 검찰에 소환될 거예요. 살인범을 지목하겠죠. 최수연 씨라고."

"허, 말도 안 돼."

"나도 그랬죠. 평생 올바르게 살아온 기자 신창호가 살인범이라니. 말도 안 된다고 생각했는데. 당신들이 해냈잖아."

"강정일 팀장, 나 못 버려. 날 위해 살인까지 한 사람인데."

"자신을 위해서죠."

수연은 소파로 가던 발걸음을 멈추고 뒤돌아 영주를 쳐다보았다.

"방탄복 문서가 공개되면 보국산업이 무너지고 그 아들인 자신도 쓰러지니까."

수연은 영주의 이 간계를 다 알겠다는 미소를 지었다.

"강정일 팀장하고 나, 4년 넘게 연인이었어."

"이동준 씨는 10년 동안 판사였어요. 신념의 판사 이동준도 꺾었던 마음. 강정일의 4년이 버틸 수 있을까."

수연은 숨겼던 마음속 불안을 건드리자 살짝 통증을 느꼈다.

"강정일 자신이 살아야 하는데."

그때 수연의 휴대폰이 울렸다. 발신자는 황보연이었다.

"나야."

—보안과에 왔어요. 근데 오늘 지하 주차장 CCTV 영상을 복사해 간 사람이 있어요.

"누구야?"

—조경호 변호사. 강정일 팀장이 지시한 거 같아요.

수연은 휴대폰을 잡은 손을 떨어뜨렸다.

영주는 책꽂이에 꽂혀 있던 성경책을 책상에 올려놓고 맨 뒷장 십계명을 펼쳤다.

"십계명. 제6장, 살인하지 말라. 하나만 믿어요. 하나님을 믿든지, 강정일을 믿든지."

수연의 얼굴에 불안의 그늘이 덮쳐오기 시작했다.

*

정일은 호텔 룸 책상에 앉아, 노트북으로 그날 지하 주차장에서 수연이 차를 몰고 나가는 CCTV 영상을 심각한 얼굴로 보고 있었다. 옆에 놓인 휴대폰이 무음으로 울리고 있었지만 정일은 노트북을 보느라 알아채지 못했다.

"낚시터 사건 당일 지하 주차장 사진입니다."

조경호는 소파에 앉아 있는 강유택에게 사진 한 장을 보여주며 브리핑을 시작했다.

"동영상은 저기 노트북에 있고요."

정일은 스페이스 키를 눌러 동영상을 멈추고 소파로 와서 앉았다.

조경호는 탁자 위에 사진을 한 장씩 쭉 올려놓았다.

"국도변 CCTV 화면들입니다."

조경호는 CCTV 사진 위에 수연의 사진을 올려놓았다.

"수연이는 법정에서 범행 당일 철야기도를 했다고 주장했는데요, 그 알리바이를 깨면 다른 항변도 무력해질 겁니다."

강유택은 퍽 만족스러운 미소를 지었다.

정일은 책상 위에 놓인 수연의 사진을 괴로운 얼굴로 바라보았다.

"정일아, 넌 검찰에 가서 융자 알선을 인정해. 그럼 백상구가 소환되겠지."

"백상구 금마는 내가 단디 만지놓으꾸마."

"백상구가 수연이가 살인했다고 증언하면 수연이는 살인범으로 구속되고 사건은 종료! 넌 금융거래법 위반으로 아마 변호사 자격증은 취소될 거다."

정일은 그 말에 인상을 찌푸렸다.

"잘됐네. 변호사 자격증 끝장나믄 보국산업 와서 일하믄 될 꺼 아이가?"

"아버지……."

"법이 그래 좋나? 아따, 면허증 없으믄 운전기사 쓰면 될 꺼 아이가. 경호, 태백은 니가 맡아가 굴리봐라."

"네?"

조경호는 그 말의 의미를 몰라 되물었지만, 강유택은 무시하며 수연의 사진 위에 최일환의 사진을 올려놓고, 최일환의 사진을 손으로 톡톡 쳤다.

"살인 방조도 죄가 무겁제. 10년은 안 살겠나?"

정일은 아버지의 숨은 의도를 이제야 알아차리고 기가 막혔다.

"아버지…… 이번 일로 최일환 대표까지."

"물김치 마시는 김에 국수까지 말아 묵으믄 배도 부르고 안 좋겄나, 정일아."

정일은 한 걸음 앞서 나가는 강유택을 넘어설 수 없을 것 같았다. 그때 벨소리가 울렸다.

정일은 문을 열다 멈칫했다. 수연이가 서 있었다.

"전화를 안 받아서……. 오빠…… 들어가도 되지?"

정일은 난감한 얼굴로 이러지도 저러지도 못하다 어쩔 수 없이 문을 열어주었다.

"아따, 수연이 아이가?"

안으로 들어오는 수연을 보고 강유택이 손을 들면서 반갑게 맞았다.

조경호는 수연을 보고 당황한 얼굴로 탁자 위의 서류들을 다급하게 치웠다. 수연은 그 모습을 묵묵히 바라만 보았다.

"검찰 소환이 얼매 안 남았다 캐가 회의 좀 하고 있었데이. 너거 아부지가 정일이 감옥 보낼라 카는데, 내라도 나서야 안 되겄나. 아부지 잘 있제?"

수연은 고개를 끄덕이며 정일을 향해 돌아섰다.

"오빠, 할 얘기가 있는데."

그 순간 수연의 눈이 커졌다. 정일의 뒤로 보이는 대형 거울에, 지하주차장에서 자신의 모습이 찍힌 동영상의 스틸 화면이 노트북에 띄워져 있었다.

수연이 말을 잇지 못하는데, 정일은 알아차리지 못했다.

"스카이라운지에 올라가서 기다려."

"고래라. 내가 킵해논 술, 한 꼬뿌 하믄서 쪼매만 기다리래이."

"……하던 일 마무리하고 금방 올라갈게."

수연은 정일의 눈이 흔들리는 것을 보았다. 그녀는 거울에 시선을 고정한 채 떨리는 마음을 누르며 정일에게 물었다.

"……지금 준비하는 일, ……마무리 잘될 거 같아?"

"……어."

수연은 정일의 그 말에 가슴 한구석이 와르르 무너져 내리는 통증을 느꼈다. 수연은 고통을 감추며 정일에게 어색한 미소를 지었다. 그러고는 강유택에게 인사를 하고 서둘러 그 방을 빠져나왔다. 수연의 눈에서 하염없이 눈물이 흘러내렸다. 얼마 전 영주가 한 말이 떠올랐다.

'신념의 판사 이동준도 꺾었던 마음. 강정일의 4년이 버틸 수 있을까? 강정일 자신이 살아야 하는데.'

수연은 그렁한 눈으로 누군가에 전화를 했다.

"아빠, 나…… 어떡하지?"

동준과 영주는 집무실에서 심각한 얼굴로 회의를 하고 있었다.

"백상구를 건드리죠. 그 사람 입을 열 방법을……."

집무실 안을 서성이던 영주가 먼저 입을 열었다.

"조금만 기다려요. 강정일이 움직인 걸 알면 수연이가 증언을 결심할 수도 있습니다."

"살아온 길이 달라서 그런가? 이동준 씨는 최선을 기대하고, 난 최악을 준비하네."

두 사람은 서로 거리감을 느끼며 바라보았다. 그때 문이 열리더니 수연이 들어왔다. 눈물을 흘렸던 흔적을 모두 지운 수연은 평소와 똑같은 얼굴로 들어와 소파에 앉았다. 수연은 동준과 영주를 동시에 쳐다보았다.

"증인 출두서 보내줘요. 증인으로 다시 나갈게요."

담담한 척했지만 수연의 목소리는 쓸쓸했다. 영주는 수연의 말이 내심 반가웠다.

"당신들이 원하는 건 진실. 내가 원하는 건 안전. 남편이 내 편 되면, 나 무사할 수 있으려나?"

동준은 수연에게 고개를 끄덕이며 영주에게 지시했다.

"변호팀 소집해요. 증인 출두서 다시 신청하고……."

"아뇨. 증인으로 다시 출두하는 게 알려지면 강정일 팀장이 먼저 움직일 거예요. 최수연 씨 녹취를 증거로 제출할 겁니다."

회의를 마치고 옷가지를 챙기던 정일은 거울에 비친 노트북 화면을 보고 경악했다.

거울에 지하 주차장 영상이 그대로 비치고 있었다.

'……지금 준비하는 일, ……마무리 잘될 거 같아?'

정일은 수연의 말이 이제야 이해가 되었다. 그는 그 자리에서 화석처럼 굳었다. 강유택은 그 모습을 이상하게 여기며 거울을 쳐다봤다.

"수연이가 요거를 보고 갔단 말이제. 아따, 회의 다시 시작허야겄네. 저거 아부지한테 쪼르르 달리갔을 낀데. 일환이가 달라들기 전에 우리가 먼저……."

"최일환 대표를 막으면 이동준 변호사가 나설 겁니다."

"그라믄 이동준이 금마를 자빠뜨릴 방법을 먼저……."

"이동준을 막으면 최일환 대표가 나설 거고요."

강유택은 이제 더는 생각하기 싫었다.

"생각은 니가 해라. 힘은 내가 쓰꾸마."

강유택은 집어 들었던 외투를 소파에 던지며 그리로 가서 앉았다.

"아버지."

강유택은 그 소리에 정일을 돌아보았다.

"이동준과 최일환 대표를 동시에 멈추게 할 방법, 있습니다. 경호야, 다녀와라."

정일은 비릿한 미소를 지으며 강유택을 바라보았다.

영주는 증언을 녹취할 모든 준비를 마치고 최수연을 소파에 앉혔다. 수연 앞에서 카메라가 돌아가고, 영주와 동준이 그 옆에 서 있었다. 수연은 잠시 심호흡을 하더니 카메라를 보며 증언을 시작했다.

"위증을 했습니다. 김성식 기자 살인 사건 당일, 철야기도를 한 게 아니라…….”

수연은 잠시 말을 멈췄다가 결심한 듯 다시 입을 열었다.

“낚시터에 있었어요. 살해 현장에 같이 있었죠. 말리려고 했는데 늦었어요. 김성식 기자를 살해한 사람은…… 강정일 변호사입니다.”

수연은 막상 정일의 이름을 내뱉고 나니 뭔가 가슴에 구멍이 뚫리는 것 같았다.

“살인범은 떠났고 최초 목격자가 누명을 썼어요. 신창호 씨는 무죄예요.”

동준과 영주는 그 말에 서로를 바라보았다. 드디어 진실의 꺼풀이 벗겨지는 순간이었다.

“이 정도면…… 됐나요?”

수연은 처연한 얼굴로 동준을 바라봤다. 그는 천천히 고개를 끄덕여 주었다.

비서실 문이 열리면서 조경호가 반갑게 한 손을 들고 들어오자, 송태곤은 그를 힐끗 째려보고는 노트북으로 시선을 돌렸다.

“모시는 분들이 척지는 바람에 우리도 멀어졌네. 일주일에 세 번씩 달리던 사이인데 말이야. 간만에 한잔합시다. 요 앞에 바텐더가 새로 왔습니다. 딱 실장님 취향이던데.”

송태곤은 바텐더가 새로 왔다는 소리에 마음이 살짝 흔들렸다. 사실 송태곤과 조경호는 태백에서 썩 잘 맞는 사이였다. 그런데 요 몇 달 술도 마음 놓고 같이 마시지 못했다.

“경호야…… 네가 사라.”

조경호는 송태곤이 승낙하자 반색하며 고개를 끄덕였다.

“경호야, 몇 살이냐?”

“아, 후배 나이도 모르고”

“너 말고 바텐더.”

조경호는 송태곤을 뒤따라 나가며 비서실 문을 살짝 열어두었다.

두 사람은 주거니 받거니 농담을 하며 복도를 걸어갔다. 그런데 갑자기 조경호가 걸음을 멈췄다.

“잠깐 화장실에. 로비에 계세요. 깨끗하게 비우고 달려가겠습니다.”

송태곤은 얼굴을 살짝 찌푸리고는 먼저 로비로 내려갔다.

조경호는 송태곤을 따돌리고 비서실로 다시 돌아가 송태곤의 노트북을 켰다. 그는 옆에 놓인 보안카드로 문서들을 열어가며 뭔가를 찾았다. 잠시 후 조경호의 눈이 빛났다. 그는 밖을 살피며 다급히 전화를 걸었다.

“정일아, 찾았다.”

*

똑똑똑.

영주가 집무실로 들어와 정일의 책상 앞에 와서 섰다.

“검찰에 소환되는 날, 클라이언트하고 회의가 있습니다. 이동준 변호사가 대신 주재할 거예요. 회의 자료 받으러 왔습니다.”

영주는 수연의 증언을 확보한 이상 재판이 순조롭게 진행될 거라 믿었다.

“내가 하던 업무, 다른 팀에 다 넘겼던데. 증인으로 나갔다가 피의자로 신분이 전환돼서 구속될 거라 생각합니까?”

정일은 서류를 챙기며 영주에게 물었다.

"한 번쯤은 법이 올바른 판단을 하겠죠. 예금이나 저축은 신탁을 하고, 부동산 관리는 대행사에 맡겨요. 형사 시절에 구속될 피의자한테 해주던 조언이죠. 참, 아직 후회는 하지 말아요."

영주는 정일을 보며 엷은 미소를 지었다. 그는 아무 말이 없었다.

"감옥에 들어가면 후회할 시간은 충분할 테니까요."

영주는 정일이 건네는 서류를 받아 밖으로 나갔다. 그가 영주의 뒷모습을 묵묵히 바라보고 있는데 휴대폰이 울렸다. 그는 통화 버튼을 눌렀다.

—정일아, 퍼뜩 올라온나.

뭔가 좋은 일이 있는지 강유택의 목소리에 힘이 넘쳤다.

서류 봉투를 들고 최일환의 집무실로 걸어가던 정일은 수연을 보고 걸음을 멈췄다. 그는 수연을 부르려다 차마 부르지 못하고 복잡한 눈빛으로 바라보기만 했다. 그는 수연이 집무실 안으로 들어가는 모습을 보고 따라 들어갔다.

최일환의 집무실 안에는 동준, 최일환, 강유택이 소파에 앉아 있고, 송태곤은 강유택 옆에 서 있었다. 수연과 그 뒤를 따라 들어온 정일도 소파로 가서 앉았다.

"내 따라온 고문단들, 다시 태백에 돌라주꾸마."

최일환은 아무 말 없이 송태곤을 쳐다보았다.

"그분들이 쓰던 9층 고문단실, 리모델링해서 실내 정원으로 만들었습니다. 돌아와도 모실 방이 없습니다."

"아따, 우리 일환이 속이 마이 상했던 모양이네. 일환아, 친구가 손 내밀 때는 잡아라."

최일환은 강유택의 말에는 여전히 대꾸하지 않은 채 이번에는 동준을 쳐다보며 말했다.

"정일이는?"

"강정일 팀장은 사직 처리할 예정입니다. 태백의 팀장이 살인 혐의로 구속되면 강정일 팀장이 중요하게 생각하는 태백의 명예에 손상이 가니."

"정일이 손에 피가 묻었다는 증거가 있나? 일환아."

최일환은 수연을 쳐다봤다.

"내가 봤잖아, 오빠. 낚시터에서 오빠가 김성식 기자를……."

수연의 머릿속에 정일이 김성식의 가슴에 낚싯대를 꽂아 넣는 모습이 떠올랐다 사라졌다.

"진실을 증언할 거예요."

그 말에 정일은 수연을 안타깝게 바라보았다.

"정일아, 우야겠노? 니도 진실을 증언해래이."

정일은 서류 봉투에서 두 개의 서류를 꺼내 하나를 탁자 위에 올려놓았다.

"이동준 씨가 판사 시절 신창호 씨를 재판한 1심 판결문입니다. 법원 서버에 기록물로 남아 있습니다."

동준은 무슨 의미인지 모르겠다는 얼굴로 정일을 보았다.

정일은 남은 서류 하나를 탁자 위에 올려놓았다.

"이건 태백의 비밀 서버에 보관된 신창호 씨의 판결문입니다."

그 순간 최일환은 모두 알 것 같았다. 그는 인상을 찌푸렸다.

"이 판결문의 작성자는 최일환 대표님. 작성 일자는 판결 일주일 전입니다."

동준은 최일환의 말이 떠올라 얼굴이 화끈거렸다.

'오랜만에 판결문을 써봤어. 살인 사건 신창호 재판. 그 재판, 내가 하지. 자네는 법봉만 두드리게.'

"알궂제? 신창호 재판 판결문을 와 일환이 니가 썼을꼬? 두 개가 똑 같은 거 맞제?"

"오자까지 동일합니다."

동준은 숨기고 싶었던 치부가 드러나자 눈을 질끈 감았다. 집무실 안은 잠시 찬물을 끼얹은 듯 조용했다.

"점마는 우째 되노?"

강유택이 침묵을 깨고 동준을 보며 정일에게 물었다.

"청부 재판의 대가로 결혼을 했습니다. 공직자였으니 가중 처벌이 될 겁니다."

"니는 청부 재판 교사에 사위까지 구속되믄 제수씨 혼자 그 넓은 집에 우예 살겠노? 수연이가 증언한 동영상하고 이거하고 저울에 달아 보믄 어떻노? 근이 맞겠나?"

최일환은 굳은 얼굴로 입술을 꾹 다물고 있었다.

"일환아, 내가 정일이 손 잡고 나가꾸마. 재판 고마 해라. 태백은 니가 묵고. 친구가 손을 내밀면 잡아라 카이."

동준은 그들을 보며 결론이 어떻게 날지 불안해 견딜 수가 없었다.

정일은 집무실을 나와 걸으면서 강유택에게 물었다.

"아버지, 최일환 대표가……."

"받을 끼다. 태백을 지보고 무라는데 와 안 받겠노?"

"……태백은 포기하는 겁니까?"

"육십 평생 살믄서, 정일아, 내가 포기한 거는 너거 엄마뿌이다. 수연이 동영상 없애고 판결문 없애고 나믄 일환이는 빈 손이데이."

강유택은 잠시 멈춰 서서 비릿한 미소를 지으며 정일을 바라보았다.
"내한테는 정일아, 히든이 있는 기라."
강유택은 찡긋 윙크를 하고는 만족스러운 얼굴로 앞장서서 걸었다.
강유택과 정일이 나간 뒤 집무실에는 깊은 정적이 흘렀다.
"판결문이 그놈 손에 있어. 청부 재판이 드러나면……."
최일환이 긴 침묵을 깨고 입을 열었다.
"판결문을 공개하면 보국산업도 다칠 겁니다. 강유택 회장은 공개 못할 겁니다, 대표님. 재판은 계획대로 진행하겠습니다."
최일환은 얼마 전 강유택과의 대화를 떠올렸다.
'보국산업도 많이 다칠 거야.'
'뿌리 깊은 나무는 한두 해 가뭄에 안 말라죽는데이.'
"변호팀 해체해. 변호팀 자료는 모두 폐기시키고."
최일환은 판단을 끝낸 듯 송태곤에게 지시했다.
그 말에 동준은 깜짝 놀라며 벌떡 일어났다.
"대표님, 신창호 재판은……."
"신창호는 버린다. 신영주, 그 애도 집어넣어. 공문서 위조든 뭐든."
서릿발같이 차가운 태도에 동준은 아무 말도 할 수 없었다.

띵 소리와 함께 문이 열리자 동준은 엘리베이터에 올라탔다. 안에는 송태곤이 타고 있었다.
"동준아, 나 지금 신창호 사건 담당 판사 만나러 간다."
송태곤은 엘리베이터 문이 닫히자 놀리듯 동준에게 말했다. 동준은 그 말에 송태곤을 쳐다보았다.
"뭘 던져드릴까 생각 중이다. 이번 판결문은 내가 쓰지. 신창호 유죄, 탕탕탕! 태백에서 나가면 세상 험해질 거다. 너나 잘 살아라, 인마."

송태곤은 엘리베이터 문이 열리자 가벼운 발걸음으로 내렸다. 동준은 천천히 뒤따라 내리면서 뭔가 결심한 듯 휴대폰을 꺼냈다.

정일은 태백의 복도를 걷다가 그만 그 자리에서 걸음을 멈췄다. 맞은편에서 수연이 걸어오고 있었다. 정일은 수연을 어떻게 봐야 할지, 무슨 말을 해야 할지 난감했다. 수연은 조금도 주저하지 않고 곧장 정일에게 걸어갔다.

"할 말이 많겠다. 오빠 감옥 가면 면회 가서 얘기하려고 했는데, 판결문은 어떻게 찾았을까?"

정일은 수연이의 비아냥이 아프게 느껴졌다.

"미국에서 우리가 보낸 시간. 여기 와서 함께했던 세월. 나 머리 나쁜 거 알잖아. 벌써 다 잊었나봐."

"수연아……."

"어제 본 것만 기억할래. 아주 오래. 안 잊을 거야, 오빠."

수연은 정일 옆을 조금도 망설임 없이 지나쳐 갔다. 정일은 이제 돌이킬 수 없는 사이가 된 수연의 뒷모습을 보며 마음 한구석이 아려왔다. 그때 정일의 휴대폰이 울렸다. 정일은 발신자를 확인하고 전화를 받았다.

—이동준입니다.

정일은 동준의 호출을 받고 옥상으로 올라갔다. 동준은 난간 가까이 서서 서울을 바라보고 있었다. 그 순간 정일은 동준을 확 밀어버리고 싶은 충동에 사로잡혔다. 정일이 마음을 가다듬으며 간신히 충동을 억누르는데, 동준이 뒤를 돌아보았다.

"우리가 할 얘기가 남았나?"

"테러범하고도 대화는 하는 법이죠."

정일은 동준이 또 무슨 수작을 부리려는지 가만히 살펴보기로 했다.

"김성식 기자 살인범. 자수시킬 수 있다고 했던 것 같은데."

"그 제안 거절한 건 이동준 씨 아닌가."

"법은 심판이 아니라 타협이라고 한 건 강정일 씨 아닌가."

동준과 정일, 두 사람은 한 치의 양보도 없이 팽팽하게 맞섰다.

"최일환 대표는 이미 마음을 굳혔는데, 곧 태백을 떠날 이동준 씨하고 왜 타협을 하지?"

"수연이의 증언 동영상. 나한테 있습니다."

정일은 멈칫하다 여기서 밀리면 안 된다는 생각에 반격했다.

"판결문이 공개되면 청부 재판을 한 이동준 씨도 많이 다칠 겁니다."

"각오해야지. 내가 한 짓인데."

정일은 동준은 힐긋 쳐다봤다. 그 말이 진심이라는 걸 알 수 있었다.

"오늘 안에 자리 만들어요."

동준은 할 말을 다 한 듯 옥상을 내려가려 했다.

"이동준 씨!"

"할 얘기가 더 남았나?"

정일은 뭔가 할 얘기가 남은 듯 동준을 쳐다보았다.

동준은 다급하게 영주를 호출한 뒤 노기용이 운전하는 차에 다짜고짜 태웠다.

"변호팀 전체 회의가 한 시간 뒤예요. 외부로 나갈 시간 없는데. 지금 꼭 만나야 할 사람이 누구죠?"

동준은 영주의 물음에 대답할 생각도 않고 창밖만 바라보았다. 동준이 이러는 걸 보면 분명 뭔 일이 있는 것 같았다.

"회의는 저녁으로 미룰게요."

영주가 답답한 듯 한숨을 쉬었다.

"변호팀은……."

영주는 그 말에 동준을 쳐다보았다. 동준은 여전히 창밖을 보며 영주를 외면했다.

"해체됐습니다, 신영주 씨."

영주가 놀란 눈으로 뭔가 물어보려 하는데 차가 일식집 앞에 도착했다. 영주는 왜 이곳으로 왔는지 궁금했지만 묻지는 않았다.

동준을 따라 일식집 룸으로 들어가자 그곳에 이미 정일과 백상구가 앉아 있었다.

"이동준 씨……."

영주는 그들을 보자 의구심이 드는 얼굴로 동준을 바라보았다.

"태백에서 일한 지 꽤 됐는데 식사는 처음이네."

정일은 영주를 보며 앉으라는 손짓을 했다.

"부둣가에선 미안하게 됐소. 우짜겠소. 나가 직업이 이런디."

동준은 백상구의 사과를 무시한 채 정일을 쳐다봤다.

"김성식 기자 살인범이 누굽니까?"

영주는 그 말에 놀란 표정으로 동준을 쳐다보았지만 그는 영주를 보지 않았다. 그때 백상구가 탁자를 탕탕 치자 문이 열리고 백상구의 수하 중 한 명이 들어와 고개를 푹 숙였다.

"낚시터에서 자리싸움이 있었나봅니다. 흔한 일이죠. 김성식 기자도 이 사람도 꽤 취해 있었어요. 말다툼이 몸싸움이 되고, 결국 낚싯대로……."

정일은 안타깝다는 듯 고개를 가로저었다. 영주는 그제야 그의 의도를 파악하고 화난 얼굴로 반발했다.

"이동준 씨."

순간 동준은 탁자 아래서 영주의 손을 꼭 잡았다. 그리고 제발 가만히 있어달라고 눈빛으로 애원하듯 영주를 보았다. 영주는 그 눈빛을 보고 분을 삭이며 상황을 지켜보았다.

"언제 자수할 겁니까?"

"우리 일이 마무리되면. 며칠 안에."

백상구는 주머니에서 봉투를 꺼내 수하에게 건넸다.

"엄니 용돈 챙겨드려라. 앞으로는 매달 내가 챙길 것인께."

수하는 봉투를 받아 챙겨 넣고 인사를 한 뒤 밖으로 나갔다.

"잘됐네, 신영주 씨. 이동준 씨 덕분에 신창호 씨 무죄 밝혀질 거고, 구속된 기간만큼 국가 배상금도 꽤 나올 건데."

영주는 분노 어린 눈빛으로 정일을 노려보았다.

"추가 협상 조건이 있습니다. 신영주 씨 안전 보장해요. 경찰 복직도 해결해주시고."

정일이 뭐라 말하려 하는데 동준이 단호하게 잘랐다.

"수연이 동영상, 내 손에 있다니까."

정일은 입을 다물며 고개를 절레절레 흔들었다.

일식집을 나오자 영주는 동준을 막아서며 따져 물었다.

" 최수연 씨 증언도 확보했잖아요. 다 이긴 재판인데 왜……."

"나도 이기고 싶어요."

"그런데 왜 멈추죠."

"그 사람들, 신창호 씨 담당 판사 회유할 겁니다. 검사도 만날 거고.

2심 판결문은 송태곤 실장이 쓸 겁니다."

영주는 어찌할 수 없는 상황이라는 걸 알고 잠시 숨을 고른 뒤 다시 물었다.

"우리가 여기서 물러나면 최일환 대표는……."

"태백을 더 확장할 생각이에요. 미국까지 진출할 계획입니다."

"강유택 회장은……."

"방산 사업을 더 키우겠죠. 이제 강정일도 사업에 합류할 테니까."

동준의 목소리에 허탈함이 묻어났다. 영주는 분을 삭이지 못해 어쩔 줄 몰라했다.

"잊어요. 신창호 씨만 생각해요. 신창호 씨한테 남은 시간, 법적 공방으로 보내게 할 순 없습니다."

영주는 진심이 우러나는 동준의 얼굴을 보다 허탈한 얼굴로 하늘을 바라보았다.

"이게…… 최선입니다. 최악은 피해야죠."

'최선이라…….'

영주는 동준의 말을 떠올리며 병실 문가에 잠시 서 있었다. 여느 때처럼 아버지는 책을 읽고 있었고, 엄마는 청소를 하고 있었다. 이런 일상적인 풍경을 누릴 시간이 얼마 남지 않았다는 생각에 영주는 먹먹했지만, 그 기분을 애써 꾹 눌러 담았다. 영주는 병실로 들어가 엄마가 밀던 밀대를 건네받아 바닥을 닦으며 신창호 쪽으로 다가갔다.

신창호는 읽고 있던 『독립운동사』라는 책을 영주에게 보여주었다.

"독립운동했던 분들 중에 독립을 못 보고 떠난 분들이 더 많아. 그래도 그분들은 언젠가 독립이 될 거라 믿고 떠났겠지?"

영주 엄마는 그 말에 답답하고 한심한 듯 남편을 바라보았다.

"하이고. 그 처자식들 우예 살고 있는지 함 보이소. 지 몸 챙기고 지 식구 살피는 기 우선이지. 높은 놈들, 더러븐 놈들, 고래 살아온 기 수천 년인데. 당신이 뭐라꼬……."

영주 엄마는 "하이고"를 연거푸 읊조리며 밖으로 나갔다. 영주는 밀대로 침대 주변을 청소하며 아버지를 위로했다.

"기억나. 아빠가 떠난 뒤에도 계속될 일을 하면서 살 거라고 그랬지. 이분들도 자신들이 세상을 떠난 뒤에도 계속될 일을 하신 거야."

신창호는 그 말을 위안 삼아 침상에 누우려다 옆에 놓인 신문을 보고 쓴웃음을 지었다. 기사 제목이 '보국산업 강유택 회장, 국방부 산하 국방 강화 특위 위원장 위촉'이었다.

"방산 비리 처음 취재할 때 보국산업에서 사람이 왔었다. 취재를 중단하면 자리를 주겠다고 했어. ……거절했다."

영주는 아버지의 시선을 따라가다 신문에서 강유택의 사진과 기사를 보았다. 영주는 동준의 말이 떠올랐다.

'방산 사업을 더 키우겠죠. 이제 강정일도 사업에 합류할 테니까.'

"성식이하고 방탄복 문제를 캘 때는 태백에서도 사람을 보냈어. 돈을 준다는 걸 거절했다. 영주야, 아비가…… 바보같이 왜 그랬을까?"

영주는 아버지의 허탈한 목소리를 들으니 마음이 쓰라렸다. 영주는 최일환이 표창장을 받던 뉴스 화면과 동준의 말이 생각났다.

'태백을 더 확장할 생각이에요. 미국까지 진출할 계획입니다.'

"근데 영주야…… 나는 이렇게 가는데 ……그 사람들이 이겼어."

신창호는 씁쓸한 미소를 지으며 돌아누웠다. 영주는 아버지의 그 초라한 뒷모습을 보자 가슴이 무너지는 것 같았다. 동시에 가슴속 응어리가 치고 올라오는 느낌이 들었다.

동준은 열쇠로 서랍을 열고 안에서 USB를 꺼냈다. 동준은 USB를 책상 위에 올려놓고 다른 서류들을 챙겼다. 영주는 그 모습을 하나도 빠뜨리지 않고 지켜보다 책상 위의 USB에 시선이 꽂혔다.

"난 다음 주에 태백을 나갈 겁니다. 범인은 그전에 자수할 거고요."

동준은 모든 일을 끝낸 사람처럼 담담해 보였다.

영주는 동준의 말을 묵묵히 들으면서 들고 있던 서류철을 티 나지 않게 바닥에 떨어뜨렸다.

동준은 서류를 주워주려고 몸을 숙였다. 그사이 영주는 손에 쥐고 있던 USB와 책상 위의 USB를 잽싸게 바꿔치기했다.

"이제 다 끝났어요, 신영주 씨."

동준은 영주에게 서류를 건네며 따뜻하게 말했다. 이제 영주와 신창호가 조금은 편해졌으면 하고 바랐다. 영주는 아무 말 없이 동준을 쳐다보기만 했다. 동준은 그런 영주를 이해할 수 있었다. 그는 서류와 USB를 챙겨 영주에게 엷은 미소를 남긴 뒤 밖으로 나갔다. 문이 닫히자 영주의 얼굴빛이 달라졌다.

*

동준은 심호흡을 하고 최일환의 집무실로 들어갔다. 오늘은 결전의 날이었다. 집무실 안에는 이미 수연과 정일, 최일환, 강유택이 소파에 앉아 있었고, 최일환 옆에는 송태곤이 서 있었다. 동준은 자리에 앉으며 탁자 위에 놓인 누래진 계약서와 판결문 옆에 서류와 USB를 놓았다.

"아따, 서른 해를 돌아가 요까지 왔네. 작별 선물이라도 주야 되는 거 아이가?"

"저 액자 가져가."

최일환이 '태백'이라고 쓰인 액자를 가리키자 강유택은 크게 한 번 웃었다.

"송실장, 시작해라이."

"이 자리에서 판결문과 증언 동영상은 함께 삭제할 겁니다. 향후 복사본이 나오거나 유사한 상황이 제기되면……."

"태백하고 보국산업이 같이 죽는 거 아이겠나?"

강유택은 정일에게 은밀한 눈빛을 보냈다. 정일은 그 의미심장한 눈빛을 받으며 그 말을 떠올렸다.

'내한테는, 정일아, 히든이 있는 기라.'

"지장 찍기 전에 요거는 봐야 안 되겄나? 너거 딸내미가 증언한 동영상이 맞는지 함 보자."

최일환이 고개를 끄덕이자 송태곤은 USB를 가져가 동영상을 틀 준비를 했다.

"미국에 법인 세운다 캤제. 아따, 미국 쪽에서 먼 일 생기믄 내가 찾아……."

"송비서, 보국산업하고 관련된 사건, 수임 받지 마."

최일환의 목소리는 단호했다.

송태곤은 정중하게 끄덕이고 리모컨으로 텔레비전을 켰다. 화면이 잠시 지직거리더니 드디어 동영상이 시작되었다. 그런데 스튜디오 부스 안에서 찍은 팟캐스트 동영상 화면이 재생되었다. 모두 놀란 표정으로 입을 다물지 못하고 잠시 멍하니 그 화면을 바라보았다.

—팟캐스트 〈기자의 눈〉 제45회 방송을 시작하겠습니다. 지난주에

다운로드 수가 드디어 10만을 돌파했는데요.

—그래도 100위 안에는 못 들었잖아.

신창호가 "으이그" 하며 주먹으로 김성식을 쥐어박으려는 듯한 자세를 취하면서 두 사람은 친근하게 장난을 쳤다.

—오늘은 게스트가 있습니다. SBC의 김성식 기자. 제가 제일 아끼는 후배입니다. 낚시를 무지 좋아하는데 월척은 못 낚고 방산 비리를 10년째 파고 있는데…….

송태곤은 당황한 얼굴로 정지 버튼을 눌렀다. 환하게 미소 짓고 있는 신창호와 김성식의 얼굴이 그대로 멈췄다. 집무실 안에 깊은 정적이 흘렀다. 누구도 먼저 입을 열지 않았다.

그때 침묵을 깨며 동준의 휴대폰이 울렸다. 그 순간 모두 동준의 휴대폰에 시선이 꽂혔다. 발신자는 신영주였다. 동준은 천천히 통화 버튼을 눌렀다.

—스피커폰으로 해줘요.

전화를 받자마자 영주의 목소리가 흘러나왔다. 동준은 당황한 얼굴로 스피커폰으로 바꿔 탁자 위에 휴대폰을 올려놓았다.

—강정일 씨, 보입니까? 당신이 죽인 김성식 기자가.

정일은 화면 속의 김성식을 힐끗 보고는 외면했다.

—최일환 씨, 보이나요? 당신이 수술실에서 죽이려 했던 신창호 기자가.

최일환은 묵묵히 이 사태를 가늠해보려는 얼굴로 신창호의 얼굴을 보았다.

—한 분은 떠났고 한 분은…… 떠나겠죠.

영주는 단호한 얼굴로 저벅저벅 거리를 걸어가면서 휴대폰으로 통화를 하고 있었다.

—하지만 내가 남았어요. 최수연 씨 증언 동영상. 지금 법원에 증거로 제출할 겁니다.

스피커폰으로 흘러나오는 영주의 발언에 모두들 놀라 어찌할 바를 몰랐다.

동준은 당황한 얼굴로 스피커폰에 대고 말했다.

"신영주 씨, 멈춰요. 제발! 이 사람들 못 이겨요."

—강정일 씨. 강유택 씨. 최일환 씨. 싸움은 이제 시작이에요.

영주는 법원 정문을 지나 안으로 들어가면서 계속 말했다.

"이동준 씨, 선택해요. 내 옆에서 싸울지, 아니면 당신도 나하고 싸울지."

영주는 전화를 끊고 법원 건물을 향해 한 치의 주저함도 없이 당당하게 걸어갔다.

귓속말 1

드라마 원작소설

초판1쇄 발행 2017년 11월 17일
극본 박경수 **소설** 신윤경 **펴낸이** 한석준
편집 윤군석 **디자인** 공미경 **관리** 허수지

펴낸곳 비단숲
서울시 마포구 연희로 11(동교동, 한국특허정보원빌딩 5층 CS-505호)
전화 070-4156-0050 팩스 02-333-1038
등록 제2016-000288호

ISBN 979-11-88028-13-9 03810

비단숲은 크로스게이트월드와이드(주)의 출판브랜드입니다.
※책 값은 뒤표지에 있습니다. 잘못된 책은 바꾸어 드립니다.

이 도서의 국립중앙도서관 출판예정도서목록(CIP)은
서지정보유통지원시스템 홈페이지(http://seoji.nl.go.kr)와
국가자료공동목록시스템(http://www.nl.go.kr/kolisnet)에서
이용하실 수 있습니다.(CIP제어번호: CIP2017028761)